Das Buch

Kommissar Thomas Andreasson hatte sich darauf gefreut, bei der bekannten Segelregatta hautnah dabei zu sein – doch nun ist er Zeuge eines Mordes. Die Ermittlungen führen ihn ins Milieu der Vornehmen und Reichen, der Yachtbesitzer und Adeligen. Warum musste Juliander sterben? Motive gibt es zuhauf: Juliander betrog seine Ehefrau, er düpierte seine Partner und spielte mit Mandanten Katz und Maus. Während sich Thomas an der vornehmen Gesellschaft die Zähne ausbeißt und auch privat nicht alles rund läuft, hat Nora, seine Freundin aus Kindertagen, andere Probleme: Sie möchte das gerade ererbte Haus auf Sandhamn behalten, das ihr Mann unbedingt verkaufen will. Während ihre Ehe zu zerbrechen droht, geschieht ein neuer Mord …

Wie schon in ihrem ersten Schärenroman »Tödlicher Mittsommer« folgt man Thomas und Nora wie guten Freunden nach Sandhamn und lässt sich verführen von der sehnsuchtsvollen Sommeridylle.

Die Autorin

Viveca Sten ist Chefjuristin bei der dänischen und schwedischen Post. Sie wohnt mit Mann und drei Kindern vor den Toren von Stockholm. Seit sie ein kleines Kind war, hat sie die Sommer auf Sandhamn verbracht, wo ihre Familie seit mehreren Generationen ein Haus besitzt.

Die Übersetzerin

Dagmar Lendt ist Skandinavistin und übersetzt aus dem Norwegischen, Schwedischen und Dänischen. Bisher hat sie rund sechzig Bücher ins Deutsche übertragen, unter anderem von Jon Fosse, Mons Kallentoft, Karin Alvtegen und Liza Marklund. Sie lebt und arbeitet in Berlin.

KiWi
1252

Für den liebsten Alexander der Welt

Sonntag

Kapitel 1

Die Frauenstimme auf Funkkanal sechzehn zählte langsam rückwärts.

»Zehn, neun, acht …«

Das Meer wimmelte von Schiffen. Die großen Hochseeregattaboote mit ihren enormen Segeln und glänzenden Rümpfen drängten sich an der Startlinie, wenige Distanzminuten von Sandhamn entfernt. Außerhalb des Startbereichs manövrierten die Zuschauer ihre Boote im Kampf um den besten Beobachtungsposten. Mit Ferngläsern verfolgten sie gespannt das Schauspiel vor ihren Augen.

Querab steuerbords der Startlinie lag das Startfahrzeug, ein von der Marine zur Verfügung gestelltes Minenräumschiff.

Die Segel blähten sich wie Ballons, um die leichte Brise voll auszuschöpfen. Die Voraussetzungen für einen spannenden Wettkampf waren perfekt.

»… sieben, sechs …«

Die Wettkampfboote navigierten geschickt, um sich zu positionieren. Es grenzte an ein Wunder, dass sie einander nicht rammten. Manchmal trennten sie nur wenige Handbreit in ihrem Kampf um den besten Startplatz – so nahe der orangefarbenen Luvflagge wie möglich.

»… fünf, vier …«

Bei »drei« würde man die Startpistole abfeuern. Das Signal brauchte ein paar Sekunden, um von allen gehört zu werden.

Der erste Vizevorsitzende der Königlich Schwedischen Seglergesellschaft, Rechtsanwalt Oscar Juliander, stand breitbeinig und selbstsicher am Ruder seines schlanken grünen Swan-Boots, einer eleganten Schönheit, die auf den Namen *Emerald Gin* getauft war. Sie maß einundsechzig Fuß, bot Platz für fünfzehn Mann Besatzung und hatte ihn ein stolzes Sümmchen gekostet. Über zwölf Millionen hatte er der Nautor-Werft in Finnland dafür hinblättern müssen.

Aber sie war jede Krone wert, dachte Oscar Juliander. Es müsste schon mit dem Teufel zugehen, wenn sie heute nicht als Erste vom

Start wegkämen. In diesem Sommer würde er den Gesamtsieg der Regatta »Gotland Runt« nach Hause holen, koste es, was es wolle.

Das Adrenalin pulsierte in seinen Adern. Gott im Himmel, wie er das Segeln liebte!

Er warf einen raschen Blick voraus aufs Meer und bemerkte erfreut den Hubschrauber des Fernsehsenders, der über ihnen kreiste. Das würde ein schönes Bild abgeben, wenn die *Emerald Gin* als Erste die Startlinie überquerte.

Wie üblich hatte er nichts dagegen, in den Medien zu erscheinen, so wie die Medien nichts dagegen hatten, über ihn zu berichten. Hauptsache, er hielt bis zum Schluss die begehrte Position hoch am Wind, um die alle kämpften.

Er ballte die Fäuste. Gleich, gleich würden sie auf dem Weg nach Gotland sein.

Es schäumte unter dem Kiel, als sein Boot durchs Wasser schnitt, nur wenige Meter von der Startlinie entfernt. Sie durften sie nicht zu früh queren, sonst mussten sie zurück und den Start wiederholen. Das würde wertvolle Minuten kosten und konnte über Sieg oder Niederlage entscheiden.

Er hielt den Atem an, während die letzten Sekunden heruntergezählt wurden. Jetzt waren sie so dicht dran, dass er die Startboje beinahe berühren konnte.

Der Rauch aus der Startpistole stieg in den Himmel, und im nächsten Moment dröhnte der Schuss übers Meer.

Der erste Vizevorsitzende Oscar Juliander kippte langsam nach vorn. Die Hände glitten vom Steuerrad, bedeckt von dem Blut, das aus der Wunde in seiner Brust strömte. Seine blicklosen Augen nahmen nicht mehr wahr, dass das Rennen begonnen hatte. Noch ehe sein Körper dumpf auf dem Deck aufschlug, hatte er das Bewusstsein verloren.

Der Schuss, der Oscar Juliander tötete, fiel perfekt mit dem Schuss zusammen, der den Teilnehmern das Startsignal gab.

Die *Emerald Gin* überquerte die Startlinie als erstes Boot ihrer Klasse.

Kapitel 2

»Was machen die denn nur?«, rief Kriminalkommissar Thomas Andreasson aus.

Er stand zusammen mit Peter Lagerlöf, seinem besten Freund bei der Wasserschutzpolizei, an Deck eines der schnellsten Schiffe der Polizeiflotte, einem Kampfboot 90 mit fast sechzehn Metern Länge und einer Höchstgeschwindigkeit von vierzig Knoten.

Thomas hatte dieses Boot selbst befehligt, als er noch bei der Wasserschutzpolizei war. Aber jetzt war Peter der Schiffsführer, denn Thomas hatte sich vor einigen Jahren zur Kriminalabteilung der Polizeistation Nacka versetzen lassen.

Als Peter ihn gefragt hatte, ob er mitkommen und sich vom Boot aus den Start der Regatta anschauen wolle, hatte er keine Sekunde gezögert. Einen Tag auf dem Wasser ließ man sich nicht entgehen. Schon gar nicht, wenn es um die größte Hochseeregatta Nordeuropas ging.

Jetzt bemerkte sein geschultes Auge, dass drüben an der Startlinie etwas vorgefallen war. Eine herrliche Swan 601, die als Erste ihrer Bootsklasse vom Start weggekommen war, fiel plötzlich zurück und brach seitlich aus dem Feld der Konkurrenten aus. Ein sehr merkwürdiges Manöver, da sie für den Weg nach Gotland schnurgerade Kurs auf Almagrundet hätte nehmen müssen.

»Gib mir mal das Fernglas«, bat Thomas und streckte die Hand danach aus. Er hob den schwarzen Zeiss-Feldstecher an die Augen und richtete sich zu seiner ganzen Größe von eins vierundneunzig auf, um besser sehen zu können.

Die Swan war gleich hinter der Startlinie hart am Wind gewesen. Sie hätte inzwischen mehrere Hundert Meter weiter vorn sein müssen, aber stattdessen war sie ans Ende des Teilnehmerfeldes zurückgefallen, während die anderen Boote kräftig Fahrt aufgenommen hatten.

Einer von der Crew stand auf dem Vordeck und winkte mit beiden Armen hoch über dem Kopf.

Ein klassisches Notsignal auf dem Meer.

Durch das Fernglas sah Thomas die Verzweiflung im Gesicht des Mannes. Sofort hatte er ein ungutes Gefühl. An Bord musste etwas passiert sein, etwas Ernstes.

»Kannst du was sehen?«, fragte Peter und blinzelte in das grelle Licht.

»Offenbar ist im Cockpit was nicht in Ordnung. Um das Ruder herum stehen mehrere Leute.« Thomas drehte an der Einstellung des Fernglases, um ein schärferes Bild zu bekommen. »Sieht aus«, sagte er langsam, »als ob da ein Mann zusammengebrochen ist, er liegt auf den Planken und bewegt sich nicht. Ist aber schwer zu sagen, ich kann nicht viel erkennen.«

Peter wandte sich rasch an den Polizisten, der am Steuer stand. »Fahr mal rüber zu der Swan.«

Der Kollege warf das Steuerrad herum und gab Gas.

»Jemand hat den Skipper niedergeschossen!«, schrie der junge Mann auf dem Vordeck, als sie näher kamen. Er gestikulierte wild mit den Armen. »Verdammte Scheiße, irgendein Verrückter schießt auf uns!«

Er verstummte abrupt, als wäre ihm plötzlich bewusst geworden, dass noch weitere Schüsse folgen könnten. Erschrocken ging er in die Hocke und presste sich eng an den Mast. In seinen aufgerissenen Augen stand Angst und Verwirrung.

Thomas ließ den Blick übers Wasser schweifen, ohne genau zu wissen, wonach er eigentlich suchte. In dem Gedränge der Boote war es unmöglich, etwas Bedrohliches auszumachen.

Die große Menge der Zuschauer schien noch gar nicht mitbekommen zu haben, dass etwas passiert war. Die meisten waren damit beschäftigt, die Rennsegler zu beobachten, die inzwischen volle Fahrt aufgenommen hatten. Sonnenreflexe tanzten auf dem Wasser, und hinter ihnen türmte sich das riesige Startschiff auf. In der Ferne waren die Umrisse von Sandhamn und vom Leuchtturm Korsö zu sehen.

Thomas erkannte den Ernst der Lage sofort.

Vor seinen Augen war ein Mord begangen worden. Und vor den Augen Hunderter Zuschauer und Regattasegler. Während einer der wichtigsten Wettkampfveranstaltungen des Segelsports.

Das hier würde einen Medienaufruhr ohnegleichen geben.

Eine große Motorjacht, eine Storebro 500, näherte sich ihnen.

Sie war fast siebzehn Meter lang und hatte mehrere Decks. Das fein polierte Mahagoniholz glänzte. Gekrönt wurde sie von einer ausladenden Flybridge, einem offenen Aussichtsdeck mit Kommandostand, von dem aus das Schiff gesteuert werden konnte.

Im grellen Sonnenlicht erkannte Thomas eine Gruppe von Männern und Frauen, die auf ihn hinunterblickten.

Ein Mann in mittleren Jahren mit Kapitänsmütze und KSSS-Emblem auf dem Pullover stand am Steuer. Als seine Jacht nur noch wenige Meter vom Polizeiboot entfernt war, beugte er sich über die Reling.

»Ist was passiert?«, rief er.

»Halten Sie Abstand«, brüllte Peter automatisch zurück.

Es war nicht einfach, das Polizeiboot so zu manövrieren, dass sie weder der Swan zu nahe kamen noch mit der Jacht zusammenstießen. Eine Kollision war das Letzte, was sie in dieser Situation gebrauchen konnten.

»Wir haben Julianders Frau an Bord. Was ist mit ihm?«

Im Cockpit des Segelboots richtete sich plötzlich ein Mann in den Fünfzigern mit silbergrauem Haar und Brille auf. Er wirkte benommen und geschockt, so als könne er nicht richtig glauben, was er gerade gesehen hatte. Auf seinem Polohemd waren rote Spritzer.

»Jemand hat Oscar erschossen«, rief er dem Mann mit der Kapitänsmütze zu. »Oscar ist tot!«

Aus den Augenwinkeln sah Thomas, wie eine Frau mit hellbraunem Haar die Hände vors Gesicht schlug, bevor sie aus seinem Blickfeld verschwand. Gleich darauf machte das Geknatter des TV-Hubschraubers alle Versuche einer Verständigung zunichte.

Kapitel 3

Nora Linde legte die Hand auf die schmiedeeiserne Klinke und drückte sie vorsichtig herunter. Die altertümliche weiße Pforte reagierte sofort und öffnete sich zum schönen, aber bereits verwilderten Garten.

Sie blieb am Fuß der Treppe stehen, die zum Eingang der Brand'schen Villa hinaufführte, Sandhamns wohl schönstem Haus. Es stand ganz oben auf dem Kvarnberget, direkt über der Fahrrinne zur Insel mit Blick in alle Himmelsrichtungen. Drüben im Sund nahm gerade eine der weißen Waxholmfähren Kurs auf den Dampfschiffhafen, voll besetzt mit Touristen natürlich, denn es war ja Hochsaison. Nora konnte sehen, wie die Passagiere sich voller Vorfreude über die Reling lehnten und Richtung Sandhamn blickten.

Ihre rotblonden Haare, die den Winter über gewachsen waren und ihr nun bis auf die Schultern reichten, flatterten in der leichten Brise. Mit geübten Bewegungen fasste Nora sie zu einem Pferdeschwanz zusammen und zog ein Gummiband darum.

Von Weitem sah sie aus wie ein Teenager mit ihrer knabenhaften Figur und den langen, braun gebrannten Beinen. Erst wenn man näher kam, konnte man sehen, dass sie eine erwachsene Frau war, die zwei Kinder geboren hatte. Trotzdem umspielte das hellblaue Top ihre Taille ganz locker.

Sie war gerade neununddreißig geworden und hatte ein paar Fältchen um die Augen bekommen. Das eine oder andere graue Haar war zu sehen, und die Sommersprossen auf der Stupsnase erzählten von viel Sonne und frischer Luft.

Ihre grauen Augen waren dunkel vor Kummer.

Den ganzen Tag schon hatte ihr vor diesem Gang gegraust. Sie hatte Henrik angefaucht und mit den Kindern geschimpft. Schließlich hatte Simon, der erst sieben war, sie gefragt, ob er etwas Schlimmes getan habe, weil sie so böse war. Adam hatte neben ihm gestanden und zustimmend genickt.

Das tat weh.

Sie hatte tief Luft geholt und beschlossen, sich nicht so herunterziehen zu lassen. Oder wenigstens ihre Anspannung nicht an der Familie abzureagieren.

Dass Signe Brand, ihre alte Nachbarin und zeitlebens so etwas wie ihre Nenn-Oma, ihr die Brand'sche Villa vermacht hatte – an den Gedanken hatte sie sich inzwischen gewöhnt. Aber der Kummer über das, was Signe sich hatte zuschulden kommen lassen, war immer noch frisch und schmerzlich.

Letzten Sommer war herausgekommen, dass Signe ihren Neffen und dessen Cousine getötet hatte, als die beiden ihren Anteil an der großen Villa forderten und Signe zwingen wollten, das Haus zu verkaufen. Nora selbst war kurz davor gewesen, an einem Insulinschock zu sterben, nachdem Signe – ohne sich der Gefahr bewusst zu sein, in die sie Nora damit brachte – sie im Leuchtturm auf Grönskär eingesperrt hatte. Hätten ihr Mann Henrik und ihr bester Freund Thomas sie nicht in letzter Sekunde gefunden, wäre auch sie jetzt nicht mehr am Leben.

Ihr lief unwillkürlich ein Schauer über den Rücken.

Nora holte tief Luft und versuchte, sich zusammenzureißen. Der Stein im Magen wollte nicht weichen, aber es war Zeit, hineinzugehen. Sie musste eine Entscheidung treffen, was mit dem Haus werden sollte. Heute war dafür ein genauso guter Tag wie jeder andere.

Langsam ging sie die Treppenstufen hinauf und steckte den Schlüssel ins Schloss. Es knirschte ein wenig, nicht überraschend bei einem so alten Haus. Aber dann ging die Tür auf und eröffnete den vertrauten Blick auf ein Heim, in dem sie von Kindesbeinen an ein und aus gegangen war.

Die geräumige Diele führte zu einem großen Esszimmer, das zum Meer hin lag, so dicht am Wasser, dass man es riechen konnte. Schöne alte Spitzengardinen schmückten die hohen Fenster. In einer Ecke thronte ein riesiger Kachelofen, dunkelgrün und mit Goldranken verziert.

Neben dem Esszimmer befand sich ein großer Salon mit einer altmodischen Sitzgruppe, an den sich eine Glasveranda mit Sprossenfenstern anschloss. Auf dieser Veranda war Signe kurz vor ihrem Tod gefunden worden. Sie hatte sich mit Morphin und einer Überdosis Schmerztabletten das Leben genommen.

Es war ganz still im Haus. Zu still.

Nach einer Weile ging Nora auf, was fehlte. Die alte Standuhr im Esszimmer tickte nicht mehr. Signe hatte immer sorgfältig darauf geachtet, die Uhr aufzuziehen, die ihr Großvater Alarik Brand Ende des neunzehnten Jahrhunderts hatte hierher bringen lassen.

Sie ging zu dem grauen Büfett, das in einer Ecke stand, und nahm den Schlüssel heraus. Sie wusste genau, wo Signe ihn aufbewahrte. In der obersten Schublade links. Vorsichtig öffnete sie das Glas der Standuhr und zog sie auf. Als sie das vertraute Ticken hörte, musste sie lächeln, und gleichzeitig stiegen ihr die Tränen in die Augen.

Sie zwinkerte sie hastig weg. Sie musste das hier hinter sich bringen.

Gestern Abend waren Henrik und sie beinahe in Streit geraten. Er war der Meinung, sie sollten die Brand'sche Villa abstoßen. Sie so schnell wie möglich verkaufen, damit wieder Ruhe einkehrte.

Sie hatten im Bett gelegen und diskutiert, noch lange nachdem die Jungs eingeschlafen waren. Nora hatte das Kinn auf den Ellbogen gestützt und ihm zugehört. Nur eine der Nachttischlampen hatte gebrannt und lange Schatten auf die blau gemusterten Tapeten geworfen. Wegen der Wärme standen beide Fenster weit offen, aber es war trotzdem stickig im Zimmer.

Henriks markantes Gesicht war ernst und seine braunen Augen blickten nachdenklich. Während sie ihn betrachtete, war ihr durch den Kopf gegangen, wie gut er immer noch aussah. Das dicke dunkle Haar mit den wenigen Silberfäden darin war noch nicht ausgedünnt wie bei so vielen ihrer Bekannten. Der Mittelscheitel lenkte den Blick auf sein gut geschnittenes Gesicht.

Manchmal wunderte Nora sich immer noch darüber, dass ein so attraktiver und geselliger Mensch wie Henrik sich in sie verliebt hatte.

Sie selbst war wesentlich zurückhaltender und schüchterner. Sie hatte bei Weitem nicht so ein Selbstvertrauen wie er, und sie bewunderte sein Talent, sich in allen Situationen zurechtzufinden. Ganz selbstverständlich war er der Mittelpunkt bei Gesellschaften, während sie sich meistens damit begnügte, den lebhaften Unterhaltungen zuzuhören. Aber sie liebte es, neben ihm zu stehen und zu beobachten, wie ihre gemeinsamen Freunde über seine witzigen Bemerkungen und schlagfertigen Kommentare lachten.

Während er sprach, hatte sie seinen Arm gestreichelt. Hatte den seit fünfzehn Jahren so vertrauten Geruch eingeatmet.

»Du wärst beinahe gestorben, Nora«, hatte er gesagt. »Wenn wir nicht in den Leuchtturm eingebrochen wären, hättest du nicht überlebt. Du hättest schwere Hirnschäden davontragen können. Wie kannst du nach dieser ganzen Sache in ihrem Haus wohnen wollen?«

Wenn es so einfach wäre, dachte Nora und seufzte.

Sie verließ das Esszimmer und ging die Treppe hinauf. Vier große Schlafzimmer beanspruchten fast das ganze Obergeschoss. Das ursprünglich fünfte Zimmer war schon früh zu einem Bad umgebaut worden, in dem eine große Badewanne auf Löwentatzen stand.

Weil Signe so lange allein in diesem Haus gelebt hatte, war nur das südliche Schlafzimmer bewohnt worden. Die anderen Zimmer waren unbenutzt, seit Nora zurückdenken konnte, und sie waren immer noch so möbliert wie zu Signes Jugendzeit Anfang des letzten Jahrhunderts. Die Möbel waren zwar altmodisch-wuchtig, aber sie passten zu ihrer Umgebung. Viele waren außerdem handgefertigt und regelrechte Kunstwerke.

In einem der Räume stand ein herrliches altes Schlafsofa mit Holzschnitzereien und schwarzen Samtpolstern. Signe hatte erzählt, wie ihr Bruder einmal fast in diesem Sofa erstickt wäre, als er noch ein kleiner Junge war. Er hatte sich abends zu Bett gelegt und war gerade eingeschlafen, als das Sofa von ganz allein hochklappte. Im letzten Moment hatte die Mutter ihn schreien gehört und ihn befreit. Danach hatte Helge sich geweigert, jemals wieder auf dem Sofa zu schlafen. Die ganze Familie musste nach Gustavsberg fahren, um ein neues Bett für ihn zu kaufen.

Vor einem Porträt von Signes Eltern blieb Nora stehen. Nach alter Sitte schauten sie mit ernsten Gesichtern direkt in die Kamera. Signes Mutter war ganz in Schwarz gekleidet und saß steif in einem Sessel. Dahinter stand der Vater mit würdevoller Miene. Im Hintergrund sah man den schönen Kachelofen im Esszimmer.

Jetzt konnte Nora ihre Tränen nicht länger zurückhalten. Es war ein unerträglicher Gedanke, dass Signe nicht mehr lebte. Und unter welchen Umständen sie gestorben war.

Der Kummer über den Verlust machte Nora das Herz schwer. Sie musste beschließen, was mit dem Haus werden sollte. Die Zeit war reif für eine Entscheidung.

Kapitel 4

»Der heutige Start der Regatta Gotland Runt wurde von dem Mord an einem der Teilnehmer überschattet, Rechtsanwalt Oscar Juliander, dem Vizevorsitzenden des KSSS.«

Der Nachrichtensprecher im Fernsehen trug mit sonorer Stimme vor, was passiert war. Währenddessen schwenkte die Kamera über das glitzernde Meer und zeigte einen Pulk von Segelbooten, die Kurs auf Gotland genommen hatten.

»Der bekannte Anwalt Oscar Juliander war Teilhaber der Kanzlei Kalling, einer der größten Anwaltskanzleien in Schweden. Während seiner langjährigen Tätigkeit als Rechtsanwalt hatte Juliander sich einen Namen als gefragtester Insolvenzverwalter des Landes gemacht.«

Auf dem Bildschirm erschien in Großaufnahme ein Archivfoto, das einen Mann in den Sechzigern zeigte, der durch seine Brille mit ernster Miene in die Kamera starrte. Er trug ein dunkelblaues Polohemd. Die rot glänzende Stirn verriet, dass er sich in praller Sonne auf dem Wasser befand.

»Wir sind natürlich zutiefst schockiert«, sagte ein Mann, bei dem es sich laut Untertext um Hans Rosensjöö handelte, den ersten Vorsitzenden des KSSS. »Unsere Gedanken sind in dieser schweren Stunde vor allem bei seiner Frau Sylvia und seinen Kindern.«

»Was können Sie uns über den Verstorbenen sagen?«, fragte der Reporter und hielt ihm das Mikrofon gefährlich dicht unter die Nase.

Hans Rosensjöö machte ein pikiertes Gesicht, als fände er die Frage ungehörig.

»Oscar war ein passionierter Regattasegler und ein hochgeschätzter Klubkamerad. Wir vom KSSS sind natürlich bestürzt und traurig, dass er nicht mehr unter uns ist.«

»Haben Sie irgendeinen Verdacht, wer ihn ermordet haben könnte?«, bohrte der Reporter weiter.

»Darauf zu antworten ist wohl Sache der Polizei«, versuchte

Rosensjöö das Gespräch zu beenden. Er trat einen Schritt zurück, als wollte er einen Angriff abwehren.

»Müssen Sie die Regatta jetzt nicht abbrechen?«, fragte der Reporter in aggressivem Tonfall. »Wäre es nicht ein Wagnis, unter diesen Umständen weiterzumachen, mit einem Mörder draußen auf hoher See?«

»Die Regatta wird wie geplant fortgesetzt. Oscar hätte es nicht anders gewollt. Im Übrigen habe ich nun wirklich nichts mehr dazu zu sagen«, fügte Hans Rosensjöö hinzu und gab sich keine Mühe, seinen Unmut zu verbergen.

Der Reporter zeigte mit einer ausladenden Armbewegung auf den Hafen, wo Motor- und Segelboote einträchtig nebeneinander an den Stegen lagen.

»Hier, mitten im paradiesischen Schärengarten, fragen sich Klubmitglieder und andere Segelsportler, ob es nicht lebensgefährlich ist, den Törn fortzusetzen. Die Polizei hat noch keine Theorie über die Hintergründe des Mordes verlauten lassen. Aber die gesamte Insel steht unter Schock, und die Spekulationen schlagen hohe Wellen.«

Die Kamera schwenkte übers Wasser und verharrte einen Moment bei Lökholmen, der großen Hafenanlage gegenüber von Sandhamn. Links war Telegrafholmen zu sehen, das den Hafen einrahmte und für die geschützte Lage sorgte, für die die Seglermetropole Sandhamn so berühmt war. Die Kamera glitt weiter zu Oscar Julianders Swan, die weit draußen ganz allein an einem der Pontons lag. Der grüne Rumpf glänzte in der Sonne. Die Jacht wirkte verloren und im Stich gelassen, wie ein Rennpferd vor dem Start, das im Stall vergessen worden war.

Das letzte Stück des Anlegers war mit blauweißem Polizeiband abgesperrt. »Zutritt verboten« stand auf einem gelbroten Zettel, mit Verweis auf den Gesetzesparagrafen, der Neugierigen die Annäherung untersagte. Weit draußen war ein Polizeiboot zu erkennen, das sanft auf den Wellen schaukelte.

Mit einem letzten Panoramaschwenk auf das falunrote Klubhaus, das halbmast geflaggt hatte, wurde der Beitrag beendet.

»Hast du das gesehen, Ingmar?«, sagte Isabelle von Hahne zu ihrem Mann und wandte sich vom Fernsehapparat ab. »Der gute Hans hat ja keine besonders vorteilhafte Figur gemacht. Braucht ein bisschen Medientraining, der alte Zausel.«

Sie warf einen zerstreuten Blick durch die Balkontür ihrer Suite im Seglerhotel und schaltete den Fernseher mit der Fernbedienung aus.

Ihre blonde Pagenfrisur mit den unauffällig eingearbeiteten hellen Strähnen saß perfekt wie immer. Am kleinen Finger der linken Hand trug sie ihren Wappenring in Gold und Blau mit dem Symbol des baltischen Adelsgeschlechts. Flüchtig bemerkte sie, dass er geputzt werden musste, ebenso wie ihr brillantbesetzter Ehering. Sie zuckte mit den Schultern und begann, rastlos in einer Illustrierten zu blättern.

Ingmar von Hahne schüttelte abwehrend den Kopf.

»Was erwartest du an so einem Tag? Nach einem derartigen Vorfall.« Er ging zur Minibar und nahm eine Portionsflasche Whisky heraus.

»Musst du jetzt trinken?«, fragte Isabelle und verzog das Gesicht.

Ingmar blickte die Frau an, die seit gut dreißig Jahren seine Gattin war, verzichtete aber darauf, die rhetorische Frage zu beantworten.

»Wir haben nachher noch eine außerordentliche Sitzung«, sagte er. »Hans hatte mich gebeten, einen Rundruf zu machen und so viele Vorstandsmitglieder wie möglich zusammenzutrommeln. Wir müssen eine Pressemitteilung aufsetzen und besprechen, wie wir mit dieser traurigen Situation umgehen wollen.«

»Hat er keine Sekretärin, die das erledigen kann?«

»Ich bin der Schriftführer des Vereins«, erinnerte Ingmar seine Frau. »Solche Sachen gehören zu meinen Aufgaben. Besonders in einer Krisensituation wie dieser.«

Er öffnete die kleine Whiskyflasche und leerte den Inhalt in ein Glas.

»Wir treffen uns um acht. Im Mitgliederzimmer. Du musst allein essen, aber ich wäre heute Abend sowieso keine besonders angenehme Gesellschaft. Vielleicht isst du mit Britta?«

Isabelle seufzte und schaltete demonstrativ den Fernseher wieder ein.

»Das einzige Thema, das Britta Rosensjöö kennt, sind ihre Enkel.«

Ingmar nahm einen Schluck von seinem Whisky.

»Hat eigentlich schon jemand mit Sylvia gesprochen, seit sie wieder an Land ist?«, fragte Isabelle.

Ihr Mann schüttelte den Kopf. »Nicht dass ich wüsste«, sagte er.

»Aber ich vermute, Hans hat dafür gesorgt, dass sie ein Beruhigungsmittel bekommt. Er wollte die Kinder anrufen. Sie sind sicher unterwegs, falls sie nicht schon hier sind.«

»Jedenfalls die, von denen man weiß«, murmelte Isabelle.

Ingmar warf ihr einen schnellen Blick zu. »Mir ist bekannt, dass Oscar kein Unschuldslamm war, aber das hat er nicht verdient.«

Er sah seinen Sportsfreund vor sich, als sie das letzte Mal miteinander gesprochen hatten. Das war gestern gewesen, beim Skippertreffen, achtzehn Uhr am Samstagabend. Da hatten sich alle Segler zu einem letzten Durchgang der Wettkampfbedingungen getroffen.

Oscar hatte neben der Fahnenstange am großen Kai gestanden, ein breites Lächeln auf den Lippen. Er war genauso sonnengebräunt wie üblich. Das kräftige blonde Haar, das immer noch nicht grau werden wollte, war schon von der Sonne gebleicht. Ebenso wie seine Seglershorts, deren ursprünglich rote Farbe zu einem hellen Rosa verschossen war. Oscar war bester Laune gewesen. Voller Kraft und Energie. Er hatte mit seiner Crew gescherzt und gelacht.

Ingmar von Hahne steuerte erneut die Minibar an.

»Nora, hast du schon gehört, was passiert ist?«

Henrik kam aufgeregt zur Haustür herein. Nora hatte auf dem Sofa gedöst. Die Anspannung von dem Besuch in Signes Haus hatte an ihren Kräften gezehrt.

Sie sah ihn verschlafen an. »Was denn?«

»Jemand hat Oscar Juliander erschossen.«

»Was?«

»Den Anwalt. Den Vizevorsitzenden des KSSS. Er wurde genau im Moment des Starts ermordet.«

»Ist das wahr?«

»Erinnerst du dich, dass wir uns gestern sein Boot angesehen haben? *Emerald Gin* heißt es. Das war diese Swan, die im Hafen lag.«

»Das grüne?«

»Genau das.«

Nora musste sofort an die Ereignisse des letzten Sommers denken. Schon wieder ein Mord auf Sandhamn. Sie spürte ein Ziehen in der Magengrube. Sie wollte nicht, dass Henrik recht behielt.

»Bist du dir wirklich sicher?«

»Wenn ich's dir doch sage. Es ist bestimmt in den Nachrichten gekommen.« Er griff zur Fernbedienung und drückte die Taste für Bildschirmtext. »Hier, lies selbst.«

Die grünen Buchstaben leuchteten auf dem schwarzen Hintergrund. In dürren Worten schilderte der Text, was vor wenigen Stunden passiert war.

Nora merkte, wie Tränen ihren Blick verschleierten. Alle schrecklichen Erinnerungen brachen über ihr zusammen.

»Das ist vielleicht ein Ding«, fuhr Henrik fort, ohne sie zu beachten. »Ich muss meine Eltern anrufen. Julianders Sommerhaus auf Ingarö liegt nicht weit von ihrem.«

Er verschwand in der Küche, und Nora hörte, wie er telefonierte.

Sie sank wieder zurück aufs Sofa. Sie weigerte sich zu glauben, dass es stimmte.

Kapitel 5

»Was ist bloß mit den Menschen auf dieser Insel los?«

Göran Persson, Chef der Kriminalabteilung der Polizeistation Nacka und normalerweise besser als »der Alte« bekannt, konnte seinen Ärger nicht verhehlen.

Es war halb sieben am Sonntagabend und Thomas war ans Festland zurückgekehrt. Seine jüngeren Kollegen Kalle Lidwall und Erik Blom waren ebenfalls eilig zusammengetrommelt worden. Neben ihnen saß Carina Persson, die Tochter des Alten, die in den vergangenen zwei Jahren als Bürokraft auf der Station gearbeitet hatte, während sie sich um einen Studienplatz an der Polizeihochschule bemühte. Im Herbst würde es nun endlich so weit sein.

»Erst diese verrückte Oma letztes Jahr, die wegen eines alten Hauses reihenweise Leute umbringt. Und in diesem Sommer werden irgendwelche Regattasegler auf offener See abgeknallt. Die Journalisten sind kurz vorm Durchdrehen. Habt ihr eine Vorstellung, wie viele von denen schon hier angerufen haben?«

Der Alte war hochrot im Gesicht, und der Schweiß stand ihm auf der Stirn. Sein massiger Körper quoll über den Bürostuhl. In der Ferne grollte ein Gewitter, der Himmel war von graublauen Wolken bedeckt, die rasch aufgezogen waren und das sonnige Wetter abgelöst hatten.

»Noch ein Sommer, der zum Teufel geht, weil irgend so ein schießwütiger Idiot seine Finger nicht unter Kontrolle hat.«

Dein Sommer war es ja wohl kaum, der voriges Jahr zum Teufel gegangen ist, dachte Kriminalkommissarin Margit Grankvist missmutig und trank einen Schluck von dem nach Kaffeesatz schmeckenden Gebräu, das sie sich gerade aus dem Kaffeeautomaten geholt hatte.

Ihr war der verdorbene Urlaub im letzten Sommer noch frisch in Erinnerung. Sie hatte ihren Mann und ihre beiden pubertären Töchter an der Westküste allein lassen müssen, um an der Aufklärung der Morde auf Sandhamn mitzuwirken.

In diesem Jahr hatte sie, aus Schaden klug geworden, stattdessen ein Haus auf Djurö gemietet, eine drei viertel Autostunde von der Polizeistation Nacka entfernt. Dass ihre Töchter damit von der Mopedgang, die sie letztes Jahr unten in Halland kennengelernt hatten, ferngehalten wurden, hatte Margit Grankvist die Entscheidung zusätzlich erleichtert.

Nach drei Wochen Urlaub hatte sie nun eine frische Sonnenbräune, die ihre mageren Gesichtszüge ein wenig freundlicher machten. Ein Gesicht, in dem langjähriger Polizeidienst und unregelmäßige Arbeitszeiten ihre Spuren hinterlassen hatten. Die tief liegenden Augen blickten wachsam. Es war kaum das Verdienst des Alten, dass sie ihren Sommer in diesem Jahr besser geplant hatte.

»Thomas, du warst am Tatort. Was kannst du uns berichten?«, fragte der Alte.

Thomas sah von seinen Notizen auf und blickte in die Runde.

Auch er hatte Farbe bekommen, und sein Haar war an den Schläfen nahezu weißblond. Um die Augenwinkel zeigten sich hellere Runzeln in der Sonnenbräune. Er trug ein hellblaues Hemd mit aufgekrempelten Ärmeln und eine Jeans, der man deutlich ansah, dass das Portemonnaie seit Jahren in der Gesäßtasche deponiert wurde. Obwohl der Mord einen entspannten Tag auf See in anstrengenden Polizeidienst verwandelt hatte, sah er frisch und ausgeruht aus. Thomas streckte den Rücken und versuchte zusammenzufassen, was sich vor einigen Stunden abgespielt hatte.

Ehe sie die Swan in den Hafen manövriert und Arzt und Kriminaltechniker hinzugeholt hatten, war fast der halbe Tag vorbei gewesen. Nach einer Weile hatte man Oscar Julianders Leiche zur Obduktion und weiteren Untersuchung in die Rechtsmedizin nach Solna gebracht. Die *Emerald Gin* lag immer noch im Hafen von Sandhamn. Sie sollte beschlagnahmt und auf die Polizeiwerft geschleppt werden. Dort konnte man sie genauer unter die Lupe nehmen, als es im Hafen möglich war.

Thomas und Peter hatten in einem Konferenzraum des Hotels kurze vorläufige Vernehmungen der Augenzeugen durchgeführt, die sich an Bord der *Emerald Gin* befunden hatten.

»Niemand scheint besonders viel gesehen oder gehört zu haben. Nach Aussage des Crewmitglieds Fredrik Winbergh, der direkt neben Juliander gestanden hatte, war alles blitzschnell gegangen. In der einen Sekunde ging es noch darum, den Start für sich zu entscheiden, und in der nächsten brach das Opfer vor seinen Augen zusammen.«

»Könnte Winbergh der Täter gewesen sein?«, fragte Margit.

»Ausschließen können wir zu diesem Zeitpunkt noch gar nichts«, erwiderte Thomas. »Aber sie waren fünfzehn Leute an Bord, und mehrere von ihnen befanden sich beim Start in der Nähe des Cockpits.«

»Dann ist es wohl eher unwahrscheinlich, dass einer von denen eine Pistole gezogen und vor aller Augen geschossen hat«, beantwortete Margit ihre eigene Frage.

»Es wäre schlauer gewesen, eine Nachtwache abzuwarten. Oder bis sie wieder an Land gegangen wären«, warf Erik ein. »Wieso sich unnötige Mühe machen?«

»Wir haben sämtliche Kleidungsstücke der Besatzung sichergestellt, um sie auf Schmauchspuren und andere Indizien für einen Nahschuss zu untersuchen«, sagte Thomas.

»Was wäre die Alternative?«, sagte Margit. »Dass der Täter sich an Bord eines anderen Schiffes befunden hat? Einer der Konkurrenten vielleicht?«

Thomas nickte.

»Das würde heißen, wir suchen die Nadel im Heuhaufen.«

Thomas hatte Margits Kommentar nichts hinzuzufügen. Es war praktisch unmöglich, die Hunderte von Booten zu überprüfen, die sich im Gebiet getummelt hatten. Der Täter konnte von jedem dieser Boote aus geschossen haben.

Er blickte wieder auf seine Notizen.

»Winbergh glaubte zuerst, Juliander hätte einen Schlaganfall«, fuhr er fort. »Das war jedenfalls sein erster Gedanke, bis er das Blut auf der Brust sah. Aber nicht einmal da begriff er, dass der Mann niedergeschossen worden war.«

»Was ist mit den Booten der Zuschauer?«, fragte Margit. »Hat auf denen jemand beobachtet, was passiert ist?«

Thomas schüttelte den Kopf.

»Nicht direkt. Wir haben kurz mit einem Zeugen auf einer Storebro gesprochen, die eine größere Gesellschaft des KSSS an Bord hatte. Sie befanden sich nahe der Startlinie, als Juliander erschossen wurde. Wir werden sie morgen ausführlich befragen, heute war dafür keine

Zeit.« Er las in seinen Notizen. »Julianders Frau Sylvia war ebenfalls auf der Storebro. Sie stand so unter Schock, dass wir sie nicht befragen konnten. Zu der Gesellschaft gehörten auch ein Hans Rosensjöö und seine Frau.«

»Ist das nicht der Vorsitzende des KSSS?«, fragte der Alte.

»Richtig. Er ist Bankdirektor. Seine Frau heißt Britta. Er hat hauptsächlich darauf geachtet, wie die Segel im Moment des Starts standen, sagt er, und nicht, was im Cockpit von Julianders Boot passierte.«

»Wer war noch da?«, fragte Margit.

»Sekunde«, sagte Thomas und blätterte in seinen Notizen. »Ein weiteres Ehepaar namens Ingmar und Isabelle von Hahne.«

»Die Crème de la crème natürlich«, brummte der Alte vor sich hin.

»Der Eigner der Storebro heißt Axel Bjärring und ist Arzt«, fuhr Thomas fort, ohne sich ablenken zu lassen. »Seine Frau Lena ist auch Ärztin, sie war es, die an Bord der Swan ging und Julianders Tod feststellte. Ihre halbwüchsige Tochter war bei ihnen. Nach den Weingläsern an Bord zu urteilen war die Gesellschaft nicht mehr ganz nüchtern.«

»Was wissen wir noch über das Opfer?«, fragte Margit. »Ich habe ihn manchmal im Fernsehen gesehen. Er war ja ziemlich bekannt.«

»Er galt als Favorit für dieses Rennen«, sagte Thomas. »Laut Winbergh hat Juliander an mehr als fünfzehn Gotland-Runt-Regatten teilgenommen. In diesem Jahr war er mit seinem neuen Swan-Boot aus Finnland am Start, deshalb setzte er alles daran zu gewinnen. Er war ein hohes Tier im KSSS und aktiver Segelsportler.«

»Feinde?«, warf Erik ein.

»Ein so bekannter Anwalt muss sich Feinde gemacht haben«, erwiderte Thomas. »Fragt sich nur, ob einer von denen hinter dieser Sache steckt.«

»Es ist trotzdem ungewöhnlich, dass Rechtsanwälte ermordet werden«, sagte Margit. »Und dann auf so eine spektakuläre Art und Weise. Verdammt aufsehenerregend, das kann man wohl behaupten.«

Kalle, der bisher noch nichts gesagt hatte, brummte zustimmend.

»Gibt es ein offensichtliches Motiv?«, wollte der Alte wissen.

Thomas schüttelte den Kopf. Die Ermittlung war gerade erst angelaufen. Aber spekulieren konnte man ja.

»Liebe, Hass oder Geld«, murmelte Margit.

»Was sagt die Rechtsmedizin?«, fragte der Alte und wechselte das Thema.

»Sie ziehen unseren Fall vor«, sagte Margit mit einem Anflug von Zufriedenheit in der Stimme. »Vielleicht schaffen sie es, ihn schon am Dienstag in Augenschein zu nehmen.«

Sie warf einen Blick zu Thomas, der beifällig nickte. Margit musste ordentlich Druck gemacht haben, damit es so schnell ging.

Seit den Mordermittlungen im letzten Sommer waren Thomas und Margit so etwas wie ein Gespann. Sie hatten auf einer persönlichen Ebene zueinandergefunden und entdeckt, dass sie sich bei der mühsamen Ermittlungsarbeit gut ergänzten.

Thomas hörte geduldig zu, wenn Margit sich über ihre beiden Teenagertöchter und die ständigen Diskussionen beklagte. Zum Dank hielt Margit ein wachsames Auge auf Thomas und versuchte zu verhindern, dass er allzu viele unangemessen lange Tage im Dienst verbrachte.

»Sobald Julianders Frau ansprechbar ist, werden wir mit ihr reden«, sagte Thomas. »Wir müssen natürlich seine Kollegen in der Kanzlei befragen und den Vorstand des Segelklubs. Sie sind alle auf Sandhamn wegen der Regatta, deshalb fahren wir morgen früh wieder raus.«

Er wandte sich an Carina.

»Ruf den Fernsehsender an und bitte sie, uns die Filmaufnahmen vom Start zu schicken, ja? Vielleicht bringt es was.«

»Mach ich gleich, wenn wir hier fertig sind.«

Der Alte wirkte nachdenklich, so als würde er gerade einen Entschluss fassen.

»Ich glaube, ich werde den Polizeichef um einen Pressesprecher bitten. Wir brauchen jemanden, der sich um die Medien kümmert, sonst können wir nicht in Ruhe arbeiten. Das hier ist ein großes Ding, ich hoffe, das ist euch klar.«

Niemand widersprach. Die unangenehmen Erfahrungen vom letzten Sommer waren allen noch gut in Erinnerung, und die reißerischen Schlagzeilen auf den Zeitungsplakaten, die die Nachricht bereits herausposaunten, gaben dem Alten recht.

»Landeskriminalamt?«, warf Margit ein. »Sollen wir sie einschalten?«

»Wir behalten den Fall vorläufig bei uns.« Die Antwort des Alten kam scharf und knapp. »Gut, das war's dann«, fuhr er fort. »Margit und Thomas, ihr leitet die Ermittlungen. Margit hält den Kontakt zur Staatsanwaltschaft. Ich weiß noch nicht, wer dort den Fall übernimmt. Kalle und Erik können euch wieder zur Hand gehen, das hat ja letzten Sommer gut geklappt.«

Er ließ den Blick zwischen Margit und Thomas hin und her wandern und verzog das Gesicht zu einem ironischen Lächeln.

»Ihr habt doch sicher nichts dagegen, euren Urlaub auch dieses Jahr zu verschieben? Aus alter Gewohnheit sozusagen. Wieder mal ein Sommeraufenthalt im exklusiven Sandhamn.«

Margit, die im August noch eine Reise auf die Kanarischen Inseln geplant hatte, lächelte steif zurück.

Kapitel 6

Es war drückend heiß im Raum, obwohl es schon nach zwanzig Uhr war. In der Ferne grummelte ein Gewitter.

Hans Rosensjöö zog ein weißes Baumwolltaschentuch hervor und trocknete sich diskret die Stirn. Sein Polohemd war am Rücken schon durchgeschwitzt, dabei hatte er eben erst geduscht.

Der Stuhl zu seiner Linken, wo normalerweise der erste Vizevorsitzende hätte sitzen sollen, war gähnend leer.

An dem langen Konferenztisch, der eilig aus mehreren kleineren Tischen zusammengestellt worden war, saßen elf der regulär fünfzehn Vorstandsmitglieder. Gar nicht mal schlecht für eine so hastig einberufene Sitzung, dachte Rosensjöö. Aber die meisten waren ja wegen der Regatta ohnehin auf Sandhamn. Es war das größte Segelrennen des Klubs und eine wichtige Einnahmequelle.

Hans Rosensjöö erinnerte sich, wie er als kleiner Junge seinen Vater nach Sandhamn begleitet hatte, um sich die feierliche Preisverleihung anzusehen. Damals hatten imposante Mahagoniboote um den Sieg bei Gotland Runt gewetteifert. Sie trugen ehrwürdige Namen, wie *Refanut*, *Barracuda* und *Beatrice Aurore*. Heutzutage wurden alle nach ihren Sponsoren getauft, ein Ericsson und Volvo nach dem anderen. Hans Rosensjöö schnaubte verächtlich, was waren das eigentlich für Namen für einen Rennsegler?

In der guten alten Zeit waren die Polsterbänke in den Kajüten mit dunkelrotem Samt bezogen und die Skipper umwehte ein leichter Zigarrenduft. Drei-Gänge-Menüs und ein kleines Nickerchen waren obligatorisch. Gute Weine gehörten auch dazu.

Heutzutage waren die großen Weltumsegler unter Deck meist leer, dachte Hans Rosensjöö. Es gab nicht einmal genug Schlafplätze für alle, da die Crew sowieso in Schichten arbeitete.

Die Teilnehmer der Nachkriegszeit bewältigten ihre Törns mithilfe von Uhr, Echolot und astronomischer Navigation. Der Kontrast zu den heutigen Regattamaschinen mit ihrer hochgezüchteten elektronischen Ausstattung und ihren spezialdesignten Segeln hätte nicht größer sein können. Die Computerausstattung an Bord konnte sich mit der eines Flugzeugs messen. Es gab keine Grenzen für das, was mit Computerunterstützung alles möglich war.

Außer vielleicht die menschliche Kunst des Segelns.

In modernen Zeiten hatte Gotland Runt sich zu einem großen Event entwickelt, bei dem Millionen Kronen umgesetzt wurden. Wenn am ersten Sonntag nach Mittsommer der Startschuss für die Regatta fiel, richtete sich das Interesse der ganzen Seglerwelt auf Sandhamn. Die Zuschauerplätze außerhalb des Startbereichs im Südosten der Insel füllten sich mit geladenen Sponsoren, Touristen und anderen Interessierten. Exklusive Jachten lagen neben kleinen offenen Motorbooten. Jeder wollte bei dem Volksfest dabei sein, ganz gleich, ob zum Anstoßen mit Champagner oder zum Verzehren mitgebrachter Käsebrote.

Volksfest. Heute klang allein schon das Wort wie Hohn.

Hans Rosensjöös Laune war düster. Aber trotz seiner depressiven Stimmung hatte er mit charakteristischer Entschlossenheit den Tag damit verbracht, das Chaos zu bewältigen, das auf das Ereignis gefolgt war. Das Telefon hatte ununterbrochen geklingelt. Wenn nicht irgendein Journalist dran war, der ihn mit Fragen löcherte, waren es schockierte Klubmitglieder und Funktionäre, die sich bei ihm meldeten.

Rosensjöö war ein Mann von altem Schrot und Korn. Ein rechtschaffener Bürger, der sich den Wahlspruch des alten Königs bedingungslos zu eigen gemacht hatte: Die Pflicht geht immer vor. Er hatte als Reserveoffizier der Marine den Rang eines Korvettenkapitäns erreicht und war als ehrbarer, anständiger Mensch von hoher Moral bekannt. Als geschäftsführender Vorstand hatte er den wechselnden Konzernchefs seiner Bank loyal gedient, aber nun würde er bald in Rente gehen und von seinen Kollegen verabschiedet werden.

Er hätte sich nie träumen lassen, dass die letzten Monate seiner langen Amtszeit als Vorsitzender des KSSS von einem kaltblütigen Mord an seinem Nachfolger überschattet sein könnten.

Noch nie zuvor hatte er bei der Eröffnung einer Sitzung ein solches Gefühl von Ohnmacht und Lustlosigkeit gehabt. Er griff zum altehrwürdigen hölzernen Sitzungshammer und schlug damit auf den Tisch. Die Sitzung war eröffnet.

Rechts von ihm saß der Schriftführer und zweite Vizevorsitzende des KSSS, Ingmar von Hahne. Er hatte einen unbenutzten Schreibblock vor sich, daneben lagen zwei frisch gespitzte Bleistifte. Im Moment saß er mit gesenktem Kopf da und starrte auf das schneeweiße Papier. Am kleinen Finger seiner linken Hand glänzte der Siegelring mit dem Adelswappen.

Da saß ein Mann, dessen größte Begabung in seiner gesellschaftlichen Gewandtheit und seiner piekfeinen Herkunft bestand, dachte Rosensjöö säuerlich. Niemand konnte bei einem Dinner so charmant mit den Damen plaudern wie Ingmar. Niemand tanzte so elegant wie Ingmar. Auf dem Ball der königlichen Klubs war er der Favorit der Königin. Aber er war kein Vollblutkerl, der Oscars Platz ausfüllen konnte.

Hans Rosensjöö ließ den Blick um den Tisch wandern, bis er bei Martin Nyrén ankam, dem Vorsitzenden des Intendentkomitees, der kleine Figuren auf seinen Block malte. Neben ihm saß der dicke Arvid Welin, Vorsitzender des Klubkomitees und ein bekannter Mann in der Finanzbranche. Beide machten verkniffene Gesichter.

Hans Rosensjöö räusperte sich.

»Lasst uns mit einer Schweigeminute für unseren verstorbenen Kameraden Oscar Juliander beginnen«, sagte er und senkte den Blick.

Er hielt fünfundvierzig Sekunden durch, dann fand er, dass es reichte.

»Vielen Dank, dass ihr alle so kurzfristig kommen konntet«, begann er. »Das hier ist eine Situation, auf die wir natürlich überhaupt nicht vorbereitet sind.«

Er schwieg einige Sekunden und suchte nach den richtigen Worten.

»Wir müssen zuallererst an den Fortgang der Regatta und den guten Ruf des KSSS denken. Es sind eine Reihe von Beschlüssen zu fassen.«

Er räusperte sich wieder.

»Sind wir uns darüber einig, die Regatta ganz normal fortzusetzen? Dass wir Oscar ehren, indem wir sie zu Ende bringen?«

Alle Anwesenden nickten zustimmend. Noch immer hatte kein anderer das Wort ergriffen. Das Schweigen bedrückte ihn, ohne dass er wusste, wieso.

»Ich glaube, dass Oscar es so gewollt hätte«, fügte er lahm hinzu. Dann atmete er tief durch und betrachtete die Mitglieder des Vorstands.

»Ich brauche wohl kaum zu sagen, dass wir in größtmöglichem Umfang mit der Polizei zusammenarbeiten müssen.«

»Herr Vorsitzender, ich bitte ums Wort«, meldete sich Arvid Welin. Auf seiner Glatze glänzte der Schweiß. »Hans, wer soll denn jetzt auf der Jahresversammlung im September zu deinem Nachfolger gewählt werden? Oscar war ja schon nominiert. Und du kannst nicht noch einmal antreten.«

Hans Rosensjöös Gereiztheit wuchs. Arvid war so ein kleinkarierter Formalist. Was spielte das an einem Tag wie diesem für eine Rolle?

»Wir finden eine Lösung«, sagte er ausweichend. »Eins nach dem anderen.«

Er war sieben Jahre alt, als er zum ersten und einzigen Mal in der Mittagspause weinend nach Hause kam. Er war gerade in die erste Klasse der Privatschule Broms auf Östermalm gekommen, nicht weit von der großen, prächtigen Wohnung, die ein paar Hundert Meter vom Karlaplan entfernt lag.

Verzweifelt warf er sich in die Arme der Mutter, als sie die Haustür öffnete. Sein kleiner Körper wurde vom Schluchzen geschüttelt.

Plötzlich sah er seinen Vater in der Eingangshalle auftauchen. Er erstarrte. Wieso war Vater mittags zu Hause?

Die große Gestalt im dunklen Anzug sah ihn missbilligend an.

»Warum weinst du, Junge?« Die Stimme war kalt und distanziert.

Zwischen den Schluchzern versuchte er zu erklären, dass einer der großen Jungs ihm seine schönste Murmel weggenommen hatte, die aus blauem Glas, als sie auf dem Schulhof spielten.

»Was hast du daraufhin getan?«, fragte der Vater streng.

Stockend berichtete er, dass er weggelaufen war. Es hatte keinen Sinn, sich mit Wille Bonnevier anzulegen, der zwei Klassen über ihm war. Er hatte sich nicht getraut, etwas zu tun, sondern den Schulhof verlassen.

Die Ohrfeige warf ihn beinahe um. Der Schock bewirkte, dass er aufhörte zu weinen.

Ein großer roter Fleck breitete sich auf seiner linken Wange aus. Niemand sagte etwas.

Er suchte den Blick seiner Mutter, aber sie wandte den Kopf ab. Auf der Schwelle zur Küche stand seine geliebte Kinderfrau Elsa, aber sie wagte nicht zu protestieren.

Wenn der Herr Direktor in so einer Stimmung war, hielt man besser den Mund.

Elsa rang die Hände. Ihr blutete das Herz, während sie den kleinen Jungen ansah, der zitternd vor seinem Vater stand.

»Du gehst jetzt in die Schule und holst dir deine Murmel zurück. In unserer Familie dulden wir so etwas nicht. Denk daran, wer wir sind. Und du hörst sofort auf zu heulen.«

»Ja, Vater.« Die Worte kamen nur flüsternd.

Er senkte den Kopf und zog seine Jacke wieder an. Vergeblich suchte er noch einmal den Blick seiner Mutter. Mit langsamen Schritten stieg er die grüne Marmortreppe hinunter und öffnete das schwere Tor.

Die Angst, dem Vater zu missfallen, war größer als die Angst vor den älteren Schulkameraden.

Als er seine Murmel zurückforderte, war ihm ganz übel vor Furcht, aber er bekam sie in die Hand gedrückt. Ob es daran lag, dass Wille verblüfft über seine Dreistigkeit war oder ob er einfach das Interesse verloren hatte, bekam er nie heraus.

Sein Vater fragte nicht nach der Murmel, als er am Abend nach Hause kam.

In dieser Nacht nässte er wieder ein.

Montag, erste Woche

Kapitel 7

Das rote Taxiboot legte gerade vom Kai in Stavsnäs ab, als Thomas und Margit vom überfüllten Parkplatz angelaufen kamen. Sie hatten mit Mühe geschafft, Thomas' Volvo in eine winzige Lücke zu quetschen, in der hintersten linken Ecke des Platzes. Kein Zweifel, es war Hochsommer. Hunderte von Autos, die alle den Freizeit-Inselbewohnern im südlichen Schärengarten gehörten, drängten sich auf dem Platz.

Der Bootsführer sah sie kommen und erbarmte sich. Er stoppte das Rückwärtsmanöver und steuerte zurück an den Kai, sodass sie an Bord springen konnten.

»Danke«, keuchte Thomas und nickte ihm zu.

Sie gingen die Treppe zum Passagierraum hinunter und suchten sich einen der Tische im Salon, der kaum halb voll war. Thomas ging zu dem kleinen Tresen, der auch als Cafeteria fungierte, um zwei Fahrscheine zu lösen. Es duftete verführerisch vom Mini-Grill herüber, und Thomas merkte, wie hungrig er war.

»Was riecht denn da so gut?«, fragte er die freundliche Frau hinter dem Tresen.

»Überbackener Toast. Wollen Sie einen? Die sind richtig gut, wenn ich das mal so sagen darf.«

Sie hielt ihm einen Teller hin, damit er sich selbst ein Bild von den Toasts machen konnte.

Thomas musste nicht lange überredet werden. Er bestellte einen für sich und einen für Margit. Zwei Leichtbier durften es auch sein. Er nahm die Flaschen und zwei Gläser und ging zurück zu Margit.

»Hier«, sagte Thomas und hielt ihr die kleine Plastikkarte hin, als Beweis, dass er Margits Überfahrt nach Sandhamn bezahlt hatte.

»Hast du dir eine Quittung geben lassen?«, fragte sie mit Unschuldsmiene.

»Japp. Hab ausnahmsweise mal daran gedacht. Aber danke, dass du fragst.«

Thomas' schludriger Umgang mit Quittungen und Spesen war ein *running gag* unter den Kollegen.

Plötzlich hörte er eine wohlbekannte Stimme.

»Na, wenn das nicht der Thomas ist. Tag auch!«

Thomas blickte auf und erkannte einen seiner Nachbarn von Harö. Hasse Pettersson war ein wettergegerbter Kerl in den Siebzigern, der seit seiner Pensionierung die meiste Zeit draußen auf Harö verbrachte, wo er aufgewachsen war. Seine verschlissene Jeans hatte einen großen Ölfleck auf dem Oberschenkel. Was Pettersson nicht über Motoren wusste, war es nicht wert, gewusst zu werden. Er war in der ganzen Gegend geschätzt als Fachmann für alles, was nicht mehr funktionierte, und er half gerne als Retter in der Not. Natürlich ohne Rechnung.

»Tag, Pettersson.« Thomas erhob sich und schüttelte ihm die Hand. »Wie geht's?«

»Ach, muss ja, du. Hast du schon Urlaub? Hab neulich erst deinen Vater getroffen, er meinte, du würdest wohl bald kommen.«

»Ist noch nicht ganz so weit.« Thomas schüttelte den Kopf. »Bin gerade auf dem Weg nach Sandhamn. Dienstlich. Du hast sicher gehört, dass gestern beim Regattastart jemand erschossen wurde? Wir wollen uns mal unter den Leuten umhören, die dabei waren.«

»Oscar Juliander. Der Anwalt.« Pettersson spuckte die Worte geradezu aus. »Wenn du mich fragst, ist das kein großer Verlust. Das war ein altes Aas, dieser Juliander.«

Er nickte nachdrücklich, schob sich einen Snus unter die Lippe und ließ sich mit seiner Kaffeetasse an ihrem Tisch nieder.

»Haben Sie ihn mal getroffen?«, fragte Margit.

»Nicht nur ein Mal. Der Kerl hat vor etlichen Jahren versucht, mich übers Ohr zu hauen. Und zwar gewaltig.«

Pettersson schnaubte, um sein Missfallen zu bekunden, und stopfte die Snusdose in seine Gesäßtasche. Sein rechter Zeigefinger zeugte vom eifrigen Gebrauch des Lutschtabaks, er war nikotingelb und der Tabaksaft hatte sich als prächtiger Trauerrand unter seinem Nagel verewigt.

»Was meinen Sie damit, er hätte versucht, Sie übers Ohr zu hauen?«, fragte Margit und biss von ihrem Toast ab, den die Cafeteria-Bedienung eben gebracht hatte. Sie biss gleich noch einmal ab, obwohl sie den ersten Bissen kaum geschluckt hatte. Das war ja richtig lecker.

»Er wollte mir ein Grundstück abluchsen, das ich auf Runmarö habe. Dafür gab's keine Baugenehmigung, von wegen Strandschutz und so. War also nicht viel wert. Er meldete sich bei mir und wollte es mir für 'n Appel und 'n Ei abkaufen.«

»Und warum?«, fragte Thomas.

»Er wollte es als Holzland haben.«

»Holzland?« Margit machte ein verständnisloses Gesicht. »Was ist das?«

»Das ist Land, auf dem du Holz sammeln und Ähnliches machen kannst«, erklärte Thomas, »aber du darfst keine Gebäude darauf errichten.«

»Und was ist dann passiert?«, fragte Margit.

»Tja, das kann ich Ihnen sagen. Wie sich herausstellte, hatte die Kommune vor, wenigstens ein paar Bauanträge doch zu bewilligen. Anscheinend hatte irgendjemand unten in Europa geklagt, wenn ich es richtig verstanden habe. Irgendein Dickschädel, der sich nicht damit abfinden wollte, ein Strandgrundstück zu haben, das zu nichts taugt.«

»Damit hatten sie bei der Kommunalverwaltung wohl nicht gerechnet«, sagte Thomas.

Pettersson wischte sich mit dem Handrücken über den Mund und schüttelte den Kopf.

»Mit Baugenehmigung war dieses Grundstück einige Millionen wert«, fuhr er fort. »Und nicht die hundertfünfzigtausend Kröten, die Juliander mir geboten hat.«

Er drehte sich um und spuckte den Snus in den grauen Plastik-Papierkorb, der neben dem Sofa stand. Ohne mit der Wimper zu zucken, zog er die Snusdose aus der Tasche und schob sich einen neuen Priem ein. Anschließend spülte er mit dem letzten Schluck Kaffee nach.

»Hast du an ihn verkauft?«, fragte Thomas.

Pettersson grinste.

»Hätte ich um ein Haar. Aber zum Glück hatte mein Sohn so ein dummes Gefühl, er fand das alles ziemlich merkwürdig.«

»Kann man verstehen«, sagte Margit.

»Jaha.« Pettersson lachte. »Warum sollte ein Stadtmensch, noch dazu ein reicher Rechtsanwalt, Holz sammeln wollen, wunderte sich mein Junge. Also hat er mit einem Freund gesprochen, der bei der Kommune arbeitet, und der hat ihm erzählt, was Sache war. Und da hatte ich irgendwie die Lust verloren, an den Herrn Anwalt zu verkaufen.«

»Und er hat so einfach aufgegeben?«, fragte Margit.

Pettersson schüttelte wieder den Kopf.

»Er hat alle möglichen Tricks versucht. Erst hat er behauptet, wir hätten den Kauf per Handschlag besiegelt. Dann sagte er, dass eine mündliche Verabredung, wie er es nannte, ebenso bindend wäre wie ein schriftlicher Vertrag. Schließlich hat er sein Angebot erhöht, wollte eine halbe Million bar auf den Tisch legen. Aber ich hab ihn ausgelacht. Hab gesagt, er soll sich zum Teufel scheren. Danach habe ich nie wieder was von ihm gehört.«

»Und jetzt ist er tot«, sagte Margit.

Der Alte grinste.

»Tja. Vielleicht hat er versucht, einen übers Ohr zu hauen, der nicht so gutmütig war wie ich.«

»Da wären wir also wieder«, sagte Margit mit schiefem Lächeln, als sie in Sandhamn angekommen waren und im Dampfschiffhafen an Land gingen. »Oder sollte man vielleicht sagen: Auf vielfältigen Wunsch unserer Zuschauer wiederholen wir unser Programm?«

Sie ließ den Blick über den Hafen schweifen, wo sich Segel- und Motorboote an den Stegen drängten. Wie üblich standen vor dem Kiosk die Aufsteller mit den Verkaufsplakaten der Boulevardzeitungen.

Beherrschendes Thema war der Regatta-Mord. Riesige schwarze Schlagzeilen spekulierten über den Tod des Promi-Anwalts.

Direkt gegenüber lief das Geschäft auf vollen Touren, trotz der regnerischen Witterung. Vor dem »Sommerlädchen«, einem der örtlichen Modegeschäfte, drängten sich Touristen und wühlten in den Kleidern auf den verschiedenen Ständern. Auf den beiden Parkbänken nebenan saßen ein paar Rentner und ruhten die müden Knochen aus, während sie die Volksmassen beobachteten.

So lange Thomas zurückdenken konnte, hatten die alten Einwohner von Sandhamn auf diesen Bänken gesessen und über die Leute getratscht, die vorbeigingen. Das war eine ebenso feste Einrichtung wie die weißen Waxholmfähren. Für einen Moment stand die Zeit still, und Thomas erinnerte sich, wie er als kleiner Junge ungeduldig darauf gewartet hatte, dass sein Vater endlich die Unterhaltung mit einem der Alten beendete, die sich dort niedergelassen hatten.

»Komm«, sagte er und steuerte auf das Seglerhotel zu. »Sie haben einen Konferenzraum für uns vorbereitet, den wir benutzen können. Wir fangen am besten so schnell wie möglich an. Es wird den ganzen Tag dauern, wenn nicht länger, bis wir uns mit allen Leuten unterhalten haben.«

Kapitel 8

Der längliche Konferenzraum unterschied sich nicht nennenswert von anderen, in denen Thomas gewesen war, aber die Aussicht war bildschön und erstreckte sich meilenweit Richtung Osten.

Thomas und Margit hatten sich an einem Ende des Tisches niedergelassen. Ihnen gegenüber stand ein einsamer Stuhl, auf dem ihre Besucher Platz nehmen sollten.

Hans Rosensjöö hatte den Raum gerade verlassen. Er hatte im Großen und Ganzen die Aussagen bestätigt, die Thomas während der kurzen Befragungen am Vortag gesammelt hatte. Alle, die an Bord von Bjärrings Storebro-Jacht gewesen waren, als Oscar Juliander erschossen wurde, erzählten ungefähr die gleiche Geschichte. Und ebenso wie sie konnte Hans Rosensjöö sich nicht genau erinnern, welche anderen Boote in der Nähe der *Emerald Gin* gewesen waren, als der Startschuss fiel. Seine Beobachtungen waren vom Schock geprägt. Und vermutlich auch von dem Wein, der an Bord der Jacht ausgeschenkt worden war.

Da der Start auf dem offenen Meer stattfand, musste der Täter sich auf einem Schiff befunden haben. Auf Julianders oder dem eines anderen. So viel stand jedenfalls fest.

Thomas streckte sich nach einer Flasche Mineralwasser, als ihm eine Idee kam. Wenn es möglich wäre, Zeugenaussagen über den Schusswinkel der Kugel zu bekommen, die Juliander getötet hatte, würde das die Anzahl der Boote eingrenzen, von denen aus der Täter geschossen haben konnte. Dann könnten sie ihre Suche auf ein bestimmtes Gebiet beschränken, anstatt alle möglichen Boote zu berücksichtigen, die in der Nähe gelegen hatten.

Sofort wurde ihm leichter zumute und er lächelte Britta Rosensjöö, die gerade zur Tür hereinkam, freundlich zu.

Sie sah aus wie eine verängstigte Lehrerin, die wegen einer Verfehlung, von der sie nichts wusste, zum Rektor gerufen worden war. Ihre dünnen blonden Haare waren von überwiegend grauen Strähnen durchzogen und zu einer Pagenfrisur geschnitten, die ihr nicht besonders gut stand. Man sah ihr an, dass sie viel Zeit auf dem Wasser verbracht hatte, denn ihr sonnenverbranntes Gesicht war hager und runzlig. Thomas schätzte ihr Alter auf sechzig, aber sie konnte ebenso gut fünf Jahre jünger oder älter sein.

Britta Rosensjöö ging zum Stuhl, der noch warm von ihrem Mann war, und setzte sich unsicher.

»Es geht um den gestrigen Tag. Würden Sie uns bitte sagen, woran Sie sich erinnern?«, begann Margit.

Britta Rosensjöös Augen füllten sich sofort mit Tränen.

Thomas musste daran denken, wie er am Vortag vergeblich versucht hatte, mit ihr zu sprechen. Sie war hysterisch gewesen, genau wie Sylvia Juliander. Er hoffte, dass sie sich inzwischen wieder etwas gefangen hatte, damit die kleine Chance bestand, eine vernünftige Aussage von ihr zu bekommen.

Sie zog ein besticktes Taschentuch hervor und wischte sich die Tränen ab, die ihr über die braunen Wangen liefen.

»Möchten Sie einen Schluck Wasser?«, fragte Margit freundlich und hielt ihr ein gefülltes Glas hin.

»Entschuldigen Sie«, sagte Britta Rosensjöö. »Ich kann einfach nicht begreifen, dass Oscar vor unseren Augen erschossen wurde, ohne dass wir etwas tun konnten. Das ist alles so furchtbar.« Die Tränen drohten wieder über die Ufer zu treten, aber sie schluckte krampfhaft und fuhr fort: »Ich hatte gerade seine schöne *Emerald Gin* fotografiert, wie sie die Startlinie überquerte, und da passierte das Schreckliche. Unfassbar.«

Sie wischte wieder eine Träne mit dem Taschentuch weg.

Thomas beugte sich interessiert vor.

»Fotografiert, sagen Sie?«

»Ja, ich habe oft meine Kamera dabei, wenn ich Hans zu verschiedenen Veranstaltungen begleite. Ich habe zu Hause sicher ein paar Dutzend Alben voller Bilder von Regatten, die wir im Laufe der Jahre besucht haben.«

»Können wir uns die Fotos mal ansehen?«, fragte Margit.

Britta sah bekümmert aus.

»Das könnten Sie gerne, aber mein Fotoapparat ist weg. Ich muss ihn irgendwo verlegt haben.« Sie lächelte entschuldigend. »Ich bin manchmal ein bisschen unordentlich. Aber er muss ja hier im Seglerhotel sein. Wir wohnen im ersten Stock, in einer der Suiten mit

Aussicht aufs Meer. Er liegt vermutlich irgendwo zwischen all den Sachen.«

»Frau Rosensjöö«, sagte Thomas sanft. »Wir würden uns Ihre Kamera gern für eine Weile ausleihen. Oder die Speicherkarte, besser gesagt, sobald sie sich wieder gefunden hat.«

Britta Rosensjöö lächelte bedauernd.

»Es ist leider nicht so eine moderne Digitalkamera, sondern eine ganz normale alte mit Rollfilm. Ich habe mich nie richtig mit diesen neumodischen Dingern anfreunden können, wissen Sie.«

»Das macht nichts. Aber dann brauchen wir den Film. Das wäre uns eine große Hilfe. Würden Sie bitte noch einmal gründlich suchen?«

Britta nickte wortlos.

»Haben Sie an dem Tag noch mehr fotografiert?«, fragte Margit.

»Ich habe eine ganze Menge Fotos gemacht. Vor allem von den großen Rennseglern. Sie sind immer so ein herrlicher Anblick. Das waren sie in diesem Jahr auch, bis wir mitbekommen haben, dass Oscar tot ist.«

Sie verstummte und seufzte schwer.

»Ich muss immer nur an die arme Sylvia denken. Wie soll sie jetzt zurechtkommen?«

Sie blickte auf ihren Schoß, während ihre Augen sich wieder mit Tränen füllten. Das kleine bestickte Taschentuch war inzwischen schon ganz nass.

»Ich weiß, dass Oscar so seine Seiten hatte, aber ich kenne ihn und Sylvia seit dreißig Jahren.«

»Wie war die Ehe der Julianders, Ihrer Meinung nach?«, fragte Margit.

»Sie waren ja lange verheiratet, haben drei Kinder zusammen …«

Ihre Stimme wurde immer leiser, während sie den Blick aus dem Fenster in die Ferne schweifen ließ.

»Manchmal habe ich wohl gedacht, dass er Sylvia ganz schön vernachlässigt.«

»Inwiefern vernachlässigt?«, hakte Margit nach.

»Oscar war ja sehr oft weg. Und er war wohl einer, der es mit der ehelichen Treue nicht so genau genommen hat, wenn Sie verstehen, was ich meine.«

Sie lächelte Margit verlegen an.

»Man soll ja nicht schlecht über Tote reden, aber Oscar hat schon immer gern ein Auge auf andere Frauen geworfen. Das war kein Geheimnis. Er hat bestimmt oft über die Stränge geschlagen.«

»Wusste Sylvia davon?«, fragte Margit.

Brittas Blick wich ihr aus.

»Ich weiß nicht«, sagte sie schließlich. »Vermutlich.«

Eifersucht könnte also ein Motiv sein, dachte Thomas. Wie wütend musste eine Frau werden, um ihren Liebhaber umzubringen? Und wie üblich war es in dem Fall, dass sie ihn erschoss? Mit einer Waffe, abgefeuert von einem Boot auf offenem Meer?

Thomas wusste, dass von den rund einhundertfünfzig Morden, die jedes Jahr in Schweden passierten, nur ein knappes Zehntel von Frauen verübt wurde. Getötet wurde normalerweise mit Handfeuerwaffen oder Messern. Meistens handelte es sich um Notwehr oder um Impulsivtaten.

Der überwiegende Teil der Tötungsdelikte, die von weiblichen Tätern begangen wurden, hatte seine Wurzeln in irgendeiner Form von Misshandlung. Eine Situation, die oft jahrelang bestanden hatte, bis sie so unerträglich wurde, dass es keinen anderen Ausweg mehr gab.

Die Art der Durchführung und alle verfügbaren Statistiken sprachen deshalb dagegen, dass eine abgelegte Geliebte die Tat aus Wut verübt hatte. Oder eine betrogene Ehefrau, nicht zu vergessen.

Es handelte sich wohl eher um einen gut organisierten Menschen, dachte Thomas. Um einen Mörder, der große Erfahrung als Scharfschütze hatte, sich mit dem Meer auskannte und vor allem Zugang zu einer Schusswaffe und einem Motorboot hatte.

Und der von einem verdammt guten Motiv dazu getrieben wurde, sich die ganze Mühe zu machen.

Kapitel 9

»Wo warst du?«, fragte Margit, als Thomas mit einer Plakatrolle in der Hand zurück in den Konferenzraum kam. Nach dem Gespräch mit Britta Rosensjöö war er für zehn Minuten verschwunden.

Sie sah die Rolle an.

»Was hast du da?«

»Eine Seekarte. Aus dem Büro des Hafenmeisters.«

Er rollte das Plakat auf dem Konferenztisch aus, eine große Seekarte in Blau und Gelb. Dann nahm er vier Mineralwasserflaschen von einem Tablett und stellte sie auf die vier Ecken des Blattes, damit sie glatt liegen blieben.

Margit beugte sich vor, um besser sehen zu können. Sie hatte nicht viel Ahnung vom Bootssport und war deshalb nicht besonders geübt in der Kunst, nautische Anweisungen zu lesen.

»Was stellt das dar?«

»Das Startgebiet der Gotland-Runt-Regatta. Hier«, Thomas zeigte auf einen Punkt im oberen Teil, »das ist Sandhamn. Südöstlich von Sandhamn liegt das Leuchtfeuer Revengegrundet. Von da aus wird gestartet.«

»Auf dem offenen Meer also?«

»Genau.«

Thomas nahm einen Stift und zeichnete zwei kleine Kreuze ein.

»Hier haben wir die Startlinie an dem Tag, an dem Juliander ermordet wurde«, fuhr er fort. »Das linke Kreuz ist die Luv-Flagge, das rechte die Lee-Flagge. Die Boote versuchen, im Moment des Starts so dicht wie möglich an Luv zu liegen.«

»Warum?«

»Weil sie dort am meisten Wind bekommen. Wind weht immer von Luv nach Lee.«

Margit nickte, machte aber ein Gesicht, als hätte sie es noch nicht ganz verstanden.

Es klopfte kurz, dann steckte ein grauhaariger Mann den Kopf zur Tür herein.

»Entschuldigung«, sagte er. »Störe ich?«

Er blieb in der Tür stehen und schien auf Antwort zu warten.

Thomas schüttelte den Kopf und winkte ihn herein.

»Kommen Sie«, sagte er. »Wir sehen uns gerade eine Seekarte über das Startgebiet an. Sie sind genau der Mann, den wir brauchen.«

Fredrik Winbergh trat ein. Er trug Jeans und ein hellblaues Poloshirt und hatte sich einen dunkelblauen Pullover locker um die Schultern geschlungen. Der Blick hinter der Hornbrille war wach und intelligent.

Er gab Thomas und Margit die Hand und blickte erstaunt auf die Seekarte vor ihnen auf dem Tisch.

»Womit kann ich behilflich sein?«, fragte er vorsichtig. Er war nicht mehr so geschockt wie am Tag zuvor, aber deutlich erschüttert über den Verlust. Seine Augenlider waren leicht geschwollen.

Thomas lächelte ihn beruhigend an.

»Ich möchte, dass Sie einzeichnen, wo die *Emerald Gin* sich im Augenblick des Starts befand. Haben Sie Übung darin, Abstände zu schätzen?«

Fredrik Winbergh nickte stumm und nahm den Stift, den Thomas ihm hinhielt. Er beugte sich über die Seekarte und malte mit sicherer Hand einen kleinen Punkt wenige Millimeter neben das Kreuz, das die Luv-Flagge markierte. Dann blickte er mit einem kummervollen Lächeln zu Margit und Thomas.

»Ich habe mein Leben lang Seekarten gelesen. Ich war der Navigator an Bord. So war das schon immer, Oscar war der Skipper und ich habe navigiert. Ich kann Winkel und Kurse im Schlaf anlegen, falls nötig.«

»Ausgezeichnet«, sagte Thomas. »Denn jetzt brauchen wir Ihre Hilfe bei etwas, das schwieriger ist. Können Sie sich erinnern, wo Sie im Verhältnis zu Juliander gestanden haben?«

Fredrik Winbergh nickte wieder. Ein Schatten legte sich über seinen Blick, so als hätte er die Szene wieder vor Augen, wie einer seiner besten Freunde direkt neben ihm erschossen wurde.

»Ich stand ungefähr einen Meter rechts von ihm. Aber schräg hinter ihm, nicht daneben.«

»Wie sicher sind Sie sich da?«, fragte Margit.

»Ganz sicher. Ich hatte mein rechtes Knie auf der Steuerbordbank abgestützt. Ich habe einen alten Meniskusschaden, wissen Sie, deshalb tut mein Knie in bestimmten Situationen weh, zum Beispiel, wenn ich auf See die Wellenbewegungen abfangen muss. Deshalb versuche ich, es so weit wie möglich zu entlasten.«

»Okay«, sagte Margit.

»Oscar stand eine Idee in Richtung Luv-Boje gewandt«, fuhr Winbergh fort, »er konzentrierte sich auf den Start, während wir gleichzeitig versuchten, die anderen Boote im Auge zu behalten. Um nicht mit jemandem zu kollidieren.«

»Wir wüssten gern, ob Sie eine Vorstellung davon haben, aus welcher Richtung die Kugel kam«, sagte Thomas. »Bitte denken Sie genau nach. Am wichtigsten ist, ob Sie sich an den Winkel zwischen der Startflagge und Ihrer eigenen Position erinnern.«

»Das ist nicht so einfach«, murmelte Fredrik Winbergh, während er die Seekarte studierte. »Ich kann es versuchen. Aber nageln Sie mich bitte nicht fest.«

»Alles, woran Sie sich erinnern, ist hilfreich für uns«, beruhigte Thomas ihn. »Wir vergleichen Ihre Angaben mit der kriminaltechnischen Analyse zum Einschusswinkel. Das kann unsere Chance vergrößern, den Schützen zu finden.«

Er blickte Winbergh aufmerksam an und zeigte dann auf die Seekarte.

»Wir untersuchen, ob der Schuss von einem anderen Boot kam, und bisher haben wir nichts gefunden, was dagegen spricht. Die Frage ist, wo dieses Boot sich im Verhältnis zu Ihrer Position befand.«

Thomas lächelte aufmunternd, und Fredrik Winbergh schloss die Augen, als versuchte er, die Bilder jener entscheidenden Minuten wieder heraufzubeschwören, die für seinen Freund den Unterschied zwischen Leben und Tod bedeutet hatten. Dann öffnete er sie wieder, starrte auf die Seekarte und griff entschlossen zum Stift.

Ohne dass seine Hand zitterte, zeichnete er eine Pyramide mit der Spitze in dem kleinen Punkt, der die *Emerald Gin* symbolisierte. Die Basis der Pyramide zeigte nach rechts, zum Zuschauerbereich.

Er legte den Stift weg und sah mit ernstem Gesicht zu Margit und Thomas.

»Ich fürchte, besser als so wird es nicht. Aber der Schuss muss irgendwo von rechts gekommen sein.«

»Wie kommen Sie darauf?«, fragte Thomas.

»Ich glaube, ich habe den Windzug gespürt. Und backbord, also links von uns«, erklärte er, »waren nur die anderen Teilnehmer. Ich kann mir nicht vorstellen, dass der Schuss von einem Konkurrenten gekommen ist.«

»Weil …?«, hakte Margit nach.

»Wie sollte jemand das im Moment des Starts schaffen?«, sagte Winbergh. »Vor der gesamten Besatzung.«

Thomas nickte Fredrik Winbergh zu.

»Vielen Dank. Falls das hier mit den technischen Untersuchungen übereinstimmt, können wir die anderen Regattateilnehmer ausschließen. Ebenso wie Ihre eigene Mannschaft. Das dürfte die Zahl der Verdächtigen deutlich verringern.«

»Haben Sie schon eine Spur?«, fragte Fredrik Winbergh. Seine angespannte Miene hatte sich bei Thomas' Worten ein wenig gelockert.

»Wir tun, was wir können«, antwortete Margit.

»Sagen Sie, warum heißt das Boot eigentlich *Emerald Gin*?«, platzte Thomas heraus.

Fredrik Winbergh lächelte schwach.

»Das war typisch Oscar. Er liebte trockene Martinis, konnte nie genug davon kriegen. Wissen Sie, was der beste Gin für einen richtig guten Martini ist?«

Thomas schüttelte den Kopf. Er bevorzugte Bier.

»Tanqueray Gin. Englisch, in einer grünen Flasche.«

»Aha?«, sagte Thomas gedehnt.

»Oscar machte einen Deal mit dem Hersteller. Sie sponserten uns die Segel, grüne natürlich, und versorgten uns mit unbegrenzten Mengen Gin. Das Boot bekam den Namen *Emerald Gin* und der Rumpf einen grünen Anstrich. Oscars Lieblingsfarbe, übrigens.«

»Verstehe«, sagte Thomas.

»Und alle waren zufrieden«, ergänzte Winbergh.

»Da ist noch eine Frage, die wir stellen müssen«, sagte Margit. »Ist Ihnen bekannt, ob Oscar Juliander Feinde hatte?«

Winbergh schüttelte den Kopf.

»Nicht dass ich wüsste. Aber in seinem Beruf schafft man sich bestimmt welche. Und er hatte jede Menge Affären, das muss ich sagen. Da sollten Sie wohl mal nachhaken.«

»Affären, von denen seine Frau wusste?«, fragte Thomas.

»Schwer zu sagen. Oscar war in der Regel diskret, aber unter seinen Freunden war das kein Geheimnis.«

»Gibt es sonst noch etwas, von dem Sie meinen, dass wir es wissen sollten? Bitte überlegen Sie genau. In dieser Situation ist jede Information wichtig für uns.«

Fredrik Winbergh, der bis dahin über den Tisch gebeugt gestanden hatte, setzte sich jetzt auf den Stuhl. Seine Schultern sanken eine Idee herab. Auf seinem Gesicht erschien ein gequälter Ausdruck.

Thomas und Margit wechselten einen Blick.

»Erzählen Sie einfach, was Sie wissen«, ermunterte Margit ihn. »Wenn wir den Täter finden sollen, müssen wir so viel wie möglich über Oscar in Erfahrung bringen.«

Winbergh zögerte immer noch, aber dann schien er einen Entschluss gefasst zu haben.

»Ich glaube, Oscar war in etwas verwickelt, was nicht ganz astrein war.«

»Warum glauben Sie das?«, fragte Margit.

»Weil er in der letzten Zeit so unruhig wirkte. Ständig auf Hochtouren lief. Oscar hatte ja immer tausend Eisen im Feuer, aber es war etwas Gehetztes an ihm, was ich nicht von ihm kannte. Ich dachte schon, er nimmt ...« Winbergh verstummte.

»Nimmt was?«, sagte Thomas. Er wollte ihm die Worte nicht in den Mund legen.

»Keine Ahnung. Drogen vielleicht.« Fredrik Winbergh klang bedrückt.

»Drogen? Woran denken Sie dabei?«

Winbergh zuckte unsicher mit den Schultern.

»Oscar war kein Waisenknabe, was Alkohol anging. Aber ich hatte ihn oft genug abgefüllt erlebt, um zu merken, wann er getrunken hatte. Und in den Situationen, an die ich denke, stand er nicht unter Alkohol.«

»Wieso sind Sie sich da so sicher?«, fragte Margit.

»Es war etwas in seiner Persönlichkeit, das sich veränderte, und zwar auf eine andere Art, als wenn er Alkohol trank.« Winbergh strich sich bekümmert übers Haar. »Er wurde einfach noch mehr Oscar, ich weiß nicht, wie ich es anders ausdrücken soll. Furchtbar eloquent, noch dominanter als sonst. Beinahe manisch. Und außerdem ...«

»Außerdem?«, drängte Margit. Sie beugte sich über den Tisch vor und fing seinen Blick ein, sodass er nicht ausweichen konnte.

»Ich weiß nicht ... Möglicherweise bilde ich mir das nur ein, aber es war etwas, was er sagte, eines späten Abends, als wir im Cockpit der *Emerald Gin* saßen.« Er schwieg. »Er sprach davon, welche Unmengen es ihn kostet, diesen Kahn zu unterhalten. All die Ausgaben, die er hatte, und dass er unbedingt andere Wege zur Finanzierung des Lebens finden musste als die, die vom Staat vorgesehen waren.«

»Und das ist Ihnen in Erinnerung geblieben?«, fragte Margit.

Fredrik Winbergh nickte widerstrebend, so als verabscheute er jedes Wort, das er gerade gesagt hatte. Und dennoch konnte er es nicht lassen, weiterzusprechen.

»Ja, weil es so untypisch für Oscar war.«

»Inwiefern?«, sagte Margit.

»Er war ja Rechtsanwalt. Er hatte fast alles an Lug und Betrug gesehen, was es gab. Er konnte tausend Geschichten darüber erzählen, was die Leute sich alles einfallen ließen, um den Staat zu bescheißen oder ihre Gläubiger zu hintergehen. Dass er auch nur andeutete, selbst in dieser Richtung zu denken, war so fremd für ihn. Das war überhaupt nicht mehr der Mann, den ich kannte.«

»Was ist dann passiert?«, fragte Thomas.

»Nichts«, sagte Fredrik Winbergh. »Es war spät, wir hatten viel getrunken. Am nächsten Morgen war alles vergessen. Aber jetzt ...« Er breitete hilflos die Arme aus.

»Jetzt fällt es Ihnen wieder ein«, sagte Margit leise.

»Ja. Das hat mir gestern gar keine Ruhe gelassen. Ich habe mich gefragt, ob er es ernst gemeint hatte. Ob er etwas Kriminelles getan hatte, was einen anderen dazu veranlasste, ihn umzubringen.«

Er sah unglücklich zu Margit und Thomas, zerrissen zwischen der Loyalität zu einem alten Freund und dem Wunsch, der Polizei bei der Suche nach dessen Mörder zu helfen.

»Ich habe fast fünfunddreißig Jahre mit Oscar zusammen gesegelt. Seit unserer Studentenzeit. Und er ist buchstäblich in meinen Armen gestorben.«

Seine Stimme brach, und er ballte die Fäuste in dem Versuch, nicht die Beherrschung zu verlieren.

»Wie er da am Ruder stand, voller Leben, mit einem strahlenden Lachen. Unbesiegbar. Und auf einmal bricht er einfach zusammen, direkt vor meinen Füßen. Sie ahnen ja nicht, wie sich das anfühlt.«

Er sah Thomas an und schlug mit der Faust auf den Tisch.

»In meinem ganzen Leben war ich noch nie so hilflos. Können Sie sich vorstellen, was das für ein Gefühl ist?«

Thomas erwiderte seinen Blick.

Er hatte den leblosen Körper seiner drei Monate alten Tochter in den Armen gehalten und nichts, absolut nichts tun können.

Er wusste genau, was für ein Gefühl das war.

Kapitel 10

Das Ehepaar von Hahne war als Nächstes an der Reihe. Während Margit und Thomas sich eine Pause gönnten, hatte jemand die leeren Wasserflaschen und benutzten Gläser abgeräumt. Die Fenster waren zum Lüften geöffnet worden, aber der Temperaturunterschied fiel nicht ins Gewicht. Es war immer noch warm und feucht im Zimmer, und Thomas merkte, wie ihm das Poloshirt am Rücken klebte.

Ingmar von Hahne sah dagegen wie aus dem Ei gepellt aus. Er trug ein kurzärmeliges Hemd und Khakishorts mit Bügelfalte. Wortgewandt begann er das Gespräch mit einer Beschreibung seiner Arbeit als Kunsthändler, Spezialgebiet frühes neunzehntes Jahrhundert. Unablässig strich er sich die blonden Haare zurück, die ihm immer wieder in die Stirn fielen.

»Wie gut kannten Sie Oscar Juliander?«, fragte Thomas.

»Ziemlich gut. Wir verkehrten in denselben Kreisen, feierten zum Beispiel Mittsommer zusammen. Wir waren auch beide seit mehreren Jahren im Vorstand des KSSS.« Er sprach die Worte ein wenig schleppend aus, in typischer Oberschicht-Manier.

»Ist Ihnen bekannt, ob es einen ungeklärten Konflikt zwischen ihm und jemand anderem gab?«

»Das kann ich mir nicht vorstellen. Oscar war beliebt, ein geselliger, engagierter Mensch. Obwohl, bei seinem Beruf weiß man ja nie, als Anwalt kann man den Leuten schon mal auf die Zehen treten.«

»Erzählen Sie uns von Ihrem Engagement im KSSS«, sagte Margit.

»Ach, das ist eine lange Geschichte«, sagte Ingmar von Hahne und lächelte zuvorkommend. »Mein Vater war sehr aktiv im Klub. Er war seinerzeit zweiter Vorsitzender, damals, als die Mitglieder ständig in Segleruniform herumliefen und einander mit ›lieber Freund‹ anredeten.«

Er zwinkerte Margit zu.

»Meine Familie hat immer Segelboote besessen, ich bin schon als kleiner Junge mit anderen um die Wette gesegelt. Es spielte keine Rolle, wie seekrank man wurde, wenn es schaukelte, Hauptsache, man biss die Zähne zusammen und segelte weiter. Für meinen Vater existierte das Wort ›aufgeben‹ nicht.«

Er schüttelte leicht den Kopf bei der Erinnerung daran.

»Ich wurde vor langer Zeit gebeten, einen Sitz in einem der Komitees zu übernehmen, ich glaube, es war das Klubkomitee, und so nahm das seinen Lauf. Wir haben alle unser Päckchen zu tragen.«

Letzteres sagte er mit einem spöttischen Unterton, fast so, als machte er sich über sie lustig.

»Und jetzt sind Sie Schriftführer und zweiter Vizevorsitzender«, sagte Margit.

»Oscar war erster Vizevorsitzender.«

»Dann werden Sie möglicherweise Hans Rosensjöös Nachfolger«, warf Thomas ein.

Ingmar von Hahne zuckte mit den Schultern.

»Die Jahresversammlung findet bald statt, und Hans kann nicht wiedergewählt werden, weil er die Höchstdauer seiner Amtszeit erreicht hat. Es ist nichts, wonach ich gestrebt habe, aber ich stelle mich natürlich zur Verfügung, wenn ich darum gebeten werde. Unter den gegebenen Umständen muss jeder von uns seinen Beitrag leisten, nicht wahr?«

Er wischte ein nicht vorhandenes Staubkörnchen von seinem Hemd und lehnte sich zurück.

Isabelle von Hahne lächelte Margit und Thomas freundlich an, als sie in den Konferenzraum kam. Eine große schwarze Sonnenbrille hielt ihre blonden Haare aus dem Gesicht. Am rechten Handgelenk trug sie mehrere dicke Goldarmbänder.

Die ist bestimmt nicht billig im Unterhalt, dachte Thomas.

»Womit kann ich behilflich sein?«, sagte sie und ließ sich auf dem Besucherstuhl nieder.

»Möchten Sie etwas trinken?«, fragte Margit einleitend.

Isabelle von Hahne nickte und Margit goss ihr ein Glas Mineralwasser ein.

»Können Sie uns etwas über gestern erzählen? Sie waren auf einem der Zuschauerboote, die Julianders Swan am nächsten lagen, als der Schuss fiel«, sagte Margit.

»Ja, das war ein schrecklicher Tag. Ich meine, weil Oscar ermordet wurde. Mein Mann und ich, er ist Schriftführer im Vorstand des

KSSS, sind mit Familie Bjärring rausgefahren, um uns den Start anzusehen. Das machen wir schon seit Jahren, es ist eine richtige Tradition geworden. Wir essen gut und trinken ein bisschen Wein.«

Sie schlug die Augen nieder, so als wäre ihr bewusst geworden, dass ihre Beschreibung des Tages als charmanter Ausflug angesichts der Umstände nicht besonders respektvoll klang.

»Und dann passierte all das Schreckliche«, fügte sie hinzu.

»Wie haben Sie den Moment des Starts in Erinnerung?«, fragte Margit.

Isabelle von Hahne hob ihr Glas und trank einen Schluck, während sie in ihrem Gedächtnis nach Bildern zu suchen schien.

»Wie habe ich den Start in Erinnerung ... Alle hatten ihre Aufmerksamkeit auf die Boote konzentriert, die unmittelbar an der Startlinie lagen. Ich bin mir sicher, dass wir noch nicht mit dem Essen begonnen hatten, wir wollten damit warten, bis die größte Bootsklasse unterwegs war. Lena hatte einen guten italienischen Wein aufgemacht, an dem wir gerade genippt hatten. Einige in der Runde hatten Ferngläser dabei, um besser sehen zu können.«

Sie schwieg und drehte an ihrem Ehering.

»Oscar hatte diese schöne neue Swan gekauft, und wir waren alle sehr gespannt, ob er es schaffen würde, als Erster vom Start wegzukommen«, fuhr sie fort. »Er ist ... war jemand, der den Wettkampf liebte. Er war ganz versessen darauf, dieses Jahr den Gesamtsieg zu holen. In den letzten Monaten hat er von nichts anderem geredet.«

Sie verzog den Mund zu einem kleinen nostalgischen Lächeln.

»Wo genau waren Sie im Augenblick des Starts?«

»Ich war zusammen mit den anderen auf der Flybridge. Das ist das oberste Deck, ziemlich groß mit einem Tisch in der Mitte. Man hat eine herrliche Aussicht von da oben, und man sitzt bequem, sogar wenn man zu mehreren ist. Wir hatten so viel Spaß, alle waren guter Laune, es wurde gescherzt und gelacht.«

»Und Sie waren die ganze Zeit dort oben?«, hakte Thomas nach.

»Sicher. Außer wenn ich zur Toilette ging, natürlich.«

»Konnten Sie Julianders Swan von dort aus sehen?«

»Auf jeden Fall. Man hatte einen ganz hervorragenden Blick auf die Startlinie.«

»Wie weit waren Sie von der Startlinie entfernt?«

Sie studierte ihre manikürten Nägel und dachte nach.

»So siebzig, achtzig Meter. Vielleicht auch hundert. Das lässt sich schwer mit Sicherheit sagen.«

»Erinnern Sie sich noch an etwas anderes?«, fragte Margit.

»Oscar hatte eine sehr gute Position, das weiß ich noch. Aber ich habe das ganze Teilnehmerfeld bewundert, da waren ja noch viele andere, die man beobachten wollte. Sie sind so wunderschön, diese großen Rennsegler.«

»Wann wurde Ihnen klar, dass etwas passiert ist?«, fragte Margit.

Iseballe von Hahne trank noch einen Schluck Wasser aus dem Glas. Sie runzelte die Stirn.

»Das war wohl, als die *Emerald Gin* zurückfiel und aufhörte, Fahrt zu machen. Es war völlig unbegreiflich, warum sie im Startbereich blieb. Sie bewegte sich nicht weiter vorwärts.«

»Was haben Sie da gemacht?«

»Axel hat gewendet, um näher heranzukommen und nachzusehen. Dann steuerte er das Polizeiboot an, das ganz in der Nähe lag. Auf dem waren Sie doch, wenn ich mich nicht irre?«

Sie sah Thomas fragend an, und er nickte.

»Was haben Sie persönlich in dem Moment gedacht?«, fragte Margit.

»Was ich dachte?«, wiederholte Isabelle von Hahne. Sie stützte das Kinn in die Hand und stemmte den Ellbogen auf den Tisch.

Thomas beobachtete sie aufmerksam.

»Ich weiß nicht genau«, sagte sie schließlich. »Vermutlich, dass irgendwas an Bord kaputtgegangen war. Dass mit dem Ruder etwas nicht stimmte oder mit einem wichtigen Segel. Etwas, das im Wettkampf zu Problemen geführt hätte.«

Sie machte den Rücken gerade und blickte Thomas direkt in die Augen.

»Ich hätte doch nicht im Traum daran gedacht, dass jemand Oscar erschossen haben könnte.«

Kapitel 11

Der Cognac floss langsam aus der schweren Martell-Flasche in den Kristallschwenker. Als das Glas halb voll war, stellte Martin Nyrén die Flasche zurück in den Barschrank. Nach einem langen Tag voller Telefonanrufe von Kollegen und Bekannten aus dem KSSS hatte er definitiv einen guten Tropfen verdient.

Als Vorsitzender des Intendentkomitees hatte er alle Vorstandsmitglieder angerufen, um sie über den Mord an Oscar Juliander zu informieren. Die Meldung war natürlich bereits durch die Presse gegangen, aber er fand, es gehörte einfach zum guten Ton, sie persönlich zu informieren.

Martin Nyrén durchlief ein Frösteln.

Welches kranke Hirn dachte sich so etwas aus? Einen Menschen in seinem besten Moment zu erschießen.

Jetzt bereute er, dass er nicht gleich ab ersten Juli Urlaub genommen hatte, so wie die meisten anderen. Er hatte gedacht, es müsste schön sein, noch ein paar Wochen länger zu bleiben, wenn das übliche Gesumme verstummt war und man sich in aller Ruhe den Aktenstapeln widmen konnte. Außerdem schadete es nicht, wenn ein Mitglied der Direktion bis in den Juli hinein anwesend war. In der Regel passierte während der Sommerzeit nicht viel im Kammarkollegiet, aber wissen konnte man es ja nie.

Jedenfalls war es jetzt zu spät, sich anders zu entscheiden, und außerdem würde er noch früh genug zu seinem Segelboot kommen, das in der Marina von Bullandö auf ihn wartete. Das Boot war sein ganzer Stolz, eine schnittige Omega 36 mit weißem Rumpf. Er konnte sie notfalls allein segeln, falls keiner seiner Verwandten oder Freunde Zeit hatte.

Er trank einen großen Schluck Cognac und genoss den intensiven Geschmack der goldbraunen Flüssigkeit. Die Wärme breitete sich in seinem Körper aus, und er entspannte sich langsam.

Mit dem Cognacschwenker in der Hand ging er in sein Arbeitszimmer, eigentlich eher ein Erker, der zum Schlafzimmer gehörte, und schaltete den Computer ein. Er war ganz vernarrt in die große Dreizimmerwohnung in Birkastan, die er Anfang der Neunziger gekauft hatte. Damals waren die Immobilienpreise so tief im Keller gewesen, dass sogar das Gehalt eines Verwaltungsbeamten für eine Wohnung in der Stockholmer Innenstadt gereicht hatte.

Nachdenklich drehte er das Glas in der Hand. Er hatte nie viel mit Juliander zu tun gehabt, bis auf die Arbeit im Vorstand natürlich. Das Intendentkomitee war nicht so glamourös wie Julianders Regattakomitee.

Nyréns Auftrag bestand darin, die festen Einnahmen des KSSS zu verwalten und über die laufenden Kosten zu wachen. Sein Komitee sorgte dafür, dass die Bootsstege in Ordnung waren und die Gebäude und sonstigen Liegenschaften unterhalten wurden. Es war keine besonders spannende Aufgabe, aber ihm gefiel sie.

Der Computer war hochgefahren und Martin Nyrén drückte rasch ein paar Tasten, um nachzusehen, ob E-Mails eingegangen waren. Als Beamter war er darauf bedacht, keine privaten Nachrichten im Büro zu empfangen, wo alle Eingänge als Dienstangelegenheit betrachtet wurden. Wegen seiner Beziehung zu Indi war er besonders vorsichtig. Er hatte sogar auf seinem privaten Rechner eine Sicherheitssperre installiert.

Rasch überflog er die Liste der Eingänge. Mehrere Mails waren Spam. Eine kam von seinem Bruder, der anfragte, in welcher Woche sie zusammen segeln wollten. Eine andere war eine Rundmail der Kanzlei, die über Oscars tragisches Ableben informierte.

Beim Gedanken an den tödlichen Schuss überlief ihn erneut ein Frösteln.

Schrecklich.

Sein Blick glitt weiter die Liste hinunter. Wieder nichts von Indi dabei. Höchstwahrscheinlich war die ganze Familie auf dem Land. Dort war es nicht so einfach, sich davonzustehlen und eine Mail an den heimlichen Geliebten zu schreiben, das sah Martin Nyrén ein. Trotzdem war er enttäuscht. Wenn er nur ein kleines Lebenszeichen bekäme, wäre er ja schon zufrieden. Er spielte mit dem Gedanken, eine SMS zu schicken, aber es war schon spät am Abend, und so etwas konnte unnötig Aufmerksamkeit erregen. Vielleicht fiel es jemandem auf. Jemandem, der um keinen Preis etwas von ihrem Verhältnis erfahren durfte.

Das war die einzige Bedingung gewesen. Und die war nicht verhandelbar.

Nicht auszudenken, was es für Konsequenzen hätte, falls ihre Liebe entdeckt würde. In dem Punkt ließ Indi nicht mit sich reden: Die Familie durfte unter keinen Umständen davon berührt werden. Die Kinder hatten absoluten Vorrang.

Martin Nyrén seufzte und schaltete den Rechner aus. Er hasste diese Urlaubswochen, in denen alle auf glückliche Familie machten und Freunde und Verwandte um sich scharten. Eine lange Reihe von Grillpartys mit Menschen, die sich ganz woanders hinwünschten. Die Hälfte der Paare, die daran teilnahmen, hatte nebenbei was laufen. Trotzdem taten sie, als könnten sie kein Wässerchen trüben, und stießen wohlerzogen mit allen um sich herum an.

Wenn er diese Scheinheiligkeit sah, mit der die Ehepartner sich anlächelten, war er froh, dass er nie geheiratet hatte. Lieber das ganze Leben als Junggeselle verbringen, als sich derart zu erniedrigen. Es war immer noch besser, vor einem Computer auf eine Nachricht zu warten, die wenigstens ehrlich gemeint war, als sich an der ehelichen Heuchelei zu beteiligen.

Er trank den Cognac aus und ging, um sich noch einen einzuschenken.

Dienstag, erste Woche

Kapitel 12

Thomas schlug die Augen auf und war sofort hellwach. Er lag an der äußersten Kante von Carinas ein Meter sechzig breitem Doppelbett. Es nahm fast die komplette Schlafnische in dem kleinen Einzimmerappartement ein, das sich in Jarlaberg befand, nur einen Steinwurf von der Polizeistation Nacka entfernt.

Carina schlief noch, sie hatte sich auf der linken Hälfte zusammengerollt wie eine Katze. Ihr dunkles Haar verbarg das halbe Gesicht, von ihren Lachgrübchen war keine Spur zu sehen. Sie wirkte eher wie ein Teenager als wie eine fünfundzwanzigjährige Frau.

Vierzehn Jahre trennten sie, aber manchmal schien es, als wären es deutlich mehr. Ihre Jugend und ihre Begeisterungsfähigkeit, die ihn am Anfang so angezogen hatten, sorgten in der letzten Zeit immer öfter dafür, dass er sich alt vorkam. Es machte ihm bewusst, dass er keine dreißig mehr war, sondern fast vierzig. Demnächst war er ein Mann in mittleren Jahren.

Eigentlich wusste er gar nicht genau, wie es gekommen war, dass er ein Verhältnis mit Carina Persson angefangen hatte. Noch dazu die Tochter des Chefs. Er hatte sich nie sonderlich für sie interessiert. Sie war nicht sein Typ, wenn er überhaupt einen hatte.

Pernilla, seine ehemalige Frau, war groß und schlank, genau wie er. Sie hatten sich eines Abends in einer Kneipe kennengelernt, als er mit seinen Kumpels von der Polizeihochschule unterwegs war, und danach waren sie zusammengeblieben. Sie hatte an Berghs School of Communication studiert und anschließend eine Stelle als Projektleiterin in einer Werbeagentur bekommen. Sie waren beinahe gleichzeitig mit ihrer Ausbildung fertig gewesen, und dann waren sie zusammengezogen und hatten schließlich geheiratet. Es fehlte nur noch ein Kind, und das ließ auf sich warten.

Sie hatten es mehrere Jahre lang versucht, und schließlich reihten sie sich in die Warteschlange für künstliche Befruchtung ein. Als sie fast schon aufgeben wollten, klappte es plötzlich.

Das Gefühl, als Pernilla ihm mit zitternder Hand den kleinen weißen Streifen mit dem blauen Strich in der Mitte zeigte, war unbeschreiblich gewesen. Er konnte sich noch gut daran erinnern, was für ein magischer Moment das war. Unfassbar. Endlich, endlich wuchs ein kleines Leben in ihrem Bauch heran.

Als dann die Katastrophe über sie hereinbrach, waren sie unfähig, damit umzugehen. All die Jahre des Wartens, all das, worauf sie gehofft hatten. Und dann war es vergebens.

Wäre Emily nicht den plötzlichen Kindstod gestorben, wären Pernilla und er sicher immer noch verheiratet. Aber die Trauer und die Schuldgefühle hatten ihre Beziehung zerstört. Vor knapp zwei Jahren hatten sie sich getrennt.

Lange Zeit hatte er andere Frauen nicht einmal angesehen. Nora hatte sich nach Kräften bemüht, ihn mit diversen Single-Freundinnen zu verkuppeln, aber er konnte sich für nichts und niemanden begeistern. Ihm war alles egal.

Carina war irgendwie einfach dagewesen. Es schien, als tauchte sie immer überall dort auf, wo er war. Bei den Ermittlungen zu den Mordfällen im letzten Sommer hatte sie unendlich viele Stunden investiert. Hatte sich nie beklagt, auch wenn die Tage lang wurden. Geduldig war sie auf der Suche nach wichtigen Hinweisen unzählige Listen und Aufstellungen durchgegangen.

Eines Tages hatte sie ihn gefragt, ob sie in der Mittagspause nicht zusammen essen wollten. Nach ein paar gemeinsamen Mittagspausen hatte sie ein Abendessen vorgeschlagen, und daran schlossen sich ein paar Kinobesuche an. So war eins zum anderen gekommen, und inzwischen übernachtete er ein paar Mal die Woche bei ihr.

Thomas blinzelte unter halb geschlossenen Lidern zu ihr hinüber.

Sie war klein und süß, wie ein Kätzchen. Dunkles Haar, zierliche Figur. Sie hatte überhaupt keine Ähnlichkeit mit ihrem feisten Vater. Und seine Launen hatte sie auch nicht geerbt.

Thomas hatte darauf bestanden, dass sie ihre Beziehung auf der Dienststelle nicht bekannt machten. Er wollte die Sache nicht an die große Glocke hängen, weder vor den Kollegen noch vor ihren Eltern. Carina hatte widerstrebend eingewilligt, aber jetzt war das Thema wieder zur Sprache gekommen. Sie würde die Polizeistation bald verlassen, und damit wären sie auch keine Arbeitskollegen mehr.

Plötzlich fühlte er sich wie ein Fremder in der feminin eingerichteten Wohnung. Das Sofa am Fenster war pastellblau, eine Farbe, die er selbst nicht gewählt hätte. Alles war so durchdacht und ordentlich. Der ganze Raum wirkte eher wie ein Jungmädchenzimmer als wie ein Appartement.

Was wollte er mit einer Frau, die so viel jünger war als er? Physisch und seelisch.

Wenn er ehrlich sein sollte, wusste er nicht, ob er verlegen oder geschmeichelt sein sollte, dass jemand in ihrem Alter mit ihm zusammen sein wollte. Oder ob er einfach die Augen davor verschloss, wie es wirklich war: Dass die erste Verliebtheit dabei war, zu verschwinden. Ohne von etwas anderem ersetzt zu werden.

Nora ahnte möglicherweise, was los war, aber sie hatte im letzten Jahr so viel anderes zu bedenken gehabt. Sonst war sie immer die Erste, die spürte, was in ihm vorging. In vielerlei Hinsicht war sie wie eine kleine Schwester für ihn, sie wusste immer, wie er sich fühlte.

Nora und er hatten eine ganz besondere Freundschaft, und Pernilla war tolerant genug gewesen, sie nicht infrage zu stellen. Was mehr war, als man von Noras Mann Henrik sagen konnte, mit dem Thomas nie so richtig warm geworden war.

Am Anfang hatte er Henrik, der damals noch Medizin studierte, für einen verwöhnten Oberschicht-Schnösel gehalten. Aber Nora liebte ihn, und Henrik hatte sich wirklich bemüht, seine schlimmsten Unarten abzulegen. Im Laufe der Zeit hatte Thomas einen Weg gefunden, mit Henrik auszukommen, aber sie fühlten sich nie sehr wohl miteinander. Inzwischen traf er sich meistens allein mit Nora, oder mit Nora und Simon, seinem Patenkind und Noras jüngstem Sohn, in den er ganz vernarrt war.

Thomas warf einen Blick auf den Wecker. Immer noch zwanzig Minuten, bis er klingeln würde, aber es war jetzt schon taghell. Carina hatte weiße Rollos vor den Fenstern. Sie ließen das Licht eher durch, als es auszusperren.

Er drehte sich auf den Rücken. Seine Gedanken schweiften zu den Ermittlungen und den Informationen, die sie bis jetzt zusammengetragen hatten. Dass Oscar Juliander ein lebenslustiger, viriler Knabe gewesen war, der sich gerne mit dem anderen Geschlecht umgab, war unbestritten. Damit hätten sowohl seine Frau als auch seine Freundinnen ein Motiv gehabt, ihn umzubringen. Oder warum nicht ein betrogener Ehemann? Eifersucht konnte ja eine starke Triebfeder sein.

Andererseits, warum sollte die Ehefrau sich den Mann vom Hals schaffen, der sie versorgte? Vermutlich hatte sie die Affären ihres Gatten jahrelang ertragen. Was hätte sie in dem Fall ausgerechnet an diesem Tag zu einem so drastischen Schritt bewegen sollen?

Sie mussten auf jeden Fall so schnell wie möglich mit der Ehefrau sprechen. Hoffentlich war sie heute zumindest so weit gefasst, dass man sie in aller Ruhe befragen konnte. Am Sonntag in Sandhamn waren alle Versuche an ihrem Schockzustand gescheitert, und bisher hatten ihre Ärzte kein Gespräch erlaubt.

Thomas' Gedanken wanderten weiter zu der Klientenliste, die sie aus der Anwaltskanzlei bekommen hatten. Darauf waren mehrere Hundert Insolvenzen aus den letzten Jahren verzeichnet. Juliander musste eine Menge Geld verdient haben, so viel stand fest. Wie er das alles geschafft hatte, war eine andere Sache.

Er beschloss, Carina zu bitten, so schnell wie möglich Julianders Finanzlage zu überprüfen. Wo Geld war, gab es auch ein Motiv. Flüchtig ging ihm durch den Kopf, ob Rechtsanwälte wohl ehrlicher als andere Menschen waren oder einfach nur geschickter darin, ihre Einkünfte zu verschleiern, weil sie wussten, wie das System funktionierte.

Thomas sah wieder auf die Uhr. Höchste Zeit, aufzustehen und zu duschen. Ein Besuch in der Kanzlei Kalling stand als Erstes auf der Tagesordnung.

Kapitel 13

Nora starrte misstrauisch das Telefon in ihrer Hand an. Die Nachricht auf der Mailbox war nicht misszuverstehen, aber sie konnte es trotzdem nicht glauben.

Der Mann vom Immobilienbüro Skärgårdsmakleriet bestätigte mit großem Enthusiasmus, dass er am nächsten Tag nach Sandhamn kommen werde, um sich das Objekt anzusehen und dessen Wert zu schätzen. Ob man wohl so freundlich sein könnte, ihn von der Fähre abzuholen?

Das Objekt? Er konnte wohl kaum etwas anderes gemeint haben als die Brand'sche Villa. Also hatte Henrik hinter ihrem Rücken einen Makler eingeschaltet, ohne vorher mit ihr zu reden. Sie konnte es kaum glauben, aber wer sonst hätte so ein Treffen arrangieren sollen?

Nora sank in den Korbsessel auf der kleinen Glasveranda. Vor den Fenstern drängten sich die Mårbacka-Geranien, die Erde in ihren Töpfen war trocken. Die Sonne hatte den ganzen Morgen darauf geschienen, sie brauchten dringend Wasser.

Warum hatte Henrik das getan?

Sie seufzte tief und ließ den Blick durch das Fenster zur Brand'schen Villa wandern, die nur einen Steinwurf von ihrem Haus entfernt aufragte. Sie konnte beinahe den Duft der Rosen riechen, die an den Hauswänden hochrankten. Die Rosenbüsche waren Signes Hätschelkinder gewesen.

Im vergangenen Herbst hatte Nora einen Traumjob in Malmö als Regionaljustiziarin ihrer Bank abgelehnt, zum großen Teil deswegen, weil Henrik sich nicht vorstellen konnte, aus Stockholm wegzuziehen.

Nach den aufregenden Ereignissen des Sommers war es ihr nicht allzu schwergefallen, das Angebot auszuschlagen. Sie war gesundheitlich und psychisch sehr mitgenommen gewesen, und außerdem hatte Henrik ihr gut zugeredet, ihren alten Job im zentralen Juristenstab der Bank zu behalten. »Du verträgst jetzt keine größeren

Veränderungen«, hatte er gesagt. »Du musst erst wieder zu Kräften kommen.«

Aber im Winter, als sie nach und nach ihr Gleichgewicht wiederfand, hatte sie sich immer wieder gefragt, warum es so selbstverständlich war, dass die Familie in der Hauptstadt blieb, und warum Henriks Job so wichtig war. Konnte er nicht auch einmal zurückstecken? Warum war so wenig Platz für ihre eigenen Wünsche?

Wenn man Henrik einen tollen Job in einer anderen Stadt angeboten hätte, wäre mit Sicherheit die ganze Familie umgezogen.

Seitdem saß ein kleiner Stachel in ihrem Fleisch, der nicht wieder verschwinden wollte. Er saß da und juckte, und weder sachliche Gründe noch logische Argumente halfen dagegen, ganz gleich, wie sehr sie sich zur Vernunft rief. Es fiel ihr schwer, sich damit abzufinden, dass sie immer noch auf ihrem alten Arbeitsplatz saß, mit demselben arbeitsscheuen und inkompetenten Chef. Eine ständige Erinnerung daran, warum sie so froh über das Angebot gewesen war, nach Malmö zu wechseln.

Sie erhob sich, zupfte ein paar verwelkte Blätter von den Geranien und warf sie durch das offene Fenster nach draußen. Es führte kein Weg daran vorbei, sie musste Henrik mit der Nachricht des Maklers konfrontieren und ihn fragen, ob er etwas davon wusste. Aber schon jetzt war sie es so leid, ihm die Frage überhaupt stellen zu müssen.

Sie verzog das Gesicht und ging in die Küche, um das Mittagessen für die Jungs zu machen. Es würde eine leichte Sommermahlzeit werden, und das hieß Dickmilch, Cornflakes und Käsebrot. Sie hatte keine Energie, etwas anderes auf den Tisch zu bringen. Manchmal kamen ihr die Sommerferien wie eine endlose Übung im Essenzubereiten vor. Zwischen den ganzen Vorbereitungen für Frühstück, Mittag- und Abendessen, ganz zu schweigen von mindestens einer Zwischenmahlzeit, blieb nicht viel Zeit, um den Urlaub zu genießen.

Henrik war wie üblich unten im Hafen und werkelte an seinem Boot herum, mit dem er während der Sommerwochen an allen möglichen Segelrennen teilnahm. Es würde noch Stunden dauern, bis er zurück war.

Nora beschloss, das Thema Makler in aller Ruhe mit ihm zu besprechen, wenn er nach Hause kam. Nicht aggressiv, sondern ganz neutral und fragend. Sie hatten den Winter über schon so oft gestritten, dass sie einfach keine Lust hatte, den Urlaub mit einem weiteren

Streit zu beginnen. Es gab sicher eine einfache Erklärung. Die sollte Henrik geben können, ohne dass sie ihm sofort vorwarf, hinter ihrem Rücken zu handeln.

Sie schluckte ihren Ärger herunter und ging nach draußen, um die Jungs zu rufen.

Kapitel 14

Das schwere Portal des um die vorige Jahrhundertwende erbauten Hauses mitten auf dem Norrmalmstorg glitt erstaunlich leicht auf. Da musste eine Art Federmechanismus eingebaut sein, dachte Thomas, denn so leicht war es sonst nicht, eine Eingangstür dieses Kalibers zu öffnen.

Ein roter Teppichläufer führte Margit und Thomas zu einem Fahrstuhl, dessen Gittertür beim Öffnen leicht quietschte. An der Wand daneben verkündete ein Messingschild, dass die Anwaltskanzlei Kalling ihre Räume auf allen Etagen hatte, der Empfang sich jedoch im ersten Stock befand.

Dort wurden sie von einem hübschen Mädchen begrüßt, das in adretter weißer Bluse und blauem Rock hinter einem edlen Empfangstresen aus dunklem Holz stand. Höflich fragte sie, ob sie behilflich sein könne. Margit und Thomas brachten ihr Anliegen vor, und kaum eine Minute später kam eine Frau in den Fünfzigern zu ihnen heraus.

»Rechtsanwalt Hallén, unser geschäftsführender Partner, kann Sie jetzt empfangen«, sagte sie mit freundlichem Lächeln. »Wenn Sie mir bitte folgen wollen?«

Sie führte sie durch einen Korridor in einen Konferenzraum mit einem großen Mahagonitisch. Mitten auf dem Tisch stand eine Reihe Flaschen mit Mineralwasser unterschiedlicher Geschmacksrichtungen. Ein Tablett mit kleinen Kaffeetassen aus blau-weißem dänischem Porzellan und einem Kuchenteller stand daneben. Für alle Fälle stand auch noch eine Schale mit teuer aussehenden dunklen Schokoladestückchen bereit.

»Sind wir zum Kaffee eingeladen?«, flüsterte Margit Thomas zu, während sie den Überfluss auf dem Tisch betrachtete.

Der Mann mittleren Alters, der kurz darauf den Raum betrat, entsprach vollkommen dem Vorurteil, das Thomas über Anwälte hatte.

Er trug einen maßgeschneiderten dunklen Nadelstreifenanzug.

In der Brusttasche steckte ein zartblaues Seidentuch, das exakt zu seiner Krawatte passte. Das weiße Oberhemd war perfekt gebügelt, das konnte sogar Thomas sehen. Er stellte fest, dass der Aufzug des Anwalts in krassem Kontrast zu seinem eigenen stand.

»Schlimme Geschichte«, sagte Ivar Hallén, während er Margit und Thomas die Hand schüttelte. »Ganz entsetzlich. Oscar war ein sehr geschätzter Kollege und einer unserer gefragtesten Partneranwälte, mit großen Fällen.«

»Wissen Sie, ob Juliander Ärger mit einem Klienten hatte?«, fragte Thomas, als sie Platz genommen hatten.

Hallén schien zu überlegen.

»Davon ist mir nichts bekannt«, erwiderte er. »Als Insolvenzanwalt hat man selten Ärger mit seiner Klientel. Die Unternehmen existieren ja als solche schon nicht mehr, wenn Sie verstehen, was ich meine. Der Insolvenzverwalter ist eine neutrale Person, die hinzugerufen wird, wenn der Konkurs bereits Tatsache ist.«

»War Oscar Juliander hier in der Kanzlei beliebt?«, fragte Margit und streckte sich nach einem Stück Schokolade.

Das war die beste Schokolade, die sie je gegessen hatte. Sie fragte sich, wo man die kaufen konnte. Die kostete bestimmt ein Vermögen.

Hallén ließ sich mit seiner Antwort Zeit. Er presste die Handflächen aneinander und richtete den Blick auf den Tisch.

»Beliebt ist vielleicht nicht das richtige Wort«, sagte er schließlich. »Er war geachtet und als Jurist sehr geschätzt. Aber er war schon eine richtige Diva. Wollte am liebsten strahlender Mittelpunkt sein und ließ sich gern zu den verschiedensten Themen von den Medien interviewen.«

Der Anwalt schwieg einen Moment, bevor er weitersprach.

»Manche fanden wohl, dass er sich ein bisschen zu oft auf Kosten der Kanzlei in den Vordergrund spielte. Er arbeitete viel und hatte seine assistierenden Juristen fest am Zügel. Sein Team war immer als Erstes im Büro und ging als Letztes.«

»Hat er viel verdient?«, fragte Margit.

»Ja, er hat große Aufträge für die Kanzlei an Land gezogen.«

»Wie werden die Überschüsse verteilt?«, fragte Thomas. »Was machen Sie mit den Gewinnen?«

»Wir praktizieren echte Partnerschaft«, sagte Hallén.

»Und was heißt das?«

»Dass wir alles gerecht teilen. Nach Abzug der Kosten wird der Überschuss unter den Partnern aufgeteilt.«

»Erwirtschaften denn alle Partner gleich viel?«, wunderte sich Margit.

»Nein, im Gegenteil«, erwiderte Hallén. »Es gibt ziemlich große Unterschiede, was den finanziellen Erfolg unserer verschiedenen Partner betrifft.«

»Und warum wird der Gewinn trotzdem nicht nach Erfolg verteilt?«

Hallén zuckte mit den Schultern.

»Gute Frage. Der Punkt bei einer echten Partnerschaft ist, dass keiner sich bestimmte Klienten herauspicken kann, um so viel wie möglich zu verdienen. Vielmehr soll jeder Klient den Anwalt bekommen, der ihm am besten helfen kann.«

»Das Modell dürfte sich in dem Fall für jemanden wie Juliander kaum ausgezahlt haben.«

»Das ist richtig.« Hallén trank einen Schluck Kaffee aus der blauweißen Porzellantasse, bevor er weitersprach. »Oscar war mit diesem System auch nicht zufrieden. Tatsache ist, dass er in dieser Frage nicht mit sich reden ließ. Da er einer derjenigen war, die unserer Sozietät am meisten einbrachten, beharrte er darauf, dass ihm auch ein entsprechend größeres Stück vom Kuchen zustünde.«

»Und was meinten die anderen Partner dazu?«, fragte Margit.

Hallén richtete den Blick auf einen Punkt an der Wand hinter Margits Kopf. Es dauerte eine Weile, bis er antwortete.

»Da lag ein ziemlicher Konflikt in der Luft. Oscar drohte mehr oder weniger damit, die Sozietät zu verlassen, falls er seinen Willen nicht bekäme.«

»Über wie viel Geld reden wir?«, fragte Thomas.

»Wenn Oscar seinen Willen durchgesetzt hätte, wäre sein Einkommen um mindestens eine Million Kronen gestiegen. Pro Jahr.«

Manche Leute kriegen den Hals einfach nicht voll, dachte Margit im Stillen. Aber das war im Moment nicht das Problem.

»War es ein schwerwiegender Konflikt?«, hakte sie nach. »So schwerwiegend, dass jemand den Entschluss gefasst haben könnte, Juliander aus dem Weg zu räumen?«

Hallén wand sich. Er machte den Eindruck, als täte es ihm leid, seine Zunge nicht besser im Zaum gehalten zu haben, er, der gewiefte Anwalt. Auf einmal war er wesentlich zugeknöpfter.

»Es war vielleicht ein bisschen voreilig von mir, diese Sache als Konflikt zu bezeichnen. Eigentlich war es eher eine Meinungsverschiedenheit unter den Partnern. Aber nichts, was zu einer Gewalttat geführt haben könnte.« Er schüttelte nachdrücklich den Kopf.

Thomas warf Margit einen Blick zu, um zu signalisieren, dass es Zeit war, zum Ende zu kommen. Margit verstand die Botschaft, ohne eine Miene zu verziehen.

»Wir würden gern mit Oscar Julianders Sekretärin sprechen, wenn es sich machen lässt«, sagte sie.

»Natürlich, überhaupt kein Problem. Behalten Sie bitte Platz, ich werde sie rufen lassen.«

Hallén erhob sich und ging zu einem Tisch in einer Ecke des Konferenzraums, auf dem ein Telefon stand. Er nahm den Hörer ab und drückte eine Taste. Nach einigen kurzen Sätzen legte er auf und wandte sich Margit und Thomas zu.

»Eva kommt sofort. Eva Timell«, fügte er hinzu. »Oscars Assistentin. Sie haben viele Jahre zusammengearbeitet. So lange, wie ich zurückdenken kann, ehrlich gesagt.«

Er hatte seinen Satz kaum beendet, als es auch schon an der Tür klopfte und eine dunkelhaarige Frau eintrat. Sie trug ein dunkelblaues Kostüm, elegante Pumps und sah aus, als hätte sie geweint. Ihre Augen waren rot gerändert und sie knüllte ein Taschentuch in der Hand. Sie trug eine dezente Perlenkette, aber keinen Ehering.

Margit dachte flüchtig, dass sie in dieser Anwaltskanzlei mehr Frauen in dunkelblauen Kostümen gesehen hatte als im ganzen letzten Jahr.

»Dann lasse ich Sie jetzt allein«, sagte Hallén, während er Thomas und Margit die Hand gab. »Zögern Sie nicht, sich zu melden, falls Sie noch weitere Fragen haben. Wir von der Kanzlei Kalling werden alles tun, was in unserer Macht steht, um Ihnen bei der Aufklärung dieses Falles zu helfen. Wer immer Oscar Juliander ermordet hat, soll nicht ungestraft davonkommen.«

Eva Timell setzte sich ans Kopfende des Tisches und blickte Thomas und Margit fragend an, ohne etwas zu sagen.

»Wie lange haben Sie mit Oscar Juliander zusammengearbeitet?«, begann Margit vorsichtig.

»Über zehn Jahre. Ich habe ungefähr zur selben Zeit hier angefangen, als er Partner wurde.«

Sie versuchte, ein Schluchzen zu unterdrücken, ohne dass es ihr besonders gut gelang.

»Entschuldigung«, murmelte sie. »Ich bin völlig fertig. Die Telefone stehen nicht still. Alle wollen wissen, was passiert ist und wie es weitergeht. Und die Kollegen im Büro sind geschockt.«

»Wie gut sind Sie über die Fälle informiert, mit denen Juliander befasst war?«, fragte Thomas.

Eva Timell richtete sich ein wenig auf.

»Oscar hat nichts gemacht, von dem ich nicht wusste«, sagte sie mit einem Anflug von Stolz in der Stimme.

»Könnten Sie das ein bisschen genauer erklären?«, bat Margit.

»Oscar hat immer gesagt, dass er ohne mich keinen Tag überstehen würde. Ich hatte Zugang zu seinen Mails und seiner Korrespondenz. Ganz zu schweigen von seinem Handy, das er oft irgendwo liegen ließ.«

»Mit anderen Worten, Sie wussten gut Bescheid?«, sagte Thomas.

»Ich war diejenige, die sein Leben in Ordnung hielt, sowohl im Büro als auch privat.«

»Privat?«, wiederholte Margit gedehnt.

»Oscar hatte viel zu viel Arbeit, um sich auch noch um seine Privatsachen zu kümmern. Er war ungeheuer eingespannt.«

»Und deshalb haben Sie ihm geholfen.«

»Ja, wenn es nötig war. Ich habe Geburtstagsgeschenke besorgt, Blumen geschickt und Einladungen für ihn angenommen. Sie wissen schon«, fügte sie mit einem Blick zu Margit hinzu.

Überhaupt nicht, dachte Margit. Ich habe keinen, der für mich Geburtstagsgeschenke kauft oder Blumen und Karten schickt.

»Hatte Ihr Chef Streit mit jemandem?«, fragte Thomas.

Eva Timell schien nachzudenken. Dann schüttelte sie den Kopf.

»Davon ist mir nichts bekannt. Oscar war ein sehr geschätzter Jurist, sehr geachtet. Sie wissen sicher, dass er im Vorstand der Anwaltskammer saß?«

»Wenn er Feinde gehabt hätte, dann hätten Sie das gewusst?«

Eva Timell nickte.

»Es hätte Oscar nicht ähnlich gesehen, mir nichts davon zu erzählen.«

Margit war aufgestanden und zum Fenster gegangen. Unten lag der Norrmalmstorg mit einem Gewimmel von Touristen und sommerlich gekleideten Büroangestellten, die den Platz zwischen Blumenhändlern und Straßencafés überquerten. In einer Ecke war ein Eisstand, vor dem sich eine lange Schlange gebildet hatte.

Sie drehte sich um und sah Eva Timell an.

»Wie war seine Ehe? Kannten Sie seine Frau?«

Eva Timells Blick wurde unsicher.

»Seine Ehe …« Sie verstummte, als wüsste sie nicht recht, wie sie es ausdrücken sollte. »Er und Sylvia waren ja lange verheiratet.«

»Glücklich verheiratet?«, bohrte Margit.

Die Sekretärin seufzte leicht.

»Es war wohl schon lange keine glückliche Ehe mehr. Aber sie waren vermutlich«, sie zögerte, »nicht unglücklich miteinander.«

»Wie meinen Sie das?«, hakte Thomas nach.

Eva Timell verzog das Gesicht zu einer flüchtigen Grimasse und sah Thomas direkt in die Augen.

»Er war ein erfolgreicher Anwalt, sie war Hausfrau und kümmerte sich um die Kinder. Sie haben ein großes Haus in Saltsjöbaden und ein Ferienhaus auf Ingarö. Solange er kommen und gehen konnte, wie er wollte, und die Gartenbaufirma die Grundstücke pflegte, hatte seine Frau einen Lebensstandard und eine gesellschaftliche Position, um die sie viele beneiden würden. Sylvia litt keine Not. Sie hatten eine Vereinbarung miteinander, könnte man wohl sagen. Einen Vertrag auf Gegenseitigkeit.«

»Hatte er außereheliche Affären?«, fragte Margit.

Eva Timell verzog den Mund ein wenig. Fast so, als fände sie die Frage erheiternd.

»Ob er Affären hatte? Natürlich, ziemlich viele sogar.«

»Sind Sie sicher?«, fragte Margit.

»Ja, so oft, wie ich Blumen in seinem Namen an verschiedene Damen geschickt habe … Sie glauben doch nicht im Ernst, dass ein solcher Mann sich dreißig Jahre lang mit seiner treusorgenden Gattin begnügt?«

»Aber wie konnte er damit durchkommen?«, fragte Margit und dachte flüchtig an ihre eigene zwanzigjährige Ehe. Bertil verbrachte normalerweise jeden Abend der Woche vor dem Fernseher im Wohnzimmer.

Eva Timell sah Margit mit einem Blick an, als fände sie die Frage unglaublich naiv.

»Oscar Juliander war ein Mann, den es unter der Woche keinen Abend zu Hause hielt, oft nicht mal am Wochenende. Wie hätte seine Frau wissen sollen, ob er ein Geschäftsessen hatte, eine Vorstandssitzung im KSSS oder bei seiner Geliebten im Bett lag? Was glauben Sie, was er auf all seinen Geschäftsreisen gemacht hat, wenn die Tagesarbeit erledigt war? CNN eingeschaltet?«

Sie lächelte leicht und schüttelte den Kopf.

»Er war ein leidenschaftlicher Regattasegler. Moral hat nichts zu melden, wenn die Freizeit in den verschiedenen Häfen herumgebracht werden will. Erfolgreiche Männer haben eine große Anziehungskraft, vor allem wenn ihre Brieftasche ebenso dick gepolstert ist wie ihr Ego.«

Sie blickte auf ihre gefalteten Hände hinunter.

»Aber er war Sylvia gegenüber loyal, soweit ich weiß. Hat sie niemals bloßgestellt. Er war sehr diskret.«

»Mit Ihrer Hilfe.« Margit hatte es sich nicht verkneifen können. Aber sie bereute ihre Bemerkung schon, kaum dass sie ihr entschlüpft war.

Eva Timell verstummte und lehnte sich auf dem Stuhl zurück. Es wurde peinlich still im Raum.

»Oscar war mein Chef. Für mich war es Ehrensache, so effektiv und loyal wie möglich zu sein«, sagte sie schließlich.

»Könnten Sie uns eine Liste mit den Namen der Frauen zusammenstellen, von denen Sie wissen, dass Ihr Chef ein Verhältnis mit ihnen hatte?«, fragte Thomas und erhob sich.

Er gab ihr seine Karte mit Telefonnummer und Mail-Adresse.

»Wir werden uns sicher noch einmal mit weiteren Fragen an Sie wenden, sobald wir ein Stück weiter sind. Falls Ihnen noch etwas einfällt, egal was, wären wir dankbar, wenn Sie sich bei uns melden.«

Eva Timell nickte, erhob sich und sah Thomas traurig an.

»Ich kann nicht begreifen, dass er tot ist«, flüsterte sie und ging vor ihnen aus dem Zimmer.

Kapitel 15

Henrik überrumpelte sie. Er kam schon kurz nach dem Mittagessen nach Hause, und ehe sie den Telefonanruf auch nur erwähnen konnte, erzählte er ihr unbekümmert, dass er einen Makler für den nächsten Tag nach Sandhamn bestellt hatte.

Die Erkenntnis ließ sie innerlich frieren. Kannte er sie so schlecht, oder wollte er nicht verstehen?

Während sie immer noch überlegte, was sie sagen sollte, begriff sie, dass er für sein Handeln auch noch gelobt werden wollte.

»Das war gar nicht so leicht, das kann ich dir sagen, so mitten im Sommer«, sagte er mit zufriedener Miene. »Schon gar nicht, wenn man einen richtig guten Makler haben will.«

»Aber hättest du mich nicht wenigstens vorher fragen können?«, wandte Nora ein.

Sie standen in der Küche, die Jungs waren wieder in den Garten gelaufen, und Nora machte sich energisch daran, die Anrichte abzuwischen, um ihn nicht ansehen zu müssen.

Henrik wirkte überrascht. Dann wurde er langsam grantig.

»Ich dachte, du freust dich«, sagte er nach einer Weile. »Im Moment ist es wirklich nicht leicht, dir irgendwas recht zu machen. Dabei versuche ich es, das tue ich wirklich.«

Er öffnete den Mund, als wollte er noch etwas hinzufügen, schloss ihn dann aber wieder.

Nora hatte sofort ein schlechtes Gewissen. Sie lächelte in dem Versuch, ihn zu besänftigen.

»Ich war nur ein bisschen überrascht«, sagte sie und legte den grauweißen Lappen weg. Der fiel schon fast auseinander, sie musste daran denken, bei Westerbergs Livs einen neuen mitzunehmen, wenn sie das nächste Mal einkaufen fuhr. »Aber vielleicht ist es ja ganz gut, eine professionelle Meinung zu hören. Hauptsache, er hat nicht das Gefühl, umsonst gekommen zu sein.«

Henrik sah sie fragend an.

»Wie meinst du das?«

»Na ja … Es ist doch noch gar nicht entschieden, ob wir die Villa verkaufen. Wir haben doch nur mal locker darüber gesprochen.«

»Aber du kannst ja wohl nicht im Ernst wollen, dass wir da einziehen. Möchtest du in einem Haus wohnen, das einer Mörderin gehört hat?« Er verschränkte die Arme vor der Brust und lehnte sich an die Anrichte.

Nora spürte, wie ihre Laune ins Bodenlose sank. Sie blickte aus dem Fenster und bemerkte aus den Augenwinkeln eine Gruppe Touristen. Mit geübter Hand wurden sie von einem Schärenführer durch den Ort gelotst, während er über Sandhamns Geschichte und die Lebensbedingungen der Inselbevölkerung in früheren Zeiten sprach.

Sie fragte sich, ob das Leben damals einfacher gewesen war. Vermutlich nicht, nur anders.

Instinktiv nahm sie eine Verteidigungshaltung ein.

»Sprich nicht so. Tante Signe war ein feiner Mensch«, erwiderte sie schärfer als beabsichtigt. »Sie hat mir das Haus nicht hinterlassen, damit ich es sofort verkaufe. Sie wollte, dass ich mich darum kümmere. Sie hat die Brand'sche Villa über alles geliebt.«

»Jetzt mach aber mal einen Punkt«, brauste Henrik auf. »Sie hat zwei Menschen umgebracht, schon vergessen? Sei doch nicht immer so verdammt loyal. Zwei Menschen sind gestorben, nur weil sie nichts von ihrem Besitz abgeben wollte.«

Henrik machte keinen Hehl daraus, wie frustriert er war, und Nora warf ihm einen unglücklichen Blick zu. Sie war hin und her gerissen zwischen ihrer Loyalität zu Signe und dem starken Wunsch, die Dinge nicht noch schlimmer zu machen. Sie wollte wirklich nicht schon wieder Krach mit Henrik.

»Komm«, sagte sie in versöhnlichem Ton, »lass uns nicht darüber streiten. Wir treffen uns mit dem Makler und hören mal, was er sagt. Schaden kann es ja nicht.«

Sie schmiegte sich an ihn. Er roch nach Kaffee und Rasierwasser, und als sie seinen Duft einatmete, wurde ihr gleich leichter zumute. Zärtlich stupste sie ihn mit der Nase in die Halsgrube.

Henrik ließ sich von dem offensichtlichen Friedensangebot besänftigen.

»Das meine ich auch. Alles wird gut, du wirst sehen, Nora.« Er strich ihr übers Haar. »Ich will doch nur das Beste für uns. Und für die Kinder. Kannst du das nicht verstehen?«

Kapitel 16

Thomas trommelte ungeduldig mit den Fingern auf dem grünen Geländer vor dem Eingang der Rechtsmedizin in Solna. Nach dem Besuch in der Kanzlei Kalling waren sie auf direktem Weg hierher gefahren.

Das Rechtsmedizinische Institut lag auf dem Gelände des Universitätskrankenhauses, direkt vor den Toren Stockholms. Es war ein unscheinbares rotes Backsteingebäude, ebenso wie viele andere Häuser rundherum. Hier und da sahen Thomas und Margit Studenten über die Rasenflächen schlendern, vermutlich Gasthörer der sogenannten Sommer-Universität.

»Meine Güte, wie lange dauert es denn, eine Tür zu öffnen!«, sagte Thomas, ohne eine Antwort zu erwarten.

»Ungefähr so lange, wie man braucht, um von den Untersuchungsräumen am anderen Ende des Gebäudes zur Eingangstür zu gehen, wenn ich mich recht erinnere«, erwiderte Margit. »Immer mit der Ruhe, er kommt sicher gleich. Sei froh, dass sie unsere Leiche vorgezogen haben und wir nicht bis Ende der Woche warten müssen.«

Thomas sagte nichts dazu, hörte aber auf, mit den Fingern zu trommeln.

Ein Schatten tauchte hinter der weiß geriffelten Glastür auf, und dann stand Doktor Oscar-Henrik Sachsen vor ihnen.

»Tut mir leid, dass es etwas gedauert hat«, murmelte er. »Im Juli haben wir keine Mitarbeiter, die an die Tür gehen können.«

Margit und Thomas folgten ihm durch einen langen Korridor, dann eine Wendeltreppe hinauf und durch einen weiteren Korridor. Schließlich erreichten sie die Untersuchungsräume, eine Ansammlung stiller, gesichtsloser Zimmer, deren grauweiße Linoleumböden in grau gestrichene Wände übergingen. Auf einer langen Anrichte lagen und standen verschiedene Instrumente und Schalen aus Edelstahl.

Sie nickten grüßend einem Assistenten im weißen Kittel zu, der damit beschäftigt war, etwas in einen Computer zu tippen.

Sachsen deutete auf den Körper, der mit einem weißen Laken bedeckt auf dem Untersuchungstisch lag.

»Wollt ihr sehen?«, fragte er.

Ohne eine Antwort abzuwarten, schlug er das Tuch zurück und Oscar Julianders Oberkörper kam zum Vorschein.

Das Einschussloch der Kugel, die das Opfer getötet hatte, war erstaunlich sauber. Es sah aus, als hätte jemand den Brustkorb mit einem ungeschickten Schnitt verletzt, genau unterhalb der linken Brustwarze.

»Flotter Typ für sein Alter«, sagte Margit. »Er muss ins Fitnessstudio gegangen sein, um sich derart in Form zu halten.«

Sie erkannten sein Gesicht aus Presse und Fernsehen wieder. In den Neunzigerjahren war er im Zusammenhang mit ein paar großen Immobilienpleiten öfter im Gespräch gewesen, und danach wandte man sich gerne an ihn, wenn die Meinung eines Anwalts gebraucht wurde.

»Es besteht kein Zweifel daran, was ihn getötet hat, nehme ich an«, sagte Thomas.

»Nein, das war unschwer festzustellen«, erwiderte Sachsen. »Der Tod muss so gut wie augenblicklich eingetreten sein.«

Er beugte sich vor und zeigte mit dem Finger.

»Die Kugel ist direkt ins Herz gegangen, durch die rechte Herzkammer. Der Schütze hat nicht in gerader Linie vor dem Opfer gestanden, sondern eher etwas nach rechts versetzt. Am Schusskanal durch das Gewebe kann man sehen, dass die Kugel von schräg vorn eingedrungen ist.«

Thomas erinnerte sich an Fredrik Winberghs Beschreibung.

Sachsen drehte sich um und nahm mit einer Pinzette vorsichtig einen kleinen, glänzenden Gegenstand aus einer weißen Plastikschale. Er war knapp einen Zentimeter lang und hatte einen Durchmesser von rund fünf Millimetern.

»Das ist die Kugel. Sieht aus wie eine Gewehrkugel, Teilmantelgeschoss. Sie dürfte gut mit den Verletzungen übereinstimmen.«

»Also keine Einhandwaffe?«, fragte Margit.

Sachsen schüttelte den Kopf.

»Vermutlich nicht. In dem Fall wären mehr Pulverspuren um das Einschussloch zu sehen. Aber mit hundertprozentiger Sicherheit kann ich das nicht sagen, das muss die ballistische Analyse zeigen. Habt ihr Hülsen am Tatort gefunden?«

»Nein, nichts«, antwortete Thomas. »Noch etwas, was für ein Gewehr spricht?«

»Dass der Schuss aus großer Entfernung abgegeben wurde«, sagte Sachsen. »Sonst wäre das umliegende Gewebe wesentlich mehr zerstört.«

Margit betrachtete das kleine Metallstück, das Sachsen zurück in die Schale gelegt hatte.

»Ein schönes Kaliber«, sagte Sachsen mit Blick auf das Projektil. »Vermutlich eine .22er.«

»Was heißt das?«, fragte Margit.

»Ich bin kein Ballistikexperte, aber früher habe ich das eine oder andere Reh geschossen. Das da ist eine Patrone, wie sie oft von Jägern benutzt wird.«

»Warum das?«

»Sie verformt sich beim Eindringen in den Körper, deshalb sieht die Spitze wie ein kleiner Champignon aus.«

»Und verursacht größeren Schaden«, murmelte Margit vor sich hin.

»Außerdem ist es ungewöhnlich, Bleispitzmunition in einer Pistole zu verwenden«, fuhr Sachsen fort. »Auch das deutet darauf hin, dass ein Gewehr benutzt wurde.«

Er nahm das Projektil wieder hoch und hielt es ihnen hin, damit sie es besser betrachten konnten.

»Seht mal hier. Die Spitze ist aus Blei, nur der Mantel ist aus Kupfer. Typische Jagdmunition. Die Kugel bleibt im Körper stecken und verursacht maximalen Schaden, genau wie du gesagt hast, Margit.«

Er legte die Kugel vorsichtig wieder ab.

»Ich würde nach einer Jagdwaffe suchen, mit der man Kleinwild schießt.«

»Wenn jemand mit einem Gewehr geschossen hat, kann er unmöglich an Bord der Swan gewesen sein.« Thomas kam im selben Moment zu diesem Schluss, in dem er den Satz aussprach.

Da die Kugel von rechts in Julianders Brust eingedrungen war, musste der Mörder sich auf einem Boot befunden haben, das luvwärts der *Emerald Gin* gelegen hatte. Genauer gesagt, im Zuschauerbereich.

Ihre Theorie stimmte.

Thomas schloss die Augen, um sich den Start besser vorstellen zu können. Das Polizeiboot hatte ein Stück hinter der Startlinie gelegen, das große Startfahrzeug direkt davor. Rundherum waren Unmengen von Zuschauern gewesen.

»Es müssen mindestens zwei Personen beteiligt gewesen sein«, dachte Thomas laut. »Einer, der gesteuert, und einer, der geschossen hat. Es ist so gut wie unmöglich, die Wellen zu parieren und gleichzeitig mit einer solchen Präzision zu schießen.«

»Ist es überhaupt möglich, von einem schaukelnden Boot aus zu schießen?«, fragte Margit.

»Um so genau zu treffen, muss man schon ein talentierter Schütze sein«, warf Sachsen ein. »Aber in der richtigen Position und mit guter Übung geht das natürlich. Wie war das Wetter an dem Tag?«

Er blickte Thomas fragend an.

»Sehr ruhig«, antwortete Thomas. »Es ging nur eine leichte Brise. Ein richtiger Sommertag.«

»Ideale Bedingungen, mit anderen Worten«, stellte Sachsen fest, »um mit einem Gewehr von jedem beliebigen Bootsdeck zu schießen.«

»Irgendjemand muss den Schuss doch gehört haben«, sagte Margit und machte ein skeptisches Gesicht.

»Nicht, wenn er mit dem Startschuss zusammenfiel«, widersprach Thomas. »Der macht einen lauten Knall, glaub mir.«

»Aber kann man wirklich einen Schuss so zeitgleich abgeben? Wir reden hier von weniger als einer Sekunde.«

»Wenn du ein richtiges Ass bist, kannst du das wohl schaffen«, sagte Sachsen.

»Was ist mit Schalldämpfern?«, sagte Margit. »Mit einem Schalldämpfer hätte man den Schuss vermutlich nicht weit gehört.«

»Das könnte eine Erklärung sein«, sagte Thomas. »Vor allem, wenn der Schuss zeitgleich mit dem Startschuss zusammenfiel. Selbst wenn jemand etwas gehört hätte, würde er glauben, dass es nur das Echo war.«

»Schalldämpfer wirken bei kleinkalibriger Munition ganz hervorragend«, sagte Sachsen. »Viel besser als bei Munition von großem Kaliber, da kann man das Geräusch nicht nennenswert dämpfen. Eine .22er mit Schalldämpfer macht einfach nur puff.«

»Was man auf dem Meer kaum hört«, fügte Thomas hinzu.

Noch einmal hatte er den Startmoment vor Augen: Juliander zusammengebrochen auf den Planken. Die schockierte und ängstliche Besatzung. Die Verwirrung, die um sich griff, als ihnen aufging, dass ihr Skipper tot war.

»Der Kerl, mit dem wir es zu tun haben, ist eiskalt«, sagte er mit einem letzten Blick zu dem bläulich-weißen Körper auf der Stahlpritsche.

Kapitel 17

Man brauchte ungefähr eine halbe Stunde von Solna nach Saltsjöbaden, wenn kein Berufsverkehr war. Thomas fuhr, und Margit hing ihren Gedanken nach. Sie passierten Fisksätra, eine heruntergekommene, dicht bewohnte Siedlung aus den Siebzigern, die einen markanten Kontrast zu den schicken Villen in Saltsjö-Duvnäs und Saltsjöbaden bildete.

Einige Minuten später näherten sie sich Saltsjötorg und bogen nach links Richtung Neglinge ab. Julianders Haus lag hinter Hotellviken und dem historischen Grand Hotel. Sie fuhren auf einer kurvigen Straße vorbei an alten Kaufmannsvillen mit lauschigen Gärten, zwischen denen hier und da weiße Einfamilienhäuschen aus den Siebzigern standen.

Drüben an der Landzunge lugte das gelbe Klubhaus des KSSS hervor, in dem sich das Büro des Segelvereins befand.

Sie waren nur fünfzehn Autominuten von der Stockholmer Innenstadt entfernt, aber es war ein Gefühl wie Urlaub auf dem Land. Das Wasser glitzerte und überall grünte und blühte es überwältigend. Manche Häuser waren hinter all dem Efeu kaum zu erkennen. In vielen Vorgärten standen hundertjährige Eichen, ein deutliches Zeichen, dass Saltsjöbaden einer der ersten Vororte von Stockholm gewesen war. Gegründet hatte ihn Familie Wallenberg, deren Geist bis heute über der ganzen Gegend schwebte.

Thomas bog in den Amiralsvägen ein und kurz darauf sahen sie ein großes, grafitgraues Haus im Stil der vorletzten Jahrhundertwende mit einer fantastischen Aussicht über Saltsjön. Auf der Garagenauffahrt parkte ein Land Rover neben einem silbernen Lexus. Ein weiteres Auto, ein schwarzer Porsche, stand ein Stück weiter im Schatten.

»Nicht schlecht, die Hütte«, sagte Margit. »Möchte mal wissen, wie lange der Großputz hier dauert.«

»Du meinst, für die Putzhilfe? Hier nimmt bestimmt keiner selbst den Staubsauger in die Hand.«

Sie gingen zur weißen Eingangstür und klingelten. Fast sofort wurde die Tür von einem jungen Mann in Jeans und rotem Pullover mit einem bekannten Markenlabel darauf geöffnet. Er stellte sich als David Juliander vor, Oscars jüngster Sohn.

Margit fiel wieder ein, dass der verstorbene Anwalt drei Kinder hatte, zwei Söhne und eine Tochter. Das Mädchen studierte im Ausland, in Paris, wenn sie sich recht erinnerte, während der jüngere Sohn in Papas Fußstapfen trat und Jura studierte. Der Älteste arbeitete in der IT-Branche. Also musste David der Jurastudent sein.

Thomas kondolierte und fragte nach Davids Mutter. Der junge Mann führte sie in den Salon und bat sie, Platz zu nehmen. Er erklärte, dass seine Mutter sich hingelegt habe, er sie aber sofort holen werde.

Sie setzten sich auf das große Ecksofa, dessen Bezug aus einem merkwürdigen Material war, fast wie Wildleder. Von hier aus hatte man einen herrlichen Blick aufs Meer.

Während sie warteten, dachte Margit über die Frau nach, die sie gleich kennenlernen würden. Wie mochte sie sich in diesem großen Haus gefühlt haben, wenn ihr Mann seinen Abenteuern nachging und die Kinder sich mit ihren eigenen Dingen beschäftigten?

Sie konnte sich vorstellen, wie Sylvia in der eleganten Villa von Zimmer zu Zimmer ging, während sie auf ihren Mann wartete. Ihr konnte kaum entgangen sein, was er so trieb. Vielleicht hatte sie Oscar anfangs sogar Vorhaltungen gemacht, dann aber gelernt, dass es besser war, die bittere Wahrheit zu schlucken, um ihre Ehe nicht aufs Spiel zu setzen.

Sie musste sehr einsam gewesen sein, besonders nachdem die Kinder ausgezogen waren, dachte Margit.

Nach einer Weile kam Sylvia Juliander ins Zimmer. Sie war blass, aber dennoch gefasst. Das braune Haar umrahmte ihr schmales Gesicht, und ihr war deutlich anzusehen, dass die Ereignisse der letzten Tage sie sehr mitgenommen hatten.

Ihr Sohn nahm neben ihr Platz und sah seine Mutter besorgt an. Offenbar wollte er ihr eine Stütze sein, so als wäre er ein Elternteil und sie das Kind.

»Sie haben Fragen?«, sagte Sylvia zögernd mit leiser Stimme. Ihre schmalen Finger zupften nervös an einem losen Faden ihrer blauen Strickjacke. Die gepflegten Nägel waren in einem hellen Ton lackiert.

Am linken Ringfinger trug sie einen großen Saphir zusammen mit dem abgenutzten Ehering.

Thomas durchbrach die Stille.

»Frau Juliander, Sie werden sich denken können, dass wir im Moment alles daransetzen, die Person zu finden, die Ihren Mann getötet hat. Deshalb ist es notwendig, dass wir Ihnen einige Fragen stellen, die Sie vielleicht als merkwürdig oder unangenehm empfinden. Wir bedauern das.«

Sylvia nickte.

»Wissen Sie, ob Ihr Mann Feinde hatte?«

Auf dem blassen Gesicht erschien ein erschrockener Ausdruck.

»Warum sollte er Feinde haben? Oscar war Wirtschaftsjurist. Alle mochten ihn. Er war sehr gefragt.«

»Es ist wichtig, dass Sie darüber nachdenken, auch wenn die Frage Ihnen seltsam vorkommt«, sagte Thomas. »Wir versuchen, uns ein Bild über das Leben Ihres Mannes zu machen, sowohl sein berufliches als auch sein privates.«

Thomas lächelte die trauernde Witwe aufmunternd an.

»Ich verstehe, aber ich habe nie von irgendwelchen Feinden gehört«, sagte Sylvia. »Über Oscars Geschäfte weiß ich natürlich wenig. Er wollte mich damit nicht langweilen, sagte er immer. Ich würde sowieso nichts davon verstehen.«

David Juliander wirkte gequält. Er beugte sich vor, so als wollte er gleich aufspringen.

»Papa hat Drohbriefe bekommen«, sagte er, als seine Mutter geendet hatte.

Thomas musterte den Jungen, der unter der Sonnenbräune müde aussah. Die Trauer hatte sich wie eine dünne Haut über seine Gesichtszüge gelegt.

»Von wem?«, fragte Thomas.

»Ich glaube, der Name war irgendwas mit Property, ich weiß nicht mehr genau. Jedenfalls was mit Immobilien.«

»Woher wissen Sie das?«

»Einmal hatte ich aus Versehen einen Brief geöffnet. Es ging um eine Firma, deren Insolvenzverwalter mein Vater war. Er erzählte, dass die bisherigen Eigentümer irgendwas mit der russischen Mafia zu tun hätten. Sie versuchten, das Unternehmen zu plündern, aber bevor sie dazu kamen, ging die Firma Konkurs.«

»Sind Sie da ganz sicher?«, hakte Margit nach.

David sah sie verwirrt an. Er war nur ein Junge, der gerade seinen Vater verloren hatte, dachte Thomas.

»Ziemlich. Als die Russen scheiterten, versuchten sie Papa zu überreden, den Insolvenzantrag niederzuschlagen. Was natürlich unmöglich war, weil der Beschluss über die Eröffnung des Insolvenzverfahrens schon Rechtsgültigkeit erlangt hatte.«

Thomas fiel auf, dass der junge Juliander schon juristische Begriffe verwendete. »Rechtsgültigkeit erlangen« waren keine Worte, die ein 22-Jähriger normalerweise in den Mund nahm. Sofern er nicht Jura studierte oder vielleicht der Sohn eines Anwalts war, was ja in diesem Fall beides zutraf.

»Was ist mit den Briefen passiert?«, fragte Margit.

»Mein Vater hat sie zur Polizei gebracht, glaube ich.« David sah sie mit unsicherem Blick an. »Aber so genau weiß ich das nicht mehr. Das war letztes Jahr, oder vielleicht vorletztes. Papa meinte jedenfalls, ich sollte mir keine Gedanken darüber machen.«

Seine Stimme versagte, er räusperte sich und versuchte es noch einmal.

»Papa hat über solche Sachen meistens gelacht«, sagte er leise. »So etwas kann Anwälten schon mal passieren, aber es ist nicht gefährlich, hat er gesagt, als ich ihn fragte, ob er keine Angst hat. Später habe ich dann nicht mehr dran gedacht.«

Thomas machte sich eine Notiz, dass sie überprüfen mussten, ob Juliander eventuell den Erhalt von Drohbriefen angezeigt hatte. Er notierte außerdem, dass die Briefe an die Privatadresse geschickt worden waren, obwohl die Familie eine geheime Telefonnummer hatte.

Andererseits war es nicht besonders schwer, Adresse und Telefonnummer von Personen ausfindig zu machen, die eine sogenannte Geheimnummer hatten. Es gab allerlei Webseiten, die solche Angaben mit Freuden veröffentlichten. Außerdem rückten sogar die bekanntesten Firmenchefs Adresse und Mobilnummer an Schulabsolventen- und Verbandsverzeichnisse heraus. Es war kein Kunststück, die gewünschten Daten zu finden, wenn man nur wollte.

Margit wandte sich an Sylvia.

»Wie war die Beziehung zwischen Ihnen und Ihrem Mann? Führten Sie eine glückliche Ehe?«

Sylvia zuckte bei der Frage zusammen, als sei sie empört über ein solches Eindringen in ihr Privatleben.

»Wir waren fast dreißig Jahre verheiratet. Wir haben drei gemeinsame Kinder.«

»Würden Sie bitte auf meine Frage antworten?«, sagte Margit freundlich. »Wie würden Sie Ihre Ehe beschreiben?«

Sylvia blickte sie vorwurfsvoll an. Nach einem Seufzer und einem schnellen Blick zu ihrem Sohn entschied sie sich schließlich zu antworten.

»Einen Großteil der Zeit war ich allein«, sagte sie. »Oscar war sehr oft weg. Er musste beruflich viel reisen. Außerdem hatte er eine Reihe anderer Verpflichtungen. Anwaltskammer, KSSS.«

»Erzählen Sie uns von seinem Engagement im Segelsport«, bat Thomas.

Sylvia lächelte ein wenig nostalgisch, und auf einmal veränderte sich ihr Gesicht. Es leuchtete auf, und plötzlich glätteten sich ihre verhärmten Gesichtszüge und man sah, dass sie eine schöne Frau war. Thomas konnte verstehen, warum der Frauenheld Oscar Juliander sich einst in sie verguckt hatte.

»Oscar hat das Segeln geliebt«, sagte sie. »Schon seit er ein Junge war. Er hat immer Regatten gesegelt, je größer die Boote, desto besser. Ich glaube, dass er seine besten Stunden auf dem Meer hatte. Dort kam er gewissermaßen zur Ruhe, obwohl es ja darum ging, Rennen zu gewinnen.«

»Segeln Sie gern?«, erkundigte Margit sich.

Sylvia lachte nervös auf. Der entspannte Ausdruck verschwand und die gequälte Ehefrau kehrte zurück.

»Ich? Nein, ich kann dem Segeln nichts abgewinnen. Ich werde schon seekrank, wenn ich nur einen Mast sehe.« Sie zog die Jacke enger um den Körper. »Aber für Oscar war es das Leben. Unser ältester Sohn ist genauso, aber David nicht. Oder, Schatz?«

Sie blickte ihren Sohn an, der zustimmend nickte und unbeholfen ihre Hand drückte.

»Was haben Sie gemacht, wenn Ihr Mann auf dem Meer war?«, fragte Thomas.

Sylvia zuckte resigniert mit den Schultern.

»Entweder bin ich mitgekommen und habe an Land auf ihn gewartet. Oder ich bin auf Ingarö geblieben, in unserem Sommerhaus.

Ich habe oft auf Oscar gewartet, das kann man wohl sagen. Es wurde zu einem festen Bestandteil unserer Ehe.«

»Haben Sie sich auch im KSSS engagiert?«, wollte Margit wissen.

»Nicht besonders.« Sie schüttelte den Kopf. »Oscar wollte gern, dass ich mich mehr beteilige, also habe ich mein Bestes getan. Aber interessiert hat es mich eigentlich nicht.«

»War nicht geplant, dass Ihr Mann im Herbst zum Vorsitzenden gewählt werden sollte?«, sagte Thomas.

»Das ist richtig. Aber ich habe das nicht so genau verfolgt. Es war mir nicht wichtig.« Sie öffnete die Arme in einer hilflosen Geste. »Es hätte ja doch nicht dazu geführt, dass Oscar öfter zu Hause ist. Es wäre nur eine weitere Verpflichtung gewesen, die dafür gesorgt hätte, dass er noch weniger Zeit für seine Familie hat.«

»Wieso hat man ein Haus auf Ingarö, wenn man auf einem Wassergrundstück in Saltsjöbaden wohnt?«, sagte Margit, als sie das große, graue Haus hinter sich ließen. »Ein Haus am Meer gegen ein anderes tauschen, hat das einen Sinn?«

Thomas hatte den Volvo gewendet und begnügte sich mit einem Lächeln als Antwort.

»Was denkst du über diese Drohbriefe? Die Russenmafia hat ja ihre Methoden, aber das hier klingt eher nicht danach«, fuhr Margit fort.

»Wir setzen Erik daran, die alten Anzeigen zu überprüfen. Ich hoffe, dass die Briefe noch da sind. Vorausgesetzt, dass er wirklich Anzeige erstattet hat. Sicher ist das ja nicht.«

Margit nickte zustimmend.

»Aber auf jeden Fall müssen wir herausfinden, ob sie existieren, und wenn ja, woher sie gekommen sind.« Sie kramte in ihrer Tasche und zog ihren Block hervor, um sich eine Erinnerungsnotiz zu machen.

Thomas' Telefon klingelte. Er grub in seiner Hosentasche nach dem Handy und meldete sich.

»Guten Tag, hier ist Britta Rosensjöö. Wir hatten uns am Montag getroffen.«

Thomas sah die verzweifelte Frau vor sich, die ihr nasses Taschentuch unaufhörlich zwischen den Fingern zwirbelte.

»Guten Tag«, erwiderte er abwartend.

»Ja«, sagte sie, »ich möchte Ihnen etwas erzählen … wenn Sie nicht zu beschäftigt sind, natürlich.« Letzteres fügte sie hastig hinzu, als habe sie Angst, ihn in seinem Dienst zu stören.

»Keineswegs«, versicherte Thomas. »Worum geht es? Haben Sie die Kamera gefunden?«

»Leider nicht. Aber die findet sich bestimmt wieder, es ist ja nicht das erste Mal, dass ich etwas verlege. Meistens taucht es nach einer Weile wieder auf.«

Es blieb ein paar Sekunden lang still.

»Die Sache ist die, ich glaube, dass wir einen Einbruch in unser Hotelzimmer hatten. Hans sagt, ich bilde mir das ein, aber ich wollte lieber trotzdem anrufen und es erzählen.«

»Einen Einbruch?«, wiederholte Thomas.

»Genau. Anscheinend ist jemand in unserem Zimmer gewesen.«

»Fehlt etwas?«

»Nein, nein, nichts. Aber mehrere Sachen liegen anders da, als ich sie zurückgelassen habe.«

»Könnte es nicht einfach eine Putzfrau gewesen sein, die in Ihrem Zimmer Staub gewischt und dabei die Sachen umgeräumt hat?«

»Doch, natürlich. Das kann schon sein«, sagte Britta gedehnt. »Aber ich habe trotzdem das Gefühl, dass jemand in unserer Suite war, der da nichts zu suchen hatte. Ich kann mir nicht helfen.«

»Aber gestohlen wurde nichts, sagen Sie?«

»Richtig, es fehlt nichts.«

»Dann ist es vielleicht nicht so schlimm? Aber rufen Sie mich trotzdem an, falls Sie doch bemerken, dass etwas fehlt.«

Thomas beendete das Gespräch und gab Margit eine kurze Zusammenfassung dessen, was Britta Rosensjöö berichtet hatte.

»Was glaubst du, was das war?«

»Keine Ahnung, aber vermutlich hat es nichts mit unserem Fall zu tun. Sie wirkte ja am Sonntag ziemlich durcheinander und ist sicher immer noch aufgewühlt von allem, was passiert ist.«

Margit sah aus dem Fenster. Sie hatten das Zentrum hinter sich gelassen und waren auf dem Weg zur Autobahn.

»Wahrscheinlich ist es so, wie du gesagt hast. Nur eine Putzfrau, die im Zimmer war und ein paar Sachen verrückt hat.«

Thomas fädelte sich auf die linke Spur ein und beschleunigte.

»Du hast sicher recht.«

Kapitel 18

Irgendetwas erregte seine Aufmerksamkeit, als er die Haustür öffnete. Er blieb stehen und sah sich in der luftigen Diele um.

Die lange Perserbrücke mit dem blauen Muster lag so wie immer. Auf der Kommode unter dem balinesischen Spiegel, auf einer Reise durch Asien gekauft, hatte auch alles seinen gewohnten Platz. Unter dem Briefschlitz in der Tür lagen ein paar weiße Briefe mit Adressfenster sowie Reklamezettel.

Trotzdem war da irgendwas, das Martin Nyrén zögern ließ.

Ohne die Schuhe auszuziehen, ging er ins Wohnzimmer. Die eleganten italienischen Ledermöbel standen an ihrem Platz, und die Fenster waren ordentlich verschlossen. Ihm fiel auf, dass er vergessen hatte, die Jalousien herunterzulassen, als er am Morgen gegangen war. Die Orchideen ließen in der sengenden Sonne ihre Köpfe hängen.

Dann kam er darauf, was es war. Ein unbekannter Duft hing in der Wohnung, ein Geruch, der normalerweise nicht da war.

Er runzelte die Augenbrauen, während er versuchte, ihn zu identifizieren. Eine Mischung aus exotischen Gewürzen? Muskat vielleicht, oder Gewürznelken.

Langsam ging er zurück in die Diele und hängte seinen leichten Mantel auf einen Bügel.

Woher kam der Duft? War jemand in seiner Wohnung gewesen?

Noch einmal machte er eine Runde durch die Zimmer. Alles sah normal aus, nichts war verändert oder fehlte. Seine Sachen befanden sich an ihrem richtigen Platz.

Er schnupperte wieder und wurde unsicher. Hatte er sich das nur eingebildet? Es war schwer, den Duft absichtlich einzufangen.

Mit einem Kopfschütteln ließ er den Gedanken fallen. Wahrscheinlich waren es die Blumen, die in der Wärme irgendeinen Geruch absonderten. Es war wirklich stickig in der Wohnung.

Er ging zum Fenster und öffnete es sperrangelweit, um die Abendluft hereinzulassen.

Dann goss er sich einen Whisky mit etwas Soda ein.

Mitten in der Nacht wurde er von ihren lauten Stimmen geweckt. Es war der Sommer, in dem er dreizehn wurde, aber immer noch kam es vor, dass er aufwachte und eingepinkelt hatte. Ein nasser, beschämender Fleck in der Pyjamahose, den er verzweifelt im Handwaschbecken wegzuwaschen versuchte, damit keiner etwas merkte.

Aber diesmal war es etwas anderes, das seinen Schlaf gestört hatte. Die dumpfe Stimme seines Vaters im Schlafzimmer nebenan, die durch die dünnen Wände des Sommerhauses drang. Das verzweifelte Betteln seiner Mutter.

»Ich flehe dich an, hör auf, dich mit dieser Frau zu treffen«, schluchzte sie.

Seine Mutter war betrunken. Natürlich.

Sie glaubte, dass niemand merkte, wenn sie ein Glas Sherry nach dem anderen in sich hineinkippte. In Wirklichkeit wussten alle in diesem Haushalt, was los war. Aber keiner sagte oder machte etwas dagegen, schon gar nicht sein Vater.

»Misch dich nicht in Dinge ein, die dich nichts angehen«, fuhr sein Vater sie an. »Wenn du nicht ständig so verdammt müde wärst, bräuchte ich nicht zu ihr zu gehen.«

Er kroch wieder ins Bett und zog sich das Kissen über den Kopf, um nichts mehr hören zu müssen. Der Kloß in seinem Hals schmerzte.

Als er am Morgen zum Frühstück nach unten kam, erzählte Elsa, dass der Herr Direktor zurück nach Stockholm gefahren war. Wichtige Geschäfte erforderten seine Anwesenheit.

Die gnädige Frau hatte Migräne und wollte nicht gestört werden.

Mittwoch, erste Woche

Kapitel 19

Alle hatten sich Kaffee geholt und im Besprechungsraum der Polizeistation Nacka Platz genommen. Mit einem Räuspern gab der Alte zu verstehen, dass es Zeit war, mit der Lagebesprechung zu beginnen.

Es war acht Uhr am Mittwochmorgen. Genau zwei Tage und zwanzig Stunden, nachdem Oscar Juliander ein paar Seemeilen südöstlich von Sandhamn erschossen worden war. Regen trommelte gegen die Fensterscheiben. Die Temperatur war rasch auf siebzehn Grad gefallen, als das Tief heranzog. Typisch schwedischer Sommer, dachte Thomas missmutig.

Margit und er saßen an der einen Seite des Tisches, während Kalle und Erik sich am kurzen Ende niedergelassen hatten. Carina saß neben ihnen.

Der Alte räusperte sich wieder.

»So, dann fassen wir doch mal zusammen, was wir bisher haben. Wer fängt an?«

Er sah Margit und Thomas mit prüfendem Blick an.

»Wenn ich richtig informiert bin, wart ihr beiden inzwischen auf Sandhamn. Was habt ihr herausgefunden?«

Margit stand auf und ging nach vorn zu der weißen Tafel. Der erste Filzstift, nach dem sie griff, war eingetrocknet, aber der nächste funktionierte besser.

Während sie schrieb, erläuterte sie kurz, welche Hauptspuren sich für sie und Thomas abzeichneten, nachdem sie ihre Eindrücke zusammengefasst und ihre Schlüsse daraus gezogen hatten. Schlüsse, in denen sie im Übrigen bestärkt wurden, nachdem sie die Tonbandabschriften von Kalles und Eriks Zeugenvernehmungen gelesen hatten, die parallel zu ihren eigenen durchgeführt worden waren.

Als Margit fertig war, standen vier Punkte auf der Tafel:

Eifersucht

- Geliebte

- Ehefrau?
- Betrogener Ehemann

Wirtschaftsverbrechen
Russische Mafia
Drogen

»Warum hast du ein Fragezeichen hinter Ehefrau gemacht?«, fragte der Alte.

Margit, die zurück zu ihrem Stuhl gegangen war und sich wieder hingesetzt hatte, ließ sich ein paar Sekunden Zeit, ehe sie antwortete.

»Sie hat zwar ein Motiv, aber auch ein Alibi. Sieben Personen bezeugen, dass sie auf dem Boot gesessen und Wein getrunken hat, als der Schuss fiel. Tatsache ist, dass alle, die an Bord der Storebro waren, sich gegenseitig ein Alibi geben. Außerdem hat sie keine Erfahrung mit Schusswaffen. Wir haben das nachgeprüft, sie hat keinen Waffenschein.«

Sie streckte sich nach der Kaffeetasse, trank einen Schluck und fuhr fort:

»Ich sehe auch nicht, welchen Nutzen sie aus seinem Tod gezogen haben sollte. Nein, ich glaube, wir können Frau Juliander vorerst streichen.«

»Hier wird niemand gestrichen«, brummte der Alte. »Jedenfalls nicht, bevor ich es sage. Aber zumindest hat er eine Menge Freundinnen gehabt, wenn ich die Sache richtig sehe.«

Am Tisch wurden vielsagende Blicke gewechselt.

»Das kann man wohl sagen«, murmelte Erik.

»Neidisch?«, kam es von Margit.

»Danke, ich kann nicht klagen.«

Kaum einer der Kollegen am Tisch bezweifelte, dass Erik, der Dreißigjährige mit dem jungenhaften Lächeln und dem durchtrainierten Körper, recht hatte.

Kalle hielt die Liste hoch, die sie von Eva Timell bekommen hatten. Über ein Dutzend Frauen waren säuberlich mit Namen und Adresse aufgeführt.

»Ein richtiger Genießer, mit anderen Worten«, lachte der Alte.

»So kann man die Sache natürlich auch sehen«, schnaubte Margit. »Sofern man einen Mann, der seine Ehefrau seit Jahren betrügt, witzig findet.«

»Zur Sache«, sagte der Alte. »Teilt die Liste mit den Geliebten unter euch auf und kontaktiert sie. Wir lassen das mit der Ehefrau erst mal. Was wisst ihr über die finanzielle Situation?«

Thomas wandte sich an Carina.

»Wie sieht's aus, hast du was über seine Finanzen herausgefunden?«

Die Erlaubnis, Julianders Konto und seine Vermögenslage zu durchleuchten, hatten sie gleich als Erstes bei der Staatsanwaltschaft beantragt. Das war ein wichtiger Puzzlestein, um zu verstehen, wie seine finanzielle Situation gewesen war. Nicht zuletzt deswegen, weil er auf erstaunlich großem Fuß gelebt hatte.

»Ich habe begonnen, alles durchzugehen«, erwiderte Carina. »Aber das dauert seine Zeit. Jetzt im Juli ist es schwer, die richtigen Leute zu erreichen. Aber Ende der Woche weiß ich sicher mehr.«

»Wir sind auch dabei, seine juristischen Fälle zu untersuchen, um zu sehen, ob sich dahinter vielleicht was verbirgt«, fügte Thomas hinzu.

»Gut. Und was macht ihr mit der russischen Spur?«

Der Alte wandte sich an Margit und Thomas, die ihrerseits Erik Blom ansahen. Erik blätterte in seinem Notizblock und schlug eine vollgekritzelte Seite auf.

»Wir haben keine Anzeige gefunden, es sieht also nicht so aus, als hätte er es notwendig gefunden, der Polizei von den Drohbriefen zu erzählen, von denen sein Sohn sprach. Laut Eva Timell geht es vermutlich um die Konkursmasse einer Firma namens Eastern Property. Juliander hatte den Auftrag vor ein paar Jahren erhalten.«

»Das könnte darauf hindeuten, dass er die Sache nicht besonders ernst genommen hat«, sagte Thomas.

»Oder dass er sich nicht getraut hat, Anzeige zu erstatten«, warf Margit ein.

»Ich habe gestern mit einem ehemaligen Kollegen vom Dezernat für Wirtschaftsdelikte gesprochen«, sagte Erik. »Ich wollte wissen, ob ihm der Name Eastern Property was sagt oder ob er einige der Beteiligten kennt.«

Erik blätterte ein paar Seiten weiter und blickte wieder hoch.

»Er hat veranlasst, dass die aktuellen Namen mit ihren Datenbanken abgeglichen werden.«

»Und was ist dabei rausgekommen?«, fragte Margit.

»Nichts. Sie haben weder im Verbrechensregister noch im Gewerbeverbotsregister etwas gefunden.«

»Wenn die russische Mafia dahintersteckt, haben sie bestimmt Strohmänner benutzt«, sagte Margit.

»Strohmänner?«, fragte Carina und wurde rot, als sie merkte, dass alle anderen verstanden hatten, was gemeint war.

Erik lächelte sie an. Er sah aus, als würde er hübschen Mädchen gern erklären, wie die Dinge lagen.

»Als Strohmann wird jemand bezeichnet, der bei einer Firmenpleite den Kopf hinhält. Vor allem, wenn sich dahinter ein Wirtschaftsverbrechen verbirgt. Dann setzt man irgendeinen mittellosen Säufer als Geschäftsführer ein, und der wandert dann in den Bau.«

»Aber gibt es wirklich Leute, die für Verbrechen, die sie nicht begangen haben, freiwillig ins Gefängnis gehen?«, fragte Carina.

Thomas wusste nicht, ob er ihre Frage berechtigt oder naiv finden sollte. Aber dann meldete sich sein schlechtes Gewissen, dass er so über seine Freundin dachte, oder wie immer er sie nun nennen sollte.

»Du würdest dich wundern«, antwortete Margit, »wenn du wüsstest, was ein Kerl, der seine Tage Bier trinkend auf der Parkbank verbringt, für ein paar Tausend Kronen alles tut. Es ist nicht teuer, einen Penner dazu zu bringen, irgendwelche Firmenpapiere zu unterschreiben.«

»Wie auch immer«, fuhr Erik fort, »falls die Mafia Marionetten oder Strohmänner eingesetzt hat, wird es nicht leicht sein, sie zu finden.«

»Was wissen wir über die Vorgehensweisen der russischen Mafia?«, fragte der Alte. »Passt das hier zu ihren üblichen Methoden?«

Es blieb eine Weile still, dann ergriff Thomas das Wort.

»Ich bin kein Experte, aber das sieht ihnen nicht ähnlich. Dass die russische Mafia sich über ein Jahr Zeit lässt, bevor sie einen lästigen Insolvenzverwalter abserviert, ist schwer vorstellbar.«

Er kritzelte auf dem Block vor sich herum, während er seine Gedanken formulierte.

»Außerdem«, fuhr er fort, »wenn sie sauer auf den Mann waren, wäre es wesentlich einfacher gewesen, ein paar Schläger anzuheuern, die ihm die Scheiße aus dem Leib prügeln.«

»Ja, es hätte bestimmt eine Menge anderer Gelegenheiten gegeben«, stimmte Margit zu. »Ein arrangierter Autounfall, ein Schuss in der Nacht, ein Messer an einem dunklen Ort. Sucht euch was aus.«

Sie beugte sich über den Tisch.

»Das hier ist ein raffinierter Mord, der Planung und Sorgfalt erfordert hat. Unsere russischen Freunde sind nicht für ihre Finesse bekannt. Warum sollten sie sich die Mühe machen, aufs Meer hinauszufahren, wenn sie ihn viel einfacher eines dunklen Abends nach der Arbeit hätten umlegen können?«

Margit lehnte sich zurück und verschränkte die Arme vor der Brust. Sie sah aus wie eine gereizte Hornisse, wie sie dort saß mit ihren kurzen, neuerdings rot gesträhnten Strubbelhaaren. Nicht schön, aber Respekt einflößend.

»Vielleicht sollte es eine Warnung sein«, schlug der Alte vor.

»So lange nach den Drohbriefen?« Margit zog skeptisch die Augenbrauen hoch. »Warnung an wen? An alle Insolvenzverwalter in Schweden? An die Anwaltskammer? Diese Sorte von Gruppierungen hält sich für gewöhnlich an ihresgleichen. Die gehen Anwälten und Richtern aus dem Weg. Es lohnt sich in der Regel nicht, sich mit etablierten Stützen der Gesellschaft anzulegen.«

»Du hast mich überzeugt«, sagte der Alte und kratzte sich am Kinn. »Dann lassen wir die russische Spur erst mal fallen.«

Er wippte mit seinem Stuhl, der gefährlich knackte.

»Ich stelle mir trotzdem vor«, sagte Thomas, »dass es wichtig war, *wie* Juliander getötet wurde, und nicht nur, *dass* er getötet wurde.«

In Thomas' Stimme hatte bei dem letzten Satz ein besonderer Ton mitgeschwungen. Die Aufmerksamkeit des Alten war sofort geweckt. Die Ereignisse im letzten Sommer hatten gezeigt, dass Thomas einen scharfen Polizisteninstinkt besaß. Es war Thomas' erste große, eigene Mordermittlung gewesen, und er hatte sie gut gemeistert. Nicht zuletzt bei der Auflösung des Dramas draußen auf Grönskär, wo Nora Linde beinahe im Leuchtturm umgekommen wäre.

»Weiter«, drängte der Alte.

»Wie Margit schon sagte, dieser Mord hat sorgfältige Planung erfordert. Deshalb glaube ich, dass die Art der Vorgehensweise wichtig war. Sie hatte einen bestimmten Zweck. Vielleicht sollte Juliander öffentlich gedemütigt werden. Er wurde zweifellos genau im Moment des Triumphs vernichtet.«

»Ja«, sagte Margit, »wenn man darüber nachdenkt, war es die reinste Hinrichtung.«

»Genau«, sagte Thomas.

»Würde eine abservierte Geliebte sich so viel Arbeit machen, um ihren Exliebhaber umzubringen?«, überlegte der Alte laut.

»Fraglich. Aber ein eifersüchtiger Ehemann?«, sagte Thomas. »Ein Regattasegler, vielleicht aktives Mitglied im KSSS, der sich an dem Tag möglicherweise sogar am Start befand. Und Zugang zu einem Boot und einer Schusswaffe hatte.«

»Das wäre eine Untersuchung wert«, sagte der Alte. »Bleibt da mal dran.« Er wechselte das Thema. »Drogen. Was können wir darüber sagen?«

Thomas beschrieb kurz die Vernehmung von Winbergh, bei der dieser von seinem Verdacht erzählt hatte.

»Sollte Juliander Drogen genommen haben?«, sagte der Alte. »Gibt es etwas, was diese Theorie stützt?«

»Wir haben keinerlei Bestätigung dafür.«

»Mit anderen Worten, die weiße Weste des Herrn Anwalts war vielleicht doch nicht so makellos. Verfolgt das weiter. Was wissen wir über die Mordwaffe?«

Erik zeigte auf einen Stapel Computerausdrucke, der sich vor ihm auftürmte.

»Wir überprüfen zurzeit alle Waffenscheinregister und gleichen sie mit Personen aus Julianders Umfeld ab, um festzustellen, wer Gewehre für kleinkalibrige Munition besitzt.«

»Vergesst die KSSS-Mitglieder nicht«, mahnte der Alte.

»Wie viele Personen sind registriert?«, fragte Margit.

»Rund 650 000 Waffenbesitzer in Schweden und fast eine Million Waffenscheine für Kugelgewehre.« Erik zog eine Grimasse. »Wir können uns bei Sachsen bedanken, der die Kugel im Körper gefunden hat. Damit können wir Schrotgewehre ausschließen.«

Er zwinkerte Carina zu und sie lächelte zurück. Dann stand sie auf, ging zum Fenster und öffnete es sperrangelweit. Alle atmeten erleichtert auf, als die kühle Luft in den stickigen Raum strömte.

Der Alte sammelte seine Unterlagen zusammen. Niemand sagte etwas.

»Ich denke, für den Moment war es das. Haben alle was zu tun in den nächsten Tagen?« Der Alte hatte sich halb erhoben, setzte sich aber noch einmal hin.

»Ach, übrigens«, sagte er. »Staatsanwalt. Wir dürfen nicht vergessen, den Staatsanwalt auf dem Laufenden zu halten. Sonst kriegen wir verdammten Ärger.«

»Wir treffen uns morgen früh mit der Staatsanwältin«, sagte Margit. »Wir kümmern uns darum. Keine Sorge, Charlotte Öhman übernimmt den Fall, und sie kennen wir ja.«

Kapitel 20

Im selben Moment, in dem der Immobilienmakler seinen Fuß an Land setzte, wusste Nora, dass sie ihn nicht mochte. Sie hätte nicht sagen können, was sie schlimmer fand – den schicken Anzug, die spiegelblank geputzten Schuhe, die auf dem staubigen Kai schon von Weitem leuchteten, oder die Tatsache, dass er sich einen Schlips umgebunden hatte, obwohl er eine Ferieninsel am Außenrand des Schärengartens besuchen sollte.

Er war erstaunlich jung, sah aber aus, als hätte er den Auftrag seines Lebens bekommen. Was vermutlich auch der Fall war. Ein ehrgeiziger Musterknabe, dachte Nora im Stillen, der sich bei seinen Vorgesetzten lieb Kind machen will.

Svante Severin ließ sich durch Noras kühlen Empfang nicht beirren. Er strahlte sie mit gut eingeübtem Lächeln an, sprudelte geradezu über vor Begeisterung und schüttelte ihre Hand viel zu lange. Henrik gegenüber trat er auf, als würden sie sich seit Jahren kennen. Während der knapp zehn Minuten, die sie für den Weg zu Signes Haus brauchten, redete er wie ein Wasserfall.

Als sie die Brand'sche Villa erreicht hatten, fand er gar nicht genug Superlative für das, was er vor sich sah.

Die Küche bewies einen nostalgischen Charme, der einfach unwiderstehlich war. Der Kachelofen im Esszimmer versetzte ihn in Entzücken und die Glasveranda aus alten Zeiten verschlug ihm den Atem. Sogar das alte Badezimmer mit der Badewanne auf Löwentatzen bekam seinen Anteil von den Lobeshymnen ab, obwohl offensichtlich war, dass der heruntergekommene Nassraum seit Langem eine umfassende Renovierung nötig hatte.

Nora biss die Zähne zusammen und lächelte steif.

Sobald dieser Rundgang vorbei war, würde sie dafür sorgen, dass Svante Severin die Fähre bestieg und auf Nimmerwiedersehen verschwand.

»Hast du gehört?«, fragte Henrik.

»Was denn?« Nora war mit ihren Gedanken weit weg gewesen. Sie hatte der Unterhaltung überhaupt nicht zugehört, während sie den beiden Männern die Treppe hinunter ins Esszimmer folgte.

»Du solltest ein bisschen aufmerksamer sein, Liebling. Svante hat gerade gesagt, dass sie bereit wären, bezüglich der Provision eine Sonderregelung zu treffen. Weil es ein so einzigartiges Objekt ist.«

Nora verschränkte die Arme vor der Brust und blickte Severin und Henrik quer über den Esstisch fragend an.

»Provision?«

»Er muss natürlich für seine Arbeit bezahlt werden. Aber Svante ist bereit, auf sein Honorar von normalerweise vier Prozent der Verkaufssumme zu verzichten, zugunsten eines festen Betrags, über den wir uns noch einigen müssen. Das ist doch eine gute Idee, oder?«

Er legte beschützend den Arm um Noras Schultern und nickte dem Makler wohlwollend zu.

»Auf jeden Fall«, stimmte Severin zu. »Es wäre uns eine Ehre, ein solches Kulturgut vermitteln zu dürfen. Wir werden uns sicher auf einen Betrag einigen, mit dem alle Seiten zufrieden sind.« Er schenkte ihr ein entwaffnendes Lächeln. »Es würde mir nicht im Traum einfallen, bei einem Objekt wie diesem um Prozente zu feilschen.«

Er beugte sich zu Nora vor, die instinktiv einige Schritte zurückwich. Die Situation war bizarr. Vergeblich suchte sie in Henriks Gesicht nach Anzeichen dafür, dass er verstanden hatte, wie weit sie von einem Entschluss entfernt war, das Haus zu verkaufen.

Sie löste sich aus Henriks Umarmung und ging zum Fenster. Die Aussicht war herrlich, wie immer. Auf der Glasveranda stand der alte Rattansessel, in dem Tante Signe abends immer so gern gesessen hatte. Für einen Moment konnte sie fast einen Hundeschwanz auf den Boden klopfen hören, von Signes Hündin Kajsa, die immer zu ihren Füßen gelegen hatte.

»Es ist wohl noch ein bisschen früh, solche Sachen zu diskutieren. Ich finde, das sollten wir unter vier Augen besprechen, Henrik«, sagte sie und versuchte, ihm mit dem Blick eine stumme Nachricht zu schicken.

Henrik ging gar nicht auf sie ein, sondern fuhr unbeirrt fort:

»Nora, das musst du dir anhören. Svante sagt, dass schon ein Gebot vorliegt.«

»Ein Gebot?«

»Ein konkretes Angebot, ja. So begehrt ist das Haus.«

Nora strich mit der Hand über die alte Standuhr. Sie hatte aufgehört zu ticken und musste aufgezogen werden.

»Wie kann denn jetzt schon ein Gebot vorliegen? Das Haus steht doch noch gar nicht zum Verkauf.«

Severin sah sie an, als hätte er eine große Überraschung in der Hinterhand.

»Doch, nachdem Henrik und ich telefoniert hatten, bin ich unsere Kundenkartei durchgegangen. Sandhamn ist unglaublich attraktiv, nicht zuletzt für Auslandsschweden. Mehrere unserer Kunden haben seit Langem den Wunsch, genau hier ein älteres Haus zu kaufen.«

»Ich verstehe immer noch nicht«, sagte Nora.

»Nach unserem Gespräch habe ich mich mit einer Familie in Verbindung gesetzt, die ganz besonders interessiert ist, Schweden, die in der Schweiz wohnen. Sie waren Feuer und Flamme, als sie von der Brand'schen Villa hörten.«

Urplötzlich packte Nora die Wut. Sie konnte nicht sagen, über wen sie sich mehr ärgerte, über ihren Mann oder seinen Makler, aber jetzt war sie kurz davor zu platzen. Trotzdem riss sie sich zusammen. Sie hatte keine Lust, vor diesem Severin eine Szene zu machen.

»Worüber reden wir, wenn du ›über Preis‹ sagst?«, hörte sie Henrik fragen.

»Ich würde meinen«, Svante Severin machte eine Kunstpause, »dass wir über eine Größenordnung von mehreren Millionen sprechen. Das hier ist ein außergewöhnliches Haus in einer außergewöhnlichen Lage. Prime location, you know«, fügte er mit triumphierender Miene hinzu.

»Das wäre ja ein Vermögen«, sagte Henrik matt. »Für etwas, das uns einfach in den Schoß gefallen ist.« Er sah Nora an. »Ist das nicht unglaublich? Stell dir vor, was wir mit dem Geld alles machen könnten. Wir hätten ganz andere Möglichkeiten als jetzt.«

Er strahlte sie und den Makler an.

»Henrik, wir müssen uns die Sache durch den Kopf gehen lassen. Wir wissen doch noch gar nicht, ob wir überhaupt verkaufen wollen.«

Nora schickte ihrem Mann einen mörderischen Blick und drehte sich zu dem Makler um.

»Vielen Dank, dass Sie sich die Zeit genommen haben, zu uns zu kommen. Wir werden darüber nachdenken. Wir beide«, sagte sie mit einem erneuten Blick zu ihrem Mann, der schon darüber nachzugrübeln schien, wofür er all die Millionen ausgeben sollte.

Resolut schob sie den Makler zur Tür.

»Sie hören von uns«, sagte sie in einem geschäftsmäßigen Ton, der keinen Widerspruch duldete. »Sobald wir eine Entscheidung getroffen haben.«

Kapitel 21

Sie hatten die Liste der aktuellen und ehemaligen Geliebten unter sich aufgeteilt. Thomas hatte die eine Hälfte übernommen, Margit die andere.

Einige der Damen waren bekannte Geschäftsfrauen, von anderen hatte Thomas noch nie gehört. Zwei waren Flugbegleiterinnen – banaler geht's nicht, dachte er. Es standen auch einige auf der Liste, die mit prominenten Männern verheiratet waren und vermutlich wenig erfreut sein würden, wenn die Polizei bei ihnen aufkreuzte und Fragen über einen ermordeten Liebhaber stellte.

Es war erstaunlich einfach gewesen, den Aufenthaltsort der Damen herauszufinden, trotz Sommerferien und Urlaubszeit. Thomas würde die Frau aufsuchen, mit der Oscar Juliander zuletzt zusammen gewesen war. Die diensthabende Dame, wie Erik es ausgedrückt hatte.

Sie hieß Diana Söder und war neununddreißig. Sie hatte ihren Urlaub noch nicht angetreten, und Thomas hoffte, sie an ihrem Arbeitsplatz am Strandvägen anzutreffen.

Er stellte den Wagen in einem unverschämt teuren Parkhaus ab, ging die Birger Jarlsgatan hinunter und am Kungliga Dramatiska Teatern, genannt »Dramaten«, vorbei, wo die Touristen auf den Treppenstufen saßen und sich die Leute anschauten. Dann bog er ab und setzte seinen Weg Richtung Djurgården fort.

»Strandvägens Konsthandel« stand mit geschwungenen Buchstaben auf der großen Glastür. Im Schaufenster hingen zwei Gemälde mit Naturmotiven in breiten Goldrahmen.

Er öffnete die Tür und kam in einen ziemlich großen, länglichen und komplett weißen Raum. Alle Wände waren mit Bildern behängt, angestrahlt von metallenen Spotlights unter der Decke. Rechts vom Eingang standen zwei bequeme Klubsessel in flaschengrünem Leder mit einem Glastisch in der Mitte, auf dem dicke Kunstmagazine lagen.

Thomas, der nicht mehr von Kunst verstand, als auf einem kleinen Fingernagel Platz hatte, stellte schnell fest, dass er keine Ahnung hatte, ob das, was an den Wänden hing, zehn oder zehntausend Kronen wert war.

Eine attraktive Frau saß an einem antiken Schreibtisch im hinteren Teil des Raums. Sie telefonierte, aber als sie Thomas sah, beendete sie das Gespräch rasch und ging auf ihn zu.

»Kann ich etwas für Sie tun?«

Sie trug ein rosa Sommerkleid und eine Halskette mit großen Perlen in derselben Farbe. Das blonde Haar war im Nacken mit einer Spange zusammengefasst. Wenn sie lächelte, zeigte sich die Andeutung eines Grübchens in der einen Wange.

Thomas nannte seinen Namen und zeigte ihr seinen Dienstausweis.

»Ich habe ein paar Fragen zu Oscar Juliander.«

Die Frau vor ihm wurde blass, aber dann nickte sie und bat ihn, in einem der Sessel Platz zu nehmen.

»Was möchten Sie wissen?«, sagte sie leise.

Thomas zog seinen Notizblock hervor und schlug eine neue Seite auf. Er holte einen Kugelschreiber aus der Jackentasche und probierte aus, ob er funktionierte. Während der ganzen Zeit beobachtete Diana Söder ihn mit unruhigen Augen.

»Wie würden Sie Ihre Beziehung zu Oscar Juliander beschreiben?«

»Wir waren … Freunde. Gute Freunde.«

»Sehr gute Freunde, soweit wir wissen«, sagte Thomas.

Diana Söder sah ihn schweigend an, und Thomas wartete. Er hatte Zeit.

»Wir hatten ein Verhältnis«, sagte Diana Söder und senkte den Blick. Sie drehte nervös an einem Ring an ihrer rechten Hand. Er bestand aus ineinander verflochtenen Gold- und Silbergliedern.

Thomas kam eine Idee.

»Einen schönen Ring tragen Sie da. Ist der neu?«

Diana Söder nickte.

»Haben Sie den von ihm bekommen?«

Ihre Hände kamen zur Ruhe. Eine einsame Träne lief ihr die Wange hinab.

»Zum Geburtstag. Im Juni. Er hat ihn extra für mich anfertigen lassen.«

»Erzählen Sie doch mal, wie Sie sich kennengelernt haben.«

»Durch meinen Beruf. Unsere Galerie veranstaltet jedes Jahr eine Weihnachtsparty. Wir laden Kunden ein und Leute, die in der Öffentlichkeit stehen. Die Frau meines Chefs organisiert das alles.«

»Und auf dieser Party haben Sie sich kennengelernt?«

»Ja. Vor anderthalb Jahren, am Tag vor dem Luciafest. Isabelle hatte eine Menge Leute eingeladen, unter anderem die Vorstandsmitglieder des KSSS mit ihren Gattinnen. Aber Oscar kam allein.«

KSSS. Isabelle. Thomas stutzte.

»Darf ich fragen, wer Ihr Chef ist?«

»Ingmar von Hahne.«

Thomas versuchte, seine Überraschung zu verbergen. Wie hatte ihm entgehen können, dass Diana Söder für Ingmar von Hahne arbeitete? Jetzt fiel ihm wieder ein, was von Hahne bei der Vernehmung auf Sandhamn über seinen Kunsthandel erzählt hatte.

»Ihm gehört die Galerie. Er hat sie vor gut fünfunddreißig Jahren eröffnet. Ingmar ist ein echter Kunstkenner, aber kein besonders guter Geschäftsmann.« Sie lächelte dünn. »Er liebt die Bilder viel zu sehr, um sich von ihnen zu trennen.«

Was für ein merkwürdiger Zufall, dachte Thomas, dass Julianders Geliebte bei Ingmar von Hahne arbeitet. Ob das was zu bedeuten hatte?

»Was passierte auf der Party?«

»Wir kamen miteinander ins Gespräch. Ein paar Tage später rief er mich an und fragte, ob wir nicht zusammen essen gehen wollten.«

Sie seufzte leicht und blickte aus dem Fenster.

»Und so nahm alles seinen Lauf. Oscar konnte sehr hartnäckig sein, wenn er sich etwas in den Kopf gesetzt hatte.«

»Wussten Sie, dass er verheiratet war?«

Diana Söder vermied es schuldbewusst, Thomas anzusehen.

»Ja«, antwortete sie leise. »Das wusste ich. Aber Oscar sagte, er und seine Frau hätten eine Vereinbarung getroffen. Sobald die Kinder mit ihrem Studium fertig wären, würden er und Sylvia sich scheiden lassen.«

Sie klang auf einmal trotzig, als wollte sie Thomas herausfordern, ihre Aussage zu hinterfragen.

Thomas dachte, dass die meisten untreuen Ehemänner mit der Ausrede kamen, erst müssten die Kinder groß sein, bevor sie ihre Ehefrau verlassen könnten. Die Geliebte außerdem davon zu überzeugen, dass die Kinder erst noch ihre Ausbildung abschließen müssten, war ein etwas anderer Kniff.

Er versuchte zu verstehen, warum eine attraktive Frau wie Diana Söder sich damit zufriedengab, ein heimliches Verhältnis mit einem verheirateten Mann zu unterhalten. Besonders mit einem Weiberhelden wie dem verstorbenen Anwalt.

»Gab es Pläne für eine gemeinsame Zukunft?«

»Ich habe darauf gehofft. Ich habe ihn sehr geliebt.«

Ihre Stimme war jetzt so leise, dass Thomas Mühe hatte, ihre Worte zu verstehen.

»Ich wüsste gern, wo Sie an dem Sonntag waren, als Oscar Juliander getötet wurde.«

Sie faltete die Hände auf dem Schoß, bevor sie antwortete. Es sah aus, als würde sie sich auf ein Gebet vorbereiten.

»Ich war bei meinem Bruder und seiner Familie. In ihrem Landhaus auf Skarpö. Ich habe es in den Nachrichten gehört. Dass er ermordet worden war.«

»Kann Ihr Bruder bezeugen, dass Sie dort waren?«

»Natürlich. Es war so furchtbar, es aus dem Fernsehen zu erfahren.« Ihre Augen füllten sich mit Tränen und sie versuchte, sie wegzuwischen, indem sie vorsichtig mit dem Zeigefinger unter jedem Auge entlangfuhr. »Warum sollte jemand Oscar töten wollen? Ich begreife es einfach nicht«, sagte sie mit einem erstickten Schluchzen.

»Genau das versuchen wir herauszufinden«, erwiderte Thomas und beugte sich zu Diana Söder vor. »Hat Oscar sich in der letzten Zeit irgendwie anders benommen?«

Sie dachte nach.

»Er wirkte sehr gehetzt. Unter Druck. Ich dachte, dass er vielleicht beruflich sehr eingespannt ist. Aber er war das ganze Frühjahr über ziemlich launisch.«

»Wissen Sie, ob er finanzielle Sorgen hatte?«

Sie schüttelte den Kopf.

»Jedenfalls keine, über die er mit mir gesprochen hätte. Im Gegenteil, er war immer sehr großzügig. Manchmal sind wir zusammen verreist, und dann haben wir immer in exklusiven Hotels gewohnt.« Sie verstummte und sah Thomas fragend an. »Geht es um Geld?«

»Das kann ich Ihnen im Moment noch nicht sagen.«

Diana Söder sank im Sessel zurück, und wieder stiegen ihr die Tränen in die Augen.

»Wissen Sie, ob Oscar Juliander Drogen genommen hat?«, fragte Thomas weiter. Er bemühte sich, seine Stimme sanft klingen zu lassen. Er wollte die trauernde Frau nicht noch mehr erschrecken.

Es wurde still im Raum. Nur die Geräusche der Straße waren zu hören. Eine Frau mit Kinderwagen ging an der Tür vorbei, und das Klappern einer Babyrassel drang herein.

Nach einer Weile sagte Diana leise:

»Ja, manchmal. Er hat hin und wieder Kokain geschnupft.«

»Wie fanden Sie das?«, fragte Thomas. »Haben Sie selbst auch was genommen?«

Diana Söder schüttelte heftig den Kopf.

»Ich wäre nie auf die Idee gekommen. Oscar meinte, ich sollte es mal probieren, aber ich wollte nicht. Ich muss an meinen Sohn denken.«

»Aber Oscar nahm es trotzdem?«

»Er hat gesagt, es hilft ihm, sich zu konzentrieren. Er könnte dann klarer denken. Tatsächlich haben wir uns deswegen gestritten. Er fand mich hysterisch.«

»Wie lange ging das?«

»Ich weiß nicht. Das erste Mal, als er es offen vor mir genommen hat, war vor ungefähr einem Jahr.«

»Wo waren Sie beide da?«

»Zu Hause bei mir. Ich war im Bad, und als ich zurück ins Wohnzimmer kam, hatte er weißes Pulver auf einen Taschenspiegel gestreut. Er fragte, ob ich mal probieren wollte.«

»Haben Sie probiert?«

»Nein, das sagte ich doch.« Diana Söders Stimme klang scharf.

»Was passierte dann?«

»Er hat gesagt, dass ich mir keine Sorgen machen soll. Dass viele Kokain nehmen. Dass es nicht schlimmer als Alkohol ist.«

»Sie haben nicht daran gedacht, ihn zu verlassen?«

»Ich habe ihn geliebt. Und ich habe ihm vertraut, als er sagte, er hätte es unter Kontrolle.«

»Wie wirkte sich das Kokain auf ihn aus?«

»Er wurde nicht unangenehm, gar nicht. Nur ein bisschen lauter, und seine Augen glänzten. Er schaltete sozusagen in einen höheren

Gang. Aber er wurde nie aggressiv, kein einziges Mal. Nur lebhafter.« Sie lächelte traurig. »So war Oscar ja, voller Leben.«

Sie blickte auf die Uhr. Eine diskrete Armbanduhr aus Gold an ihrem schmalen Handgelenk.

»Ich erwarte einen Kunden, er kommt in zehn Minuten. Meinen Sie, dass wir bald fertig sind? Ich muss mich vorher noch ein bisschen frisch machen. So, wie ich aussehe, kann ich ihn ja nicht empfangen.« Sie blickte Thomas aus geröteten Augen an.

Thomas unterdrückte ein Seufzen. Vielleicht hatte Julianders vorzeitiger Tod trotz allem etwas Gutes für Diana Söder. Jetzt war sie gezwungen, ihr eigenes Leben weiterzuleben.

»Nur noch eine letzte Frage. Wissen Sie, ob Oscar irgendwelche Feinde hatte?«

Sie schüttelte den Kopf.

»Davon ist mir nichts bekannt. Aber er konnte ziemlich herablassend gegenüber Leuten sein, die er nicht mochte, besonders gegenüber anderen Anwälten.«

»Wie meinen Sie das?«

»Er regte sich über ihre Inkompetenz auf. Nannte sie Idioten. Manchmal sagte er, dass dieser oder jener nie in die Anwaltskammer hätte aufgenommen werden dürfen. Oder dass man den Betreffenden rauswerfen sollte.«

»Hat er das öffentlich gesagt?«

»Er konnte ziemlich verletzend sein, wenn ihm etwas nicht passte.«

Reicht das, um sich jemanden zum Todfeind zu machen?, dachte Thomas. War Oscar Juliander so ausfallend geworden, dass deswegen jemand beschlossen hatte, ihn umzubringen?

»Wissen Sie vielleicht, ob er Kontakte zur russischen Mafia hatte?«

Diana Söder sah Thomas erstaunt an.

»Wieso fragen Sie das?«

»Wie es scheint, hat er Drohbriefe von Leuten erhalten, die mit der russischen Mafia zu tun haben könnten.«

»Davon habe ich nie was gehört. Aber er hätte es mir wohl auch nicht erzählt, wenn es so wäre.«

Thomas erhob sich.

»Ich denke, dann sind wir fertig. Danke, dass Sie sich die Zeit für unser Gespräch genommen haben. Und mein aufrichtiges Beileid.«

Diana Söder versuchte, zum Abschied zu lächeln, aber es wurde eher eine Grimasse daraus. Noch ehe Thomas die Eingangstür hinter sich zuziehen konnte, war sie in einem Raum ganz am Ende der Galerie verschwunden.

Er meinte ein leises Schluchzen zu hören, bevor die Tür ins Schloss fiel.

Kapitel 22

Es war vermutlich das erste Mal, dass bei der Siegerehrung zum Abschluss von »Gotland Runt« die Fahnen auf halbmast wehten, dachte Hans Rosensjöö.

Er stand zusammen mit Ingmar von Hahne unterhalb der Bühne, auf der die Preisverleihung stattfinden sollte, zwischen Hafenmeisterei und Landungsbrücke. Ein großer Preistisch war aufgestellt worden, bedeckt mit schönem dunkelblauem Samtstoff, auf dem das Emblem des Segelklubs prangte. Silberpokale standen aufgereiht neben Magnumflaschen mit Champagner. Auf der einen Seite hatte man Medaillen in unterschiedlichen Größen ausgelegt, die an die Zweit- und Drittplatzierten vergeben werden sollten. Ein schönes Blumengesteck in der Mitte des Tisches krönte das Arrangement.

Als Vorsitzender würde Hans Rosensjöö die Preisverleihung vornehmen. Der Rennleiter von Gotland Runt sowie Ingmars hübsche junge Tochter Emma sollten ihn dabei unterstützen. Es war immer angenehm, ein bisschen weibliche Schönheit bei solchen Veranstaltungen dabeizuhaben, dachte er. Nicht zuletzt, weil neunzig Prozent der Regattateilnehmer Männer waren.

Die richtige Feststimmung hatte sich nicht eingestellt, aber das war auch kein Wunder. Das Seglerrestaurant, das an einem solchen Abend normalerweise überbucht war, hatte eine Flut von Abbestellungen verzeichnet. Der Restaurantchef war darüber gar nicht erfreut. Sie hatten in aller Eile umdecken müssen, damit das Lokal nicht allzu leer wirkte.

Hans Rosensjöö hätte die ganze Veranstaltung liebend gern abgesagt, wenn er nur gekonnt hätte. Aber da sie nun einmal beschlossen hatten, die Regatta fortzusetzen, mussten sie sie auch zu Ende bringen, mit Siegerehrung, Regatta-Dinner und dem ganzen Brimborium. Das waren sie allen Teilnehmern, die bis zum Schluss mitgesegelt waren, schuldig.

Er sah wieder auf die Uhr, noch zehn Minuten, dann würde der

Schuss abgefeuert werden, das Signal für den Beginn der Preisverleihung.

Britta Rosensjöö stand plaudernd mit Isabelle von Hahne und einigen anderen Mitgliedern der Rennleitung zusammen. Wie üblich dominierte Isabelle die Konversation. Sie war mitten in einer langen Erläuterung ihrer Arbeit für ein Komitee, das Politiker dazu bringen wollte, jeglichen Autoverkehr auf Djurgården zu verbieten.

Als ob das durchführbar wäre. Wozu sollte das gut sein, mal ehrlich? Britta nippte an ihrem Champagner. Woher nahm Isabelle nur die Kraft? Wie bewältigte sie ihr vielfältiges Engagement in Komitees und freiwilligen Arbeitsgruppen? Was der Frau fehlte, war ein anständiger Job, in dem sie ihre rastlose Energie abreagieren konnte.

Aber das wäre in ihrer hochbürgerlichen Familie sicher undenkbar, vermutete Britta. Hans und sie bewegten sich ja schon in vornehmen Kreisen, aber Isabelles Herkunft lag noch mal eine ganze Etage höher. Ihr Vater war in den Fünfzigerjahren einer der bekanntesten Industriellen Schwedens gewesen. In *der* Familie wäre niemand auf die Idee gekommen, der hübschen Tochter zu erlauben, einen Beruf zu erlernen und Karriere zu machen. Stattdessen hatte man Isabelle mit einem Adligen verheiratet, der Abstammung und Titel mitbrachte. Papilein war sicher überglücklich darüber gewesen.

Britta hatte beinahe so etwas wie Mitleid mit Isabelle. Sie war ihrem Vater einige Male begegnet, bevor er starb, und konnte sich noch gut erinnern, wie steif und erzkonservativ er gewesen war. Ein Mann, der seine Familie mit eiserner Hand regierte. Da gab es keine zwei Meinungen.

Mit bekümmerter Miene sah Britta zu ihrem Gatten am Preistisch hinüber. Hans war müde und erschöpft. Es waren wirklich ein paar schreckliche Tage gewesen, und sie machte sich Sorgen um ihn. Er wurde schließlich schon fünfundsechzig und war kein junger Spund mehr. Sein Pflichtgefühl in allen Ehren, aber die Gesundheit ging vor. Sie hatte ihm gegenüber nie erwähnt, wie sehr sie sich darauf freute, dass er seine Aufgaben im Vorstand des KSSS bald abgeben würde, aber inzwischen zählte sie die Tage.

Wenn sie ehrlich sein sollte, hatte sie Oscar nie besonders gemocht. Er war viel zu selbstherrlich gewesen, viel zu überzeugt von seiner eigenen Vortrefflichkeit. Es war, als hätte er sich schon vor langer Zeit daran gewöhnt, dass die Leute immer das taten, was er wollte. In diesem Sommer hatte er schon begonnen, als Vorsitzender aufzutreten, obwohl Hans noch im Amt war. Oscar hatte gemacht und getan und war mehrere Male dicht davor gewesen, Hans zu blamieren.

Britta fand das anmaßend. Aber das hatte sie ihrem Mann nicht gesagt.

Sie hatte die liebe Sylvia, die wesentlich angenehmer war, immer vorgezogen. Auch kam sie aus einer viel besseren Familie. Aber Sylvia hatte ihren Mann nicht oft begleitet, sie blieb lieber in ihrem Sommerhaus auf Ingarö. Sie fühlte sich vermutlich nicht sehr wohl auf diesen ganzen Gesellschaften, auf denen Oscar sich mit seinem dröhnenden Lachen und seinen ständigen Seglergeschichten in den Vordergrund drängte. Und wahrscheinlich hatte Oscar nichts dagegen gehabt, dass Sylvia zu Hause blieb und ihm freie Hand ließ.

»Oder nicht, Britta?«

Britta zuckte bei Isabelles Frage schuldbewusst zusammen. Sie war tief in Gedanken versunken gewesen.

»Entschuldige, was hast du gesagt?«, erwiderte sie beschämt. »Ich habe gerade nicht zugehört. Ich bin schon die ganze Woche so durcheinander. Neulich habe ich meinen Fotoapparat verlegt und heute Morgen meine Sonnenbrille.«

Isabelle schien es ihr nicht übel zu nehmen. Sie lächelte Britta nachsichtig an.

»Ich habe nur gesagt, ich hoffe, dass die Preisverleihung nicht so lange dauert. Es wäre schön, wenn dieser Abend bald überstanden wäre.«

Britta nickte zustimmend und trank einen Schluck von ihrem Champagner. Er war inzwischen schal geworden. Ein Glück, dass Hans bald aufhörte und ihr diese Art von Veranstaltungen erspart blieb.

Donnerstag, erste Woche

Kapitel 23

»Na endlich«, sagte Kalle und hielt ein Fax hoch, das gerade angekommen war.

Es ging auf vier Uhr nachmittags zu. Sie waren fast allein auf der Etage. Viele waren schon im Urlaub, und die Kollegen, die den Regatta-Mord bearbeiteten, waren unterwegs.

Erik nahm das Fax entgegen. Er erkannte den Briefkopf sofort wieder. Staatliches Kriminaltechnisches Labor, SKL, stand ganz oben in einer Ecke.

»Das ist also der Obduktionsbericht aus Linköping?«

»Japp«, antwortete Kalle mit einem Nicken.

Erik setzte sich auf den Stuhl gegenüber von Kalles Schreibtisch und überflog hastig den drei Seiten langen Bericht.

»Aha«, sagte er dann und kratzte sich am Kopf. Das dunkle Haar war mit Gel nach hinten gekämmt. Sein weißes, kurzärmeliges Tennisshirt hatte sich am Rücken leicht hochgeschoben und einen Streifen sonnenbrauner Haut über der Jeans freigelegt.

»Scheint, als gäbe es keine Zweifel, was das betrifft.« Er hielt die zweite Seite hoch.

»Sieht ganz so aus.«

»In Julianders Blut waren Spuren von Kokain.«

»Winbergh hatte recht mit seinem Verdacht«, sagte Kalle.

»Was bedeutet das?«

»Ja, das ist die Frage. Was bedeutet das?«

»Nora, das sind ja gute Neuigkeiten. Denk nur, wie schön alles werden kann.«

Monica Lindes enthusiastische Stimme schallte aus dem Telefon.

»Ich habe es von Henrik gehört. Jetzt könnt ihr euch genauso ein Haus in Saltsjöbaden kaufen, wie ihr es immer haben wolltet. Da kann ich nur gratulieren. So hat die schreckliche Tat dieser Frau also doch noch etwas Gutes gehabt. Nichts ist so schlecht, dass es nicht für irgendwas gut ist, stimmt's?«

Es war, als wüsste Noras versnobte und taktlose Schwiegermutter genau, welche Knöpfe sie drücken musste, um ihre Schwiegertochter zu ärgern.

Nora hatte Monica Linde nie besonders gemocht, nicht zuletzt deswegen, weil sie selten eine Gelegenheit ausließ, mit ihren vornehmen Freunden zu prahlen, die sie in ihrem langen Leben als Diplomatengattin kennengelernt hatte. An diesem Morgen, an dem Nora und Henrik nach dem gestrigen katastrophalen Maklerbesuch noch kaum ein Wort gewechselt hatten, war Monica unerträglich.

Nur mit großer Mühe gelang es Nora, sich zu beherrschen.

»Ich verstehe nicht ganz«, sagte sie. »Was hat Henrik dir erzählt?«

»Dass ihr die Brand'sche Villa verkaufen wollt, natürlich. Und dass man euch ein fantastisches Angebot gemacht hat.«

»So, hat er das.«

Monica schien Noras kühlen Ton nicht zu bemerken.

»Ich fand das Reihenhaus, das ihr habt, schon immer furchtbar langweilig. So klein und beengt. Und eure Nachbarn sind auch nicht besonders. Haben überhaupt keinen Stil.«

Sie machte eine kurze Pause, um Atem zu holen.

»Henrik ist ja von Kindesbeinen an ein stilvolles Ambiente gewohnt. Ich habe nie verstanden, wie er es in diesem armseligen Häuschen aushält. Es ist doch wunderbar, dass ihr jetzt die Möglichkeit habt, euch etwas Standesgemäßes zu kaufen.«

»Wir fühlen uns sehr wohl damit, wie wir wohnen«, sagte Nora verbissen.

Sie überlegte, ob sie einfach auflegen sollte. Aber wenn sie das tat, würde man es ihr noch jahrelang aufs Butterbrot schmieren, das wusste sie. Vielleicht konnte sie so tun, als wäre der Akku des schnurlosen Telefons fast leer. Eine verlockende Idee.

»Ich bin so erschüttert über Oscars Tod«, fuhr Monica fort. »So erschüttert. Was ist das heutzutage nur für eine Welt. Hast du in den letzten Tagen Zeitung gelesen?«

»Ja.«

»Wie kann ein so entzückender Mann ermordet werden? Das ist doch unfassbar! Und die Polizei tut wie immer nichts. Trotz all unserer Steuergelder. Die ist so etwas von inkompetent.«

Plötzlich kam Simon zur Tür hereingerannt, um seinen Fußball zu holen, und Nora hatte die rettende Idee.

»Simon möchte gerne mit dir sprechen.« Sie gab den Hörer an ihren Sohn weiter, ohne sich zu verabschieden.

Simon sah sie fragend an und schüttelte wild den Kopf. Nora blickte streng zurück, zischte »Oma Monica« und drückte ihm den Hörer ans Ohr.

»Sag was«, flüsterte sie so laut, wie sie verantworten konnte, ohne dass Monica es mitbekam. »Na los. Erzähl von der Schwimmschule.«

Widerwillig murmelte Simon ein paar Worte über seinen Schwimmunterricht, bevor er Grimassen schneidend darum bettelte, auflegen zu dürfen.

Auch bei ihren Enkeln stand Monica nicht gerade weit oben auf der Hitliste, denn sie nutzte jede Gelegenheit, sie zurechtzuweisen oder Nora zu erklären, wie sie die Kinder zu erziehen hatte. Sie war nicht sehr diskret, und die Jungs waren inzwischen alt genug, um es mitzubekommen.

Es machte die Sache nicht besser, dass die beiden ganz vernarrt in Noras Eltern waren, Lars und Susanne, die ihrerseits fanden, dass Adam und Simon die prächtigsten Jungs der Welt waren. Seit Lasse seinen Einmannbetrieb verkauft hatte und Susanne in ihrem Beruf als Buchhaltungsassistentin bei der Stadt in Altersteilzeit gegangen war, hatten sie außerdem jede Menge Zeit für ihre Enkelkinder.

Nora drückte ihrem Sohn einen flüchtigen Kuss auf die Stirn, als Dank für seine Bereitschaft, mit Oma zu sprechen. Er nahm seinen Fußball und lief nach draußen, wo Adam und ein paar Spielkameraden schon warteten. Die Kinder so fröhlich zu sehen, verbesserte gleich ihre Laune.

Sie musste über die ganze Verkaufssache mit jemand anderem reden als Henrik. Eigentlich wollte sie ihren Mann nicht übergehen, aber das hier war eine Notsituation. Und da kam nur einer infrage: Thomas. Außerdem war er über die ganze Geschichte mit dem Haus und Tante Signe bestens informiert.

Nora griff zu ihrem Handy und tippte eine SMS an Thomas. *Ruf mich an, wenn du Zeit zum Reden hast.*

Nach wenigen Minuten kam die Antwort.

Bin auf Sandhamn. Ist was passiert?

Nora lächelte. Typisch Thomas, schnell und effektiv wie immer.

Sie drückte auf »Antworten« und schrieb: *Was hältst du von einem Bier in der Taucherbar gegen sechs?*

Die Antwort kam ebenso schnell zurück:

OK – T.

Kapitel 24

»Jetzt erzähl doch mal«, sagte Nora.

Thomas stellte sein Bierglas ab, nachdem er es in einem Zug halb ausgetrunken hatte. Er gab einen diskreten Rülpser von sich.

»Was willst du wissen?«

»Du kannst dir doch denken, dass ich neugierig bin. Ganz Sandhamn fragt sich, wer Juliander umgebracht hat. Die Zeitungen schreiben seit Tagen über nichts anderes.«

»Und da glaubst du, dass ich über Ermittlungsergebnisse spreche, die dazu noch geheim sind?«

Thomas lächelte ein wenig müde. Margit und er hatten den Tag damit verbracht, weitere Zeugen zu vernehmen, Regatta-Konkurrenten von Oscar Juliander, die nach Abschluss der Gotland Runt nun wieder zurück in Sandhamn waren.

Ihm fiel auf, dass Nora so ausgeruht wirkte wie schon lange nicht. Sie war nicht mehr so mager wie in den vergangenen Wintermonaten. Auf ihrer Stupsnase leuchteten frische Sommersprossen unter der Sonnenbräune. Die dunklen Ringe unter den Augen waren fast verschwunden, und ihre neue Frisur mit den etwas längeren Haaren stand ihr gut und ließ sie etwas weicher erscheinen.

»Ach komm«, sagte Nora. »Du musst ja nichts sagen, was du nicht sagen willst oder darfst. Aber Juliander war so bekannt, da ist es doch wohl kein Wunder, dass ich frage?«

»Kanntest du ihn persönlich?«, fragte Thomas, während er herzhaft in die Schale mit Erdnüssen griff, die die Kellnerin auf den Tisch gestellt hatte. Seine Bestellung, ein Klub-Sandwich, war noch nicht gekommen. Nora, die mit ihrer Familie zu Abend essen wollte, hatte sich mit einem Leichtbier begnügt. Sie hatte Thomas eingeladen, zum Essen mit zu ihr nach Hause zu kommen, aber er hatte abgelehnt. Er musste die letzte Fähre nach Stavsnäs um halb acht erreichen.

»Ich habe ihn ein paar Mal getroffen. Er war ein richtig hohes Tier im KSSS. Henriks Eltern kannten ihn.«

»Hattest du geschäftlich mit ihm zu tun?«

»Nein. Aber er war ja sehr etabliert in den Stockholmer Juristenkreisen. Und die nehmen wirklich nicht jeden auf«, fügte sie mit einer Grimasse hinzu. »Kalling ist eine altehrwürdige Kanzlei, und Oscar Juliander war einer der führenden Insolvenzverwalter in Schweden.«

»Erklär mir mal, was so einer macht«, bat Thomas.

Er griff nach einer Ketchupflasche, die auf dem Nebentisch stand, und schüttete einen ordentlichen Klecks auf den Teller, den die Kellnerin gerade gebracht hatte.

»Ein Insolvenzverwalter«, sagte Nora und drehte ihr Bierglas zwischen den Händen, »ist jemand, der eine Firma abwickelt, die Konkurs gegangen ist.«

»Das ist mir schon klar. Aber was macht er genau?«

»Nach der Eröffnung des Insolvenzverfahrens dürfen Vorstand oder Geschäftsleitung nicht mehr über den Betrieb verfügen. Sie haben, mit anderen Worten, das Recht der Disposition über die Insolvenzmasse verloren.«

Thomas blickte Nora aus müden Augen an. Manchmal redeten diese Juristen in einer Sprache, die kein normaler Mensch verstand.

»Kannst du das auch vernünftig ausdrücken, bitte? Was bedeutet das?«

Nora lachte. »Das bedeutet, dass Vorstand und Geschäftsleitung sozusagen gefeuert sind. Das Gericht beauftragt einen Anwalt, das Unternehmen aufzulösen sowie Betriebsvermögen und Schulden abzuwickeln.«

»Wie geht das vor sich?«

»Das kommt darauf an. Manchmal verkauft man das Firmenvermögen Stück für Stück oder aber im Ganzen. Manchmal kaufen die ehemaligen Eigentümer den Betrieb aus der Insolvenzmasse zurück und fangen noch einmal von vorn an.«

»Ist das erlaubt?«

»Warum nicht? Ziel ist eine Maximierung der Erlöse, um die Gläubiger zu befriedigen. Wenn man einen guten Preis erzielen kann, indem man an die alten Eigentümer verkauft, ist das nicht verboten. Höchstens unmoralisch.«

Thomas blickte sie zweifelnd an. In seinen Ohren klang das gleichermaßen unerlaubt wie unethisch. Aber nicht er war der Jurist, sondern Nora.

»Oscar Juliander fungierte also als eine Art außerordentlicher Geschäftsführer bei einer Reihe von Unternehmen?«

»Ja, so ungefähr.«

»Hast du irgendwann mal etwas Nachteiliges über ihn gehört? Etwas, das nicht zu seinem öffentlichen Bild passt?«

Nora lehnte sich auf ihrem Stuhl zurück. In Gedanken ging sie den Klatsch und Tratsch durch, der in Stockholm florierte. Er war definitiv ein Frauenheld gewesen. Bei den Festen der Anwaltskammer flirtete er gern mit den hübschen jungen Juristinnen. Aber was hatte sie sonst noch über Oscar Juliander gehört?

Sie schüttelte den Kopf.

»Er hatte einen guten Ruf. Und reichlich Geld, glaube ich.«

»Du hättest sein Haus in Saltsjöbaden sehen sollen. Drei Autos auf der Garagenauffahrt.«

»Die Swan, mit der er an der Regatta teilnehmen wollte, muss eine Stange Geld gekostet haben«, fuhr Nora fort. »Und sie haben ein schönes Landhaus auf Ingarö, nicht weit vom Sommerhaus meiner lieben Schwiegereltern entfernt.«

Sie zwinkerte Thomas ironisch zu. Er kannte Harald und Monica Linde und wusste genau, was sie meinte.

»Aber als Anwalt verdient man doch wohl auch sehr gut? Besonders in einer Sozietät wie Kalling«, sagte Thomas und spießte mit der Gabel die letzten Fritten auf. »Wir haben ihren Managing Partner getroffen, oder wie er sich nun nannte. Er sprach von Millionenhonoraren. Das sollte wohl eine ganze Weile reichen.«

»Schon möglich. Aber Juliander hat wahrscheinlich eine Menge Stunden in Rechnung stellen müssen, um auf einen grünen Zweig zu kommen. Weißt du, was man über das Regattasegeln sagt?«

Thomas schüttelte den Kopf.

»Nein.«

»Regattasegeln ist, als würde man unter der Dusche stehen und dabei einen Tausender nach dem anderen zerreißen.«

Thomas verzog den Mund.

»Der Spruch stammt von einem Luftwaffengeneral, der ihn in den Siebzigern gesagt hat«, erklärte Nora. »Regattasegeln ist wirklich schweineteuer. Ich sehe ja, wie viel Geld Henrik und die anderen in seiner Crew für ihr Boot ausgeben, und sie segeln nur in schwedischen Gewässern.«

»Über welche Summen reden wir?«

»Ich denke, zehn bis zwölf Millionen für eine so große Swan. Ganz zu schweigen von den Kosten für Segel, Anmeldegebühren und Transporte, wenn man im Ausland Regatten segeln will. Allein schon die Teilnahme an Gotland Runt dürfte ihn fast hunderttausend Kronen gekostet haben.«

»Du machst Witze.«

»Er hat bestimmt ein paar Profis als Crew angeheuert. Und dann rechne noch Verpflegung dazu, Regatta-Dinner, außerdem die Segelkleidung mit aufgesticktem Bootsnamen. Der Skipper kommt für alles an Bord auf, das ist Tradition.«

Sie trank einen Schluck von ihrem Bier und sah hinaus auf den Hafen.

Das orangefarbene Lotsenboot war eben hereingekommen und hatte an der Zollbrücke angelegt. Simon, der gerade lesen gelernt hatte, fand es total komisch, dass mit großen Buchstaben PILOT am Rumpf stand. Ein Pilot war jemand, der ein Flugzeug flog, und keiner, der ein Boot steuerte. Nora hatte ihm erklärt, dass *pilot* die englische Bezeichnung für den Lotsen war. Aber er fand es trotzdem albern.

»Und wie kommt ihr nun voran?«, fragte sie.

Thomas zuckte die Schultern.

»Wir sind noch nicht im Hafen.« Er lächelte dünn über seine Anspielung. »Viele lose Fäden, aber kein konkreter Verdacht.«

»Was ist mit seinen Insolvenzobjekten? Gibt es da nicht etwas, was merkwürdig ist? Weißt du, woran er zuletzt gearbeitet hat?«

»Hier, schau selbst.«

Thomas streckte sich nach seiner Tasche aus, zog ein paar zusammengeheftete Blätter hervor und reichte sie Nora. Sie begann zu lesen.

»Wie seid ihr denn daran gekommen?«, sagte sie nach einer Weile und gab ihm die Liste zurück.

»Du kannst sie behalten, wenn du willst. Wenn dir was Interessantes auffällt, kannst du ja Bescheid sagen.« Er hob abwehrend die Hände. »Die Antwort auf deine Frage ist, dass wir mit dem Abgleichen angefangen haben, aber wir sind unterbesetzt und brauchen viel mehr Hilfe vom Wirtschaftsdezernat, als sie uns jetzt mitten im Juli geben können. Du weißt ja, wie das in der Urlaubszeit ist.«

Er schwieg und zögerte einen Moment.

»Meinst du, wir sollten das genauer untersuchen?«, sagte er dann.

Nora griff wieder nach der Liste und studierte sie eingehend.

»Gleicht die Namen aller Vorstandsmitglieder mit der Datenbank der Gewerbeverbote im Handelsregister ab, falls ihr das noch nicht getan habt. Dasselbe macht ihr anschließend mit den jeweiligen Geschäftsführern.«

»Klingt nach einer guten Idee«, sagte Thomas. »Erik kann mit denen reden, er kennt dort jemanden.«

Nora sah auf die Uhr.

»Du«, sagte sie, »können wir das Thema Juliander abschließen? Ich muss gleich nach Hause, wir essen gegen sieben. Und eigentlich wollte ich mit dir über etwas ganz anderes sprechen.«

Sie fingerte an dem Salzstreuer herum, der auf dem Tisch stand. Das alte Gefühl, Henrik gegenüber illoyal zu sein, meldete sich wieder, aber sie beschloss, es zu ignorieren. Ihr Bedürfnis, mit jemandem zu reden, war größer.

»Henrik will, dass wir Signes Haus verkaufen. Und es gibt schon einen Käufer.«

Kapitel 25

Die Stille im Büro war überwältigend. Eine Leere, die nach einer wohlbekannten Stimme schrie, nach der einzigen Person auf der Welt, die sie ausfüllen konnte.

Eva Timell legte den Kopf in die Hände und fragte sich, was sie tun sollte. Der Kopfschmerz war unerträglich. Er saß halbkreisförmig über dem linken Auge, wenn sie es schloss, konnte sie ihn beinahe sehen. Wie ein Stück glühender Stahl, der zu einem Halbmond gebogen und dann auf die Augenbraue gepresst worden war.

Trotzdem wollte sie ihr Migränemedikament nicht nehmen, diese kleine rosa Tablette, die die Qual erträglich machte und sie wieder auf die Beine brachte. Das Pochen in der Schläfe war immer noch besser als der Schmerz, der sie überfiel, sobald sie daran dachte, dass Oscar tot war.

Immer wieder ertappte sie sich dabei, dass sie einen Blick zur Bürotür ihres verstorbenen Chefs warf. Nach all diesen Jahren konnte sie nicht anders. Der Kopf drehte sich von ganz allein in die Richtung. Dort drinnen stand sein Schreibtisch, der elegante Schreibtisch aus dem neunzehnten Jahrhundert, den er bei Bukowskis ergattert hatte. Stur hatte er ihn behalten, obwohl die Kanzlei einen teuren Innenarchitekten angeheuert hatte, der moderne Designermöbel vorschrieb. Jetzt sah der Schreibtisch ebenso verloren aus wie ein Hund, dem sein Herrchen abhandengekommen war.

In den ersten Tagen nach der Todesbotschaft hatte sie mehr geweint, als sie für möglich gehalten hätte. Eine urgewaltige Flut von Tränen, die aus zunehmend mehr verquollenen und geröteten Augen strömte. Nachts hatte sie sich ein Kissen vor den Mund gepresst, damit die Nachbarn ihre Verzweiflung nicht hörten. Ihre Perserkatze, der schöne weiße Blofeld, hatte sich unter dem Bett versteckt, verängstigt von ihrem erstickten Schluchzen.

Sie fragte sich, wie Sylvia sich jetzt wohl fühlte. Sylvia, die alles Recht der Welt hatte, öffentlich zu weinen. Die trauernde Witwe, die von Verwandten und Freunden gestützt wurde und wenigstens ihre Kinder hatte, für die sie leben konnte.

Eva Timells Mund verzog sich zu einer bitteren Grimasse. Sylvia hatte alles und Eva nichts. Trotzdem hatte niemand Oscar besser gekannt als sie. Sie war es gewesen, die fast jede wache Minute in Oscars Leben verplant und die Übersicht über seine Termine und Verpflichtungen behalten hatte.

Jedes einzelne Weihnachtsgeschenk, das Sylvia in den letzten fünfzehn Jahren bekommen hatte, jede luxuriös verpackte Parfümflasche hatte Eva ausgesucht. Sie hatte sogar darüber Buch geführt, damit Sylvia nicht zweimal hintereinander das gleiche Geschenk erhielt.

Und was war der Dank dafür? Ein Leben als Single, ein Dasein als kinderlose Frau in reiferen Jahren.

Damals, als sie Oscars Assistentin wurde, hatten sie ein leidenschaftliches Verhältnis angefangen. Nie hatte sie sich so geliebt und begehrt gefühlt wie zu jener Zeit. Morgens war sie viel zu früh aufgewacht, nur weil sie sich so danach sehnte, endlich ins Büro gehen und Oscar sehen zu können.

Wie oft hatte sie im Bett gelegen und über ihre gemeinsamen Stunden fantasiert. Manchmal hatte sie sich kleine Überraschungen für ihn ausgedacht, etwa eine schöne Postkarte gekauft, einen hintersinnigen Spruch darauf geschrieben und sie in die Tagespost gelegt. Und darauf gewartet, dass er sie entdeckte. Dann kam er zu ihr ins Zimmer mit diesem Lächeln im Gesicht, das er nur bei besonderen Gelegenheiten zeigte.

Wie lange hatte sie gewartet und gehofft, dass Oscar sich scheiden ließe. Im Laufe der Jahre, während die Kinder groß wurden und Oscars Interesse sich in andere Richtungen wandte, war ihr klar geworden, dass eine Scheidung Illusion bleiben würde. Oscar genoss sein bequemes Leben viel zu sehr, um etwas daran zu ändern.

Sylvia war als Gattin und Mutter perfekt für seine Zwecke. Sie kümmerte sich um das Haus und die Kinder und war ein großer Gewinn für einen erfolgreichen Mann mit Ambitionen. Sie kam aus einer angemessen vornehmen Familie und war gut verwurzelt im gesellschaftlichen Humus von Saltsjöbaden. Sylvia kam nicht mit irgendwelchen Einwänden, als Oscar ihr gemeinsames Leben nach seinen Bedürfnissen einrichtete. Stattdessen übernahm sie Verpflichtungen wie Elternsprechstunden und Schulkomitees, richtete Geschäftsessen und Frühlingsfeste aus und verschloss die Augen vor allen Andeutungen, dass Oscar etwas mit anderen Frauen hatte.

Hinterfragte nicht. Klagte selten. Fand sich ab.

Mit der Zeit stellte sich eine Art gegenseitiges Einverständnis zwischen Sylvia und Eva ein. Sie teilten Oscar zwischen sich auf. Sylvia verwaltete seine knappe Zeit mit der Familie und Eva kümmerte sich um alles andere. Beide bewegten sich wie Monde in einer Umlaufbahn um die Sonne. Und diese Sonne war Oscar.

Dass ihr Verhältnis versandete, tat weh, aber an die Stelle der Leidenschaft trat eine andere Art von Nähe. Als Eva seine Liebe nicht bekam, verschaffte sie sich seine Aufmerksamkeit auf andere Art.

Sie machte sich unentbehrlich.

Während er zu einem der prominentesten Anwälte Schwedens aufstieg, wurde sie zur wichtigsten Voraussetzung für seinen Erfolg. Sie überwachte den Zustrom neuer Klienten und machte es sich zur Aufgabe, ihm jeden Schritt, den er tat, zu erleichtern. Wenn sie auf einem Empfang waren, achtete sie darauf, dass er immer ein gefülltes Glas in der Hand hatte. Wenn sein Oberhemd zu knittern begann, zauberte sie ein neues hervor. Wenn er für zwei Termine gleichzeitig gebucht war, richtete sie es so ein, dass alle Seiten zufrieden waren.

Manchmal hatte sie mit dem Gedanken gespielt, einfach wegzugehen, die Abhängigkeit zu durchbrechen und sich eine neue Existenz aufzubauen. Die Jahre um die vierzig waren besonders schwer gewesen. Ihre Chancen auf eine eigene Familie schwanden rapide, und sie erkannte, dass der Preis für die tägliche Dosis Oscar aus langfristiger Einsamkeit bestand. Trotzdem brachte sie es nicht fertig, ihn zu verlassen.

Eva Timell erhob sich mit einem Seufzer, um sich ein Glas Wasser zu holen. Die Migräne pochte. Sie sollte die rosa Tablette doch lieber nehmen, sonst würde der Schmerz ekelhaft werden.

Sie ging zur Teeküche, die sich etwa zehn Meter weiter den Flur hinunter befand. Im Kühlschrank standen Flaschen mit kaltem Mineralwasser. Sie nahm eine heraus und öffnete sie mit einem Kapselheber, der die Form eines Paragrafenzeichens hatte. Mit dem Ramlösa in der Hand ging sie zurück in ihr Zimmer.

Sie setzte sich an den Computer und sah auf den Bildschirm. Es waren eine Menge E-Mails hereingekommen, seit die Nachricht von Oscars Ermordung durch alle Medien gegangen war. Die ersten Tage nach dem Mord hatte sie völlig apathisch zu Hause im Bett gelegen, aber jetzt musste sie sich zusammenreißen und die Eingänge durchsehen.

Ihre eigenen Mails zu lesen, dauerte eine gute Stunde. Viele von denen, die Oscar gekannt hatten, kannten auch sie nach all den Jahren. Sie hatten ihre Nachrichten an Eva geschickt, um Sylvia nicht zu behelligen.

Anschließend nahm sie sich Oscars Mail-Eingangskorb vor. Als sie etwa dreißig Nachrichten gelesen hatte, kam sie zu einer, die sich von den anderen unterschied. Die Adresse bestand aus einer Handvoll Buchstaben und Ziffern, die nichts über die Identität des Absenders verrieten: ACV91@hotmail.com. Kein Betreff. Sie klickte sie an. Der Text erschien auf dem Bildschirm und sie las die wenigen Zeilen.

Oscar,
du hattest versprochen, dass der Betrag spätestens heute auf dem Konto ist. Ich kann jetzt nicht mehr länger warten.
Benny

Eva Timell starrte nachdenklich auf den Text. Das war nicht der Ton, der normalerweise zwischen zwei Anwälten herrschte. Wenn die Mail von einer anderen Kanzlei geschickt worden wäre, hätte es außerdem aus dem Absender hervorgehen müssen.

Die Nachricht konnte natürlich von jemandem sein, der in die Konkurse involviert war, die Oscar verwaltet hatte, aber trotzdem war der Text irgendwie merkwürdig. Der letzte Satz klang unangenehm. Beinahe drohend.

Sie sah auf das Sendedatum der Mail. Letzten Freitag, spätabends. Derselbe Tag, an dem Oscar nach Sandhamn gefahren war. Zwei Tage, bevor er erschossen wurde.

Sie griff nach der Wasserflasche, aber die war leer. Langsam ging sie zur Teeküche, um Nachschub zu holen. Sollte sie die Polizei über die Mail informieren? Konnte das Oscars Andenken auf irgendeine Art beschädigen?

Sie wog die verschiedenen Alternativen gegeneinander ab.

Am klügsten war wohl, die Sache der Polizei zu übergeben. Was, wenn Oscars Mörder die Mail geschickt hatte?

Die weiße Studentenmütze, Symbol für Hoffnung und Freiheit, segelte durch die Luft, und er sang aus voller Kehle, zusammen mit den anderen frischgebackenen Abiturienten der Östra Real.

»Wir haben das Abi geschafft, wir haben das Abi geschafft, wir haben das Abi geschafft, verdammt, was sind wir gut!«

Die Erleichterung darüber, bestanden zu haben, versetzte ihn in Euphorie, und in seinem Körper kribbelte es wie Brause. Mir steht die ganze Welt offen, dachte er.

Er hätte es nie verwunden, wenn er durchgefallen wäre und beschämt dem Hausmeister hätte hinterherdackeln müssen, der die Kandidaten, die in der letzten Prüfung scheiterten, durch die Hintertür hinausließ. Durch die durften sie mit eingezogenem Schwanz hindurchschlüpfen, während Verwandte und Freunde vergebens auf dem Schulhof warteten.

Lieber sterbe ich, hatte er gedacht, während er darauf wartete, dass der Prüfer sein Urteil fällte.

Es hatte eine Ewigkeit gedauert. Stocksteif und mit geballten Fäusten hatte er dagestanden, ohne eine Miene zu verziehen, obwohl er innerlich vor Qual und Ungeduld brannte.

Der Prüfer hatte auf seine Papiere geblickt und sich etwas notiert. Dann hatte er seine Brille abgenommen, sie mit einem kleinen Tuch geputzt und sie wieder aufgesetzt, ehe er den Mund öffnete.

»Ich glaube tatsächlich, der Kandidat hat bestanden«, sagte er schließlich und lächelte.

Jetzt stand er hier, frisch examiniert und akzeptiert, und sah zu, wie seine Eltern sich näherten.

Sein Vater kam in Hut und dunkelblauem Paletot, obwohl es draußen fast zwanzig Grad warm war. Seine Mutter trug ein helles Leinenkostüm, das ihre Schneiderin genäht hatte, und dazu einen kleinen Hut aus demselben Stoff, verziert mit einer lachsroten Seidenrose.

»Mein Junge«, rief seine Mutter aus und fiel ihm um den Hals. »Wie schick du aussiehst. Du warst so tüchtig!«

Ihre Augen glänzten. Als sie ihn auf die Wange küsste, roch er den Sherry in ihrem Atem. Sie hat sich nicht beherrschen können, dachte er. Nicht einmal heute.

»Gratuliere, mein Sohn«, sagte der Vater hölzern. »Hast du es doch noch geschafft. Das freut mich.«

»Danke, Vater«, murmelte er und machte automatisch einen Diener.

»Hier.« Der Vater steckte ihm ein Kuvert zu. »Gönn dir was richtig Gutes, man ist schließlich nur einmal jung«, sagte er und zwinkerte ihm vielsagend zu.

Er wich vor dem plumpen Anbiederungsversuch des Vaters zurück, nahm das Kuvert aber an.

Ein Stück entfernt sah er seinen jüngeren Bruder mit dem Blasrohr Erbsen schießen. Eine Erbse traf eine Dame im lila Seidenkostüm direkt auf den Hintern und sie stieß einen kleinen spitzen Schrei aus, konnte aber nicht entdecken, woher der Schuss gekommen war. Sein Bruder feixte.

Er hielt Ausschau nach Elsa, sie hätte auch mitkommen sollen. Ihr hatte er es zu verdanken, dass er die Schule überhaupt bis zum Ende durchgehalten hatte.

Ohne Elsas bedingungslose Liebe hätte er nicht überlebt.

»Wo ist Elsa?«

Die Mutter sah ihn verständnislos an. »Zu Hause natürlich. Sie bereitet den Empfang vor. Wer sollte denn sonst Essen machen und den Tisch decken?«

Sie brach in ein perlendes Lachen aus, das ein wenig zu laut und zu schrill war.

Ja, wer sonst? Du jedenfalls nicht, du kümmerst dich nur um den Sherry, dachte er ungewohnt böse.

Einer seiner Kameraden kam zu ihm und packte ihn am Arm.

»Komm, ich will dich meinen Eltern vorstellen. Und meiner kleinen Schwester. Sie möchte dich so gern kennenlernen.«

Freitag, erste Woche

Kapitel 26

Auf dem Weg zur Polizeistation beschloss Thomas, sich zu erkundigen, ob die Analyse der Kugel abgeschlossen war. Der Rechtsmediziner hatte sie wie üblich an die Spurensicherung in Stockholm geschickt, die sie ihrerseits ans Staatliche Kriminaltechnische Labor in Linköping weitergeleitet hatten.

Normalerweise hätte die Kugel schon Mittwoch dort eintreffen sollen. Im schlechtesten Fall gestern. Deshalb bestand Hoffnung, dass das SKL inzwischen mit der Untersuchung fertig war. In der Regel dauerte es nicht lange, die Ergebnisse mit den Datenbanken abzugleichen.

Er zog sein Mobiltelefon aus der Jackentasche und tippte mit einer Hand die Nummer in Linköping ein. Schon nach einmaligem Klingeln meldete sich eine Frau, deren Namen Thomas nicht kannte. Er stellte sich kurz vor und erklärte, weshalb er anrief.

»Da haben Sie aber Glück, dass Sie jetzt anrufen«, sagte Gunilla Bäcklund. »Zehn Minuten später, und Sie hätten bis Montag früh warten müssen. Ich war gerade auf dem Sprung zu einer Besprechung. Und freitags ab eins macht jeder seins, nicht wahr?« Sie lachte über ihren eigenen Witz.

Thomas verkniff es sich, darauf hinzuweisen, dass sie mitten in einer Mordermittlung steckten, bei der jede Information von Wert so schnell wie möglich weitergegeben werden musste. Stattdessen fragte er kühl, was sie ihm mitteilen könne. Dann stellte er die Lüftung aus. Sie blies doch nur warme Luft herein. An eine Klimaanlage war nicht zu denken gewesen, als er das Auto kaufte, aber jetzt tat es ihm leid, dass er sich keine geleistet hatte. Das Auto war von der Morgensonne aufgeheizt wie eine Sauna.

»Wir haben eine gründliche Analyse vorgenommen«, antwortete Gunilla Bäcklund, deren Fröhlichkeit durch Thomas' kurz angebundene Frage etwas gedämpft worden war. »Auch hier haben Sie wieder Glück. Wir wissen, dass die Kugel aus einem Gewehr stammt, und zwar nicht aus irgendeinem x-beliebigen.«

»Aha, wieso?« Er nahm das Mobiltelefon in die andere Hand und stützte den Ellbogen auf die Unterkante des offenen Seitenfensters. Draußen war es ebenso heiß wie im Auto und er spürte, wie ihm die ersten Schweißtropfen zwischen den Schulterblättern herunterliefen. Das grelle Licht ließ ihn blinzeln, und er wünschte, er hätte seine Sonnenbrille nicht im Büro vergessen.

»Wir sind uns unserer Sache deshalb so sicher, weil jede Kugel von den Balken und Rillen, also den Erhebungen und Vertiefungen im gezogenen Lauf einer Waffe gekennzeichnet wird«, fuhr Bäcklund munter fort. »Aus Anzahl und Richtung der Riefen auf dem Geschoss lässt sich ersehen, ob der Lauf rechts- oder linksgedrehte Balken hat.«

Sie erinnerte Thomas an manche Dozenten, denen er auf der Polizeihochschule ausgeliefert war. Erbarmungslos enthusiastisch, obwohl die Zuhörer sich fast zu Tode langweilten. Er begriff, dass dieses Gespräch ein enormes Maß an Geduld von seiner Seite erforderte.

»Verstehe«, sagte er.

Gunilla Bäcklund ließ sich nicht drängen.

»Die meisten Gewehre, aber auch andere Handfeuerwaffen haben fünf bis acht Balken von verschiedener Breite. Diese können dazu dienen, eine Waffe zu identifizieren, da sie sich je nach Waffentyp und Fabrikat unterscheiden.«

»Aha«, sagte Thomas.

»Außerdem besitzt das FBI eine umfangreiche Datenbank, in der die Balken- und Rillenprofile fast aller bekannten Schusswaffen gespeichert sind. Sie trägt den Namen General Rifling Characteristics File, aber alle nennen sie nur GRC. Das ist einfacher.«

Sie unterbrach sich, um Luft zu holen, fuhr aber fort, bevor Thomas etwas sagen konnte.

»Das ist ein unschätzbares Hilfsmittel. Alle Polizeikräfte in der EU arbeiten damit. Und mit der Datenbank der deutschen Polizei, natürlich. Die ist auch sehr gut.«

»Aha«, sagte Thomas wieder und konnte seine Ungeduld nicht mehr verbergen. »Was haben Sie denn nun über unsere Kugel herausgefunden?«

Er versuchte, sich zu beherrschen, konnte es aber nicht lassen, ärgerlich das Auto vor ihm anzuhupen, das immer noch nicht losfuhr, obwohl die Ampel längst auf Grün gesprungen war. Der Fahrer zeigte ihm als Antwort den Mittelfinger.

»Wenn eine Kugel die gewöhnlichste Form von Riefen aufweist, lässt sich nahezu unmöglich bestimmen, aus exakt welcher Waffe sie abgefeuert wurde.« Gunilla Bäcklund machte eine Kunstpause, um die Wirkung ihrer Worte zu steigern. »Aber diese Kugel, müssen Sie wissen, stammt aus einer besonderen Waffe.«

»Würden Sie mir freundlicherweise verraten, um welche es sich handelt?«

»Aber gern«, erwiderte Gunilla Bäcklund freundlich. »Diese Kugel stammt nicht aus einer Waffe mit fünf oder sechs rechtsgedrehten Balken, sie stammt aus einer Waffe mit *zwanzig* rechtsgedrehten Balken.«

Offenbar hatte Gunilla Bäcklund erwartet, Thomas damit zu verblüffen. Es blieb eine Weile still, während sie auf seine Reaktion wartete.

»Das ist ja interessant«, sagte er schließlich mit bemühtem Enthusiasmus. »Aber was bedeutet das genau? Können Sie das näher erläutern?«

Bäcklund kicherte vergnügt in den Hörer.

»Das bedeutet, dass wir genau sagen können, welche Waffe benutzt wurde.«

Ein zufriedenes Lächeln erschien auf Thomas' Gesicht. Es hatte sich also gelohnt, ihre umständlichen Ausführungen anzuhören. Das hier war eine gute Nachricht, sogar eine sehr gute Nachricht. Auch wenn es ewig gedauert hatte, bis die Frau am Telefon damit herausrückte.

»Und welche ist das, wenn ich fragen darf?«

»Ein Gewehr der Marke Marlin.«

»Marlin«, echote Thomas. Der Name kam ihm irgendwie bekannt vor, aber er konnte nicht genau sagen, woher.

»Das ist ein ziemlich beliebtes amerikanisches Gewehr«, fuhr Gunilla Bäcklund fort. »Es ist billig und zuverlässig. Sie verwenden eine mikrofeine Rillierung bei ihren .22ern. Für Identifizierungszwecke ist das ganz hervorragend. Ihr solltet eurem Glücksstern danken, dass der Täter keine gewöhnliche Winchester benutzt hat.«

Thomas dachte über die Information nach.

»Kann man auf einem Marlin-Gewehr dieses Kalibers ein Zielfernrohr anbringen?«, fragte er.

»Auf jeden Fall. Das geht sogar ziemlich einfach. Das Marlin-Zielfernrohr ist außerdem besonders geformt, um Schnellfeuer zu erlauben, ungefähr wie ein Expressvisier auf einer englischen Büchse.«

»Was ist mit Schalldämpfern? Geht das?«

»Auch kein Problem.«

Das erklärte, warum niemand den Schuss gehört hatte. Sachsens Vermutung schien zu stimmen.

»Herzlichen Dank, Frau Kollegin«, sagte Thomas und beendete das Gespräch mit der umständlichen Frau Bäcklund.

Er legte sein Handy auf den brütend heißen Beifahrersitz und überlegte, wie viele registrierte Besitzer eines Marlin-Gewehrs es in Schweden wohl gab.

Fünfhundert? Tausend? Es sollte kein Problem sein, das anhand des zentralen Waffenregisters festzustellen.

Eine Aufgabe, die schnellstmöglich erledigt werden musste.

Kapitel 27

Henrik pfiff gut gelaunt vor sich hin, während er die Fischernetze nach dem morgendlichen Fang säuberte. Vier Barsche, ein schöner Steinbutt und fünf Flundern. Nicht schlecht.

Jetzt stand er unten am Wasser, wo die Netze auf den hohen Gestellen entlang des Stegs aufgehängt waren. Er nahm sie herunter und legte sie vorsichtig zusammen, damit sie sich nicht verhedderten. Verhedderte Netze waren das Schlimmste, was es gab, vor allem, wenn man schon draußen auf dem Meer war und es erst beim Auswerfen feststellte.

Er öffnete die Tür des Geräteschuppens, der genau dort stand, wo der Bootssteg an Land stieß. Das falunrote Häuschen war knapp zwei Meter lang und nur anderhalb Meter breit, aber ziemlich hoch und bot genug Platz für Netze und Gerätschaften. Alles war fein säuberlich an schwarzen Eisenhaken aufgehängt.

Zum Winter verstauten sie auch noch alle Gartenmöbel und Fahrräder in dem Schuppen, nach einem System, das darin bestand, den verfügbaren Platz möglichst geschickt auszunutzen.

Nachdem Henrik die Netze an ihre Haken gehängt hatte, schloss er die Schuppentür hinter sich und ging zurück auf den Steg. Vor der Luke, unter der sich der Fischkäfig befand, blieb er stehen. Der Fischkäfig war ein Hohlraum in einem der alten Steinpfeiler, auf denen der Steg ruhte. Dort konnte der gefangene Fisch noch einige Tage aufbewahrt werden, so war er ganz frisch, wenn er auf den Teller kam.

Henrik griff sich die Barsche und setzte drei davon in einen Eimer mit Wasser. Den Vierten legte er auf den provisorischen Ausnehmtisch, den er selbst gezimmert hatte. Die Sonne brannte schon heiß und er spürte, wie ihm der Schweiß über den Rücken lief. Wenn er hier fertig war, würde es herrlich sein, noch einmal kurz unterzutauchen.

Adam und Simon waren voller Eifer dabei, vom Steg ins Wasser zu springen. Sie hatten am Morgen mitkommen dürfen, um die Netze aufzunehmen.

»Arschbombeeee!«, schrie Adam und hopste mit angezogenen Knien wie ein kleiner Ball ins Wasser. Es gab eine Riesenfontäne, und sein Bruder quiekte vor Lachen.

Henrik setzte einen tiefen Schnitt über das Genick des Barsches, sodass der Kopf fast ganz abgetrennt wurde. Dann stach er das Messer in die Analöffnung und öffnete den Bauch mit einem langen Schnitt zwischen den orangefarbenen Flossen hindurch bis zu den Kiemen. Mit sicherer Hand führte er das Messer flach zu beiden Seiten des Rückgrats entlang, bis die Filets freilagen. Er entfernte die spitzen Brustgräten, löste zum Schluss das Fleisch von der Hautseite und zog die kleinen aufragenden Gräten in der Mitte der Filets heraus. Diese Prozedur nannten die Schärenbewohner »dem Barsch die Hosen ausziehen«.

»Na bitte«, sagte er zufrieden und betrachtete das Ergebnis seiner Arbeit. »So ein feines Essen haben sie nicht mal im Königsschloss.«

Er pfiff einen ABBA-Song vor sich hin, während er sich bückte und den nächsten Barsch aus dem Wasser nahm. Die Fischabfälle legte er beiseite. Daran konnten sich später die Möwen gütlich tun. Das war immer ein ordentliches Spektakel, und die Jungs liebten es, dabei zuzusehen.

Während er den zweiten Fisch filetierte, gab er in Gedanken das Geld aus, das ihnen der Verkauf der Brand'schen Villa einbringen würde. Henrik lachte in sich hinein. Es war einfach fantastisch, wie ein Lottogewinn oder noch besser.

Sein Gehalt war nicht schlecht. Als Radiologe in einem der größten Krankenhäuser Schwedens verdiente er bedeutend mehr als der Durchschnitt der Bevölkerung. Mehr, als viele Familien insgesamt im Monat hatten. Aber mit denen verglich er sich auch nicht.

Stattdessen schielte er auf seine Jugendfreunde, die zur Handelshochschule gegangen und später Börsenmakler geworden waren oder in Kapitalgesellschaften arbeiteten, in denen es Bonuszahlungen in Millionenhöhe auf die Angestellten herabregnete. Das wurde jedes Mal in aller Deutlichkeit klar, wenn er sich mit ihnen auf ein Bier zusammensetzte oder sie bei Segelveranstaltungen wiedertraf. Viele waren ebenso begeisterte Segler wie er selbst, und es wurde viel über Luxusautos und schnelle Boote gesprochen und darüber geklatscht, wer sich ein schickes Loft gekauft oder einen ordentlichen Gewinn bei einem Aktiengeschäft eingestrichen hatte.

Die öffentliche Gesundheitsfürsorge, bei der er angestellt war, wusste noch nicht mal, wie man das Wort »Bonus« schrieb. Eins stand fest: Wenn er ebenso gut verdienen wollte wie seine Freunde, musste er den Beruf wechseln.

Aber er hatte sich seinen Beruf ja auch nicht nach den Verdienstmöglichkeiten ausgesucht. Irgendwann während seiner Zeit auf dem Gymnasium hatte er begonnen, davon zu träumen, einmal Arzt zu werden. Er wusste gar nicht genau, warum. Keiner in seiner Familie hatte jemals die medizinische Laufbahn eingeschlagen. Er war das einzige Kind, es gab keine Geschwister, die ihn dazu hätten inspirieren können. Sein Vater hatte immer für das Außenministerium gearbeitet und schließlich sein Berufsleben als Botschafter beendet. Seine Mutter hatte die Karriere ihres Mannes nach Kräften unterstützt und alle eigenen Ambitionen begraben.

Am Anfang seiner Ausbildung hatte Henrik sich als Chirurg gesehen. Das Bild des tüchtigen Orthopäden, der kaputte Rücken und gebrochene Beine reparierte, hatte ihm gefallen. Aber nach der Ausbildung hatte er ein Praktikum in einer Röntgenabteilung gemacht, während er auf einen Platz als AiP wartete. Dort war seine Neugier geweckt worden. Irgendetwas an der Funktion des Radiologen hatte ihn gefesselt.

Vielleicht war es die Möglichkeit, das zu verstehen und zu interpretieren, was für andere Menschen nur ein diffuses Muster aus Licht und Schatten war. Die Lösung des Rätsels in einem Bild zu finden, von dem andere Betrachter nichts verstanden, und Diagnosen zu stellen, die den Unterschied zwischen Leben und Tod beinhalteten.

Wenn er bei der Morgenbesprechung den konzentriert zuhörenden Chirurgen seine Röntgenbilder auf der Großleinwand zeigte, waren es seine Worte, die zählten. Er genoss die Aufmerksamkeit, wenn er die Operateure anleitete und mit exakten medizinischen Ausdrücken erklärte, wonach sie während der Operation suchen sollten.

Insgeheim war er stolz darauf, ein gefragter und beliebter Spezialist zu sein. Nicht zuletzt bei den Krankenschwestern, bei denen er den unerschütterlichen Ruf genoss, ein angenehmer Arzt zu sein. Es kam oft vor, dass die Schwestern sich bei ihm im Büro versammelten, wenn er Kaffeepause machte, und er unternahm nichts, um das zu unterbinden.

Aber seine Berufswahl würde nie zu Reichtum führen. Und auch wenn er nicht oft über sein Gehalt nachdachte, hatte er doch im Laufe der Zeit gemerkt, was finanzielle Unabhängigkeit bedeutete. Wie wichtig es für ihn war, sein Leben auf eine bestimmte Art einzurichten. Eine Art, die in hohem Maß daran erinnerte, wie er selbst aufgewachsen war.

Als Nora mit Adam schwanger wurde, hatten sie beschlossen, die Zweizimmerwohnung aufzugeben und an den Stadtrand zu ziehen. Nora hatte sehnsüchtige Blicke auf ein gelbes Holzhaus in Enskede geworfen, nicht weit entfernt von ihren Eltern, die im Stockholmer Vorort Älvsjö wohnten. Aber Henrik, der ein passionierter Wettkampfsegler war und ein Segelboot auf dem Saltsjön besaß, hatte darauf bestanden, dass sie sich im vornehmen Saltsjöbaden niederließen. Dort hatte er seine Kindheit verbracht, wenn der Vater nicht im Ausland stationiert war, und dort wohnten bis heute viele seiner alten Freunde. In Saltsjöbadens üppigem Grün zwischen den schönen alten Häusern fühlte er sich zu Hause.

Das war allerdings die wesentlich teurere Alternative, und ihr Geld hatte kaum für ein kleines Reihenhaus in der Umgebung gereicht. Bei Weitem nicht das Anwesen, das Henrik vor Augen gehabt hatte, als sie aus der Innenstadt wegzogen.

Das würde sich jetzt ändern.

Mit dem Erlös aus Signes Haus würden sie sich eine der schönen alten Villen leisten können, und es würde immer noch Geld übrig bleiben. Vor seinem geistigen Auge tauchte das Bild eines neuen Autos auf, aber er schob es belustigt zur Seite. Eins nach dem anderen.

Wenn Nora jetzt nur nicht anfing zu bocken. Manchmal verstand er einfach nicht, was in ihrem Kopf vorging. So wie letzten Sommer, als sie die hirnrissige Idee hatte, nach Malmö zu gehen. Es wäre Wahnsinn gewesen, das Leben der Familie umzukrempeln. Ihre und seine Eltern wohnten in Stockholm, und sie selbst hatten dort ihren ganzen Bekanntenkreis. Henrik war nicht im Mindesten interessiert, seinen Arbeitsplatz zu wechseln. Aber es hatte zu erbitterten Streitigkeiten zwischen ihnen geführt.

Nora hatte um Signe getrauert, als wäre ihre eigene Großmutter gestorben. Bei der Beerdigung war sie völlig verzweifelt gewesen, als Signe auf dem kleinen Friedhof bei Fläskberget beigesetzt wurde, wo die meisten der Einwohner von Sandhamn ihre letzte Ruhe fanden.

Henrik begriff nicht, wieso Nora nicht einfach alles hinter sich lassen und nach vorn schauen konnte. Stattdessen hatten die dramatischen Ereignisse vom letzten Jahr sie den ganzen Winter hindurch gequält. Sie war stiller geworden, in sich gekehrter, und hatte fast ihre gesamte freie Zeit mit den Kindern verbracht. Sie hatten seit einer Ewigkeit keine Gäste mehr gehabt, und jedes Mal, wenn er vorschlug, doch ein paar Freunde einzuladen, kam Nora mit neuen Einwänden. Sie waren seit Monaten fast nicht mehr unter Leuten gewesen.

Jetzt sah Henrik Licht am Ende des Tunnels. Wenn das Testament der verrückten Alten zu mehr Wohlstand in der Familie führte, dann hatte das alles immerhin noch etwas Gutes.

In einem neuen Haus würden die Jungs jeder ein eigenes Zimmer bekommen. Sie würden einen schönen großen Garten haben, nicht so ein briefmarkengroßes Stück Wiese wie jetzt. Sie hätten ein Esszimmer, sodass es ihren Gästen künftig erspart bliebe, in der Küche zwischen all dem schmutzigen Geschirr zu sitzen.

Aber es war nicht leicht, Noras derzeitigen Gedankengängen zu folgen. Erst schien sie aufrichtig froh darüber zu sein, dass er die Initiative übernommen und Svante Severin kontaktiert hatte. Dann hatte sie eine Wendung um hundertachtzig Grad gemacht und war fast unverschämt gewesen, als Severin auf die Insel kam.

Henrik hatte den Makler hinterher angerufen, um sicherzugehen, dass er Noras Verhalten nicht übel genommen hatte. Aber Severin war am Telefon noch genauso begeistert gewesen wie bei seinem Besuch auf Sandhamn. Er hatte versichert, dass er bereit sei, sich mit ganzer Kraft auf das Projekt zu konzentrieren. Außerdem hatte die Familie aus der Schweiz sich inzwischen mehrmals gemeldet. Sie waren immer noch genauso interessiert, und sie befanden sich bereits im Stockholmer Schärengarten, da sie für den Sommer ein Haus auf Ljusterö gemietet hatten.

Er hatte sogar seine Mutter angerufen und ihr von seinen Plänen erzählt. Sie verstand genau, wie wichtig es ihm war, aus dem Reihenhaus auszuziehen. Henrik wusste, dass Nora ihre Schwiegermutter manchmal anstrengend fand, aber sie war immerhin eine große Stütze für ihn und die Familie. Und Monica hatte sich wirklich bemüht, Nora mit offenen Armen aufzunehmen und ihr das Gefühl zu geben, gemocht und willkommen zu sein. Es kam wohl in den meisten Familien vor, dass die Mutter und die Ehefrau des Sohnes nicht immer ein Herz und eine Seele waren.

Er zuckte mit den Schultern über seine Grübeleien, während er noch einen dritten Barsch in leckeres Filet verwandelte. Heute Abend würde er den Fisch in Butter braten und dazu neue Kartoffeln und eine kalte Senfsoße mit einer Prise Zucker servieren.

Wieder pfiff er zufrieden vor sich hin, während er darüber nachdachte, in welchem Teil von Saltsjöbaden er sich am liebsten niederlassen wollte. Solsidan vielleicht, oder warum nicht drüben bei Hotellviken, dicht am Wasser.

Kapitel 28

Thomas leitete die Besprechung mit einem kurzen Bericht über das Telefonat mit Gunilla Bäcklund ein.

»Es gibt über tausend Waffenscheine für Marlin-Gewehre in Schweden«, sagte Kalle, der sich vor der Sitzung noch schnell erkundigt hatte. »Sobald wir einen Verdächtigen haben, können wir die betreffende Person mit dem Waffenregister abgleichen.«

»Ausgezeichnet«, sagte der Alte. »Wann kannst du uns eine Liste über die Waffenscheinbesitzer geben, damit wir nach bekannten Namen suchen können?«

»Sobald wir hier fertig sind«, sagte Kalle.

»Wie sieht's mit Geliebten oder Mitgliedern des KSSS aus?«, fragte Thomas. »Wir hatten ja über betrogene Ehemänner gesprochen.«

Kalle nickte.

»Wir haben alle Namen auf Eva Timells Liste überprüft, ebenso alle, die im Vorstand oder in Komitees des KSSS sitzen. Knapp ein Drittel jagt. Wir haben Waffenscheine für alles Mögliche gefunden, sowohl für Waffen der Klasse 1 als auch der Klasse 2. Blaser 30.06, Winchester 22 WMR, eine richtig bunte Mischung.«

»Was heißt das genau?«

»Die Blaser wird für Schalenwild verwendet, Elche und Rehe. Mit der Winchester schießt man Niederwild, beispielsweise Fuchs und Dachs.«

»Ich meinte eher, was du für Schlüsse daraus ziehst.«

»Es gibt mindestens dreißig Personen innerhalb des KSSS, die Zugang zu Gewehren mit Kleinkalibermunition haben.«

»Jemand dabei, der ein Marlin-Gewehr besitzt?«

»Wir sind noch nicht dazu gekommen, das zu prüfen. Das machen wir gleich nach der Besprechung.«

»Und die Geliebten?«

»Ohne Ergebnis.«

Margit hielt eine ausgedruckte Mail hoch.

»Für Juliander ist eine merkwürdige Nachricht angekommen.

Seine Sekretärin hat uns das geschickt«, sagte sie und gab das Blatt herum. »Möglicherweise versuchte Erpressung. Der Absender ist natürlich nicht identifizierbar.«

»Carina«, der Alte sah seine Tochter an, die am anderen Ende des Tisches saß, »das kannst du wohl übernehmen. Guck mal, wie weit du kommst. Die Computerfreaks von Kronoberg können wir später immer noch holen, falls nötig.«

Mit den Computerfreaks von Kronoberg meinte er die Spezialeinheit der Reichskriminalpolizei, die hinzugezogen wurde, wenn man einen PC durchsuchen oder den Inhalt einer Festplatte rekonstruieren musste. Das waren in der Regel absurd junge Typen mit ungepflegten langen Haaren und blasser Haut, denen die Leidenschaft für das Computerspiel Warlord auf der Stirn geschrieben stand. Aber wenn sie sich ein paar Tage mit einem zerstörten oder passwortgeschützten Rechner einschließen durften, konnten sie Wunder bewirken.

Und auch Carina war nicht schlecht darin, Informationen mithilfe eines PCs und einer Internetverbindung auszugraben.

»Okay«, sagte sie und versuchte vergeblich, Thomas' Blick auf sich zu ziehen.

Am Abend zuvor hatte sie ihm mehrere SMS geschickt und angefragt, ob er schon eine Idee fürs Wochenende hätte, aber von ihm war keine Rückmeldung gekommen.

Er war sicher zu sehr mit der Ermittlung beschäftigt, um zu antworten, dachte sie. Die Situation war angespannt, die ersten Tage in einem Ermittlungsfall waren immer die wichtigsten. Denn mit jedem Tag, der verging, wurden die Chancen geringer, den Täter zu finden. Thomas war bestimmt voll auf die Arbeit konzentriert. So konzentriert, dass alles Private dahinter zurückstehen musste.

»Was machen wir mit dem Rauschgift?«, fragte der Alte. »Wie gehen wir da weiter vor?«

»Ich habe inzwischen mehr über Julianders Drogenkonsum erfahren«, sagte Thomas und fasste die Informationen von Diana Söder zusammen. »Offenbar hat er im letzten Jahr regelmäßig gekokst.«

»Meint ihr, dass ein Dealer dahinterstecken könnte?«, fragte Kalle. »Jemand, dem er Geld schuldete?«

Thomas machte ein skeptisches Gesicht.

»Kokain gibt es zwar nicht umsonst, aber es ist auch nicht außergewöhnlich teuer. Die Finanzen eines reichen Anwalts dürfte das kaum angekratzt haben.«

»Klingt es besonders glaubhaft, dass ein Drogendealer sich ein Gewehr besorgt, aufs Meer rausfährt und einen raffinierten Mord begeht?« Margit war ebenfalls skeptisch.

»Eher nicht.«

»Erik, geh dieser Spur trotzdem nach«, sagte der Alte. »Hör dich mal um und halte die Augen offen, vielleicht findest du ja was.«

»Apropos«, sagte Thomas, »was ist mit den Filmaufnahmen, die der Fernsehsender gemacht hat? Die hätten längst hier sein müssen.«

Kalle schüttelte den Kopf.

»Ich habe sie schon zwei Mal erinnert. Aber ich rufe gleich noch mal an, wenn wir hier fertig sind.«

»Wie sieht's mit Hinweisen aus der Bevölkerung aus?«, fragte der Alte. »Ist was Verwertbares reingekommen?«

Erik zuckte mit den Schultern.

»Das Übliche. Die Leute kommen mit allem Möglichen an, von Verschwörungstheorien bis zu Selbstmordvermutungen. Es gab ziemliche viele Hinweise, dass er fremdgegangen ist. Aber das wussten wir ja schon. Wir gehen allem nach, außer den Sachen, die pure Fantasie sind.«

Der Alte nickte und erhob sich.

»An die Arbeit.«

Kapitel 29

Die Autoschlangen auf dem Värmdöleden waren endlos, wie freitags üblich. Die Wochenendbesucher wollten raus auf die Inseln, und obwohl der Juli schon ein paar Tage alt war, hatte sich die Sommerruhe noch nicht über den viel befahrenen Zubringer gelegt. Der Stau hatte schon auf der Autobahn begonnen, und jetzt krochen die Autos auf Mölnviks Handelsplatz zu. Hoffentlich würde er sich dort auflösen.

Martin Nyrén warf einen Blick auf seine Armbanduhr. Es war kurz nach vier, aber er hatte es nicht eilig. Er musste keinen Termin einhalten. Sein Segelboot, eine Omega 36, lag in der Marina von Bullandö und wartete auf ihn. Von dort aus wollte er seine Wochenendtour starten.

Er hatte nichts dagegen, allein zu segeln. Im Gegenteil, er freute sich auf den Moment, wenn sich die Ruhe einstellte. Keine Stimmen, die die Stille durchbrachen, niemand, der etwas von ihm wollte. Außerdem war das Boot für einen Einhandsegler ausgestattet. Es wäre natürlich wunderbar gewesen, wenn Indi mitgekommen wäre, aber damit war jetzt nicht zu rechnen.

Der Juli gehörte der Familie, so war das nun mal.

Er drehte die Klimaanlage etwas höher, denn es wurde überraschend warm unter der brennenden Sonne. Diese Woche herrschte das reinste Aprilwetter. In einem Moment Sonne, im anderen strömender Regen. Er hätte nichts gegen ein stabiles Hoch einzuwenden gehabt.

Martin Nyrén sank im Sitz zurück.

Seit ein paar Tagen hatte er das unangenehme Gefühl, heimlich beobachtet zu werden. Als ihn die Ahnung das erste Mal beschlich, war er gerade auf dem Rückweg von der Mittagspause ins Büro gewesen. Er hatte einen Blick gespürt, aber als er sich umsah, konnte er im Menschengewimmel nichts Verdächtiges erkennen.

Das Erlebnis hatte sich wiederholt, als er am Morgen zur Arbeit gegangen war. Ein plötzliches Gefühl, als würde ihm jemand folgen, eine Bewegung hinter seinem Rücken, die nicht hätte da sein dürfen. Aber wenn er sich umdrehte, war niemand in der Nähe, den er kannte.

Er war sogar vor einem Schaufenster stehen geblieben, um zu sehen, ob sich jemand in der Scheibe spiegelte. Natürlich war das nicht der Fall, und er kam sich wie ein Idiot vor, dass er es überhaupt versucht hatte.

Warum sollte ihn wohl jemand verfolgen?

Wahrscheinlich hatte er sich das alles nur eingebildet. Der Mord an Oscar ließ ihn am helllichten Tag Gespenster sehen.

Mit entschlossener Miene schaltete er das Radio ein, suchte den Sender P1 und verdrängte die Gedanken an einen eventuellen Verfolger. Heute war Freitag, und eine herrliche Segeltour lag vor ihm. Es gab keinen Grund, sich Sorgen zu machen.

Aber ein leichtes Gefühl des Unbehagens blieb doch, als er wieder anfuhr.

Kapitel 30

»Was hast du, Mama? Bist du traurig? Du siehst aus, als ob du weinst.« Fabian blickte sie bekümmert an und versuchte, ihr mit seiner weichen Hand die Wange zu streicheln.

Im Arm hielt er seinen Teddy, eine Kopie des bekannten Bären Winnie the Pooh. Er nannte ihn den weichen Winnie, weil sein Fell so weich und flauschig war.

Diana Söder zuckte zusammen.

Sie hatte nicht gehört, wie ihr Sohn ins Schlafzimmer kam. Sie war so tief in Gedanken versunken, dass sie ganz vergessen hatte, ihn ins Bett zu bringen. Er sollte längst schlafen. Schuldbewusst blickte sie vom Computerbildschirm auf und drehte sich um.

»Alles in Ordnung, Liebling«, sagte sie und versuchte die Tränen abzuwischen, so gut es ging. »Mama hat nur etwas im Auge.«

Sie lächelte bemüht fröhlich und hob Fabian auf ihren Schoß. Der Duft des frisch gebadeten Jungen tröstete sie, und sie suchte Kraft in der Wärme, die der kleine Körper verströmte. Sein hellblauer Schlafanzug mit den Elefanten wurde langsam zu klein, die Hosenbeine endeten ein gutes Stück über den Fußknöcheln. Sie durfte nicht vergessen, ihm einen neuen zu kaufen.

Manchmal wünschte sie sich, dass er nie groß würde.

Ihr Sohn sah sie forschend an. Dann schaute er auf den Bildschirm.

»Hast du eine böse Mail bekommen? Meine Lehrerin sagt, wenn man eine bekommt, soll man ihr sofort Bescheid sagen.« Seine helle Jungenstimme klang vertrauensvoll.

Diana Söder lächelte unter Tränen. Er wusste ja gar nicht, wie recht er hatte.

Hastig schaltete sie den Computer aus, damit er nichts Genaueres mitbekam. Er war zwar erst acht, konnte aber schon gut lesen.

Sie wollte nicht, dass er die schrecklichen Worte las, die sie beschuldigten, Oscar Juliander umgebracht zu haben.

Oder dass jemand seine Mama eine Hure nannte.

Samstag, erste Woche

Kapitel 31

»Haben alle die heutigen Schlagzeilen gelesen?«, fragte der Alte und warf die Abendzeitung auf den Konferenztisch im Besprechungszimmer.

Es wurde mucksmäuschenstill.

»Wie zum Teufel hat die Presse rausgekriegt, dass Diana Söder ein Verhältnis mit Juliander hatte?«

Diana Söder blickte sie von ihrem Passfoto an, das einen Großteil der Titelseite einnahm. Mord aus Eifersucht!, trompetete die Schlagzeile. Auf den Seiten sechs und sieben folgte ein ausführlicher Bericht über Oscar Julianders Frauenverschleiß.

Hier versteckt sich Julianders Geliebte! Unter den fetten Lettern war ein unscharfes Foto abgedruckt, auf dem Diana in einer Einfahrt stand und sich die Hände vors Gesicht hielt. Als wollte sie sich schützen.

»Ich brauche wohl kaum zu betonen, dass das hier vollkommen inakzeptabel ist.«

Aber du kannst nichts dagegen tun, dachte Thomas mit einem Hauch von Resignation. Einer Zeitung kann jeder alles sagen. Und du darfst noch nicht einmal nachforschen, wer es war. Dann verstößt du gegen das Gesetz.

Thomas sah die unglückliche Frau vor sich, wie sie unablässig ihren Geburtstagsring am Finger drehte.

»Wenn ich herauskriege, dass es einer aus dieser Runde war, der nicht dichtgehalten hat, dann …« Der Alte beendete den Satz nicht.

»Unsinn.« Margits Stimme war scharf. »Es gibt Dutzende von Leuten in dieser Bruchbude, die wissen, dass wir bei Diana Söder waren.«

Der Alte funkelte sie an.

»Wir hatten die ganze Woche über Verstärkungskräfte hier, die Hinweise entgegengenommen und das Waffenregister durchgearbeitet haben. Irgendjemand kann am Kaffeeautomaten irgendwas aufgeschnappt haben.«

»Dafür machen uns der Polizeichef und der Pressesprecher die Hölle heiß.«

»Es nützt ja nichts. Wir können nichts tun.«

Die Gesichtsfarbe des Alten normalisierte sich ein wenig. Er streckte die Hand nach der Schüssel mit Gebäck aus, das Carina mitgebracht hatte. Sein kräftiger Biss in einen Kardamomkringel spiegelte seine Wut wider. Aber er ließ das Thema fallen.

»Lasst uns anfangen«, sagte Margit und übernahm das Kommando. »Wir wollen schließlich nicht das ganze Wochenende hier sitzen. Wie weit sind wir? Thomas?«

Thomas fasste sich kurz.

»Wir haben mit allen Damen gesprochen, mit denen Juliander etwas hatte. Die meisten sagen nur Gutes über ihn, obwohl er sie verlassen hat.«

»Er wird schon gewusst haben, wie man Frauen um den Finger wickelt«, sagte Margit säuerlich.

»Was ist mit ihren Alibis?«, wollte der Alte wissen.

»Alle konnten zufriedenstellend erklären, wo sie sich im Moment des Schusses befunden haben. Einige waren an dem Tag im Ausland oder zumindest nicht in Stockholm«, berichtete Thomas.

»Einen Mord aus Eifersucht können wir also ausschließen?«

»Zumindest die Personen, mit denen wir gesprochen haben, können ein Alibi vorweisen.«

Thomas wandte sich an Kalle.

»Wie sieht es an der Waffenfront aus?«

»Hier ist eine Aufstellung von allen, die einen Waffenschein für ein Marlin-Gewehr haben.« Kalle schob Thomas den Computerausdruck über den Tisch zu.

»Sind Namen dabei, die wir kennen?«

Kalle nickte. »Einer.«

»Eine Geliebte?«

»Einer der Ehemänner.«

»Dann werden wir einen Hausbesuch machen.«

Thomas blickte zu Margit, die nicht erfreut aussah, dass der Rest des Tages dafür draufgehen würde. Polizistenschicksal, sicher, aber an einem Samstag besonders hart.

»Das ist die Adresse«, sagte Kalle und schob ihnen einen Zettel zu.

Thomas überflog ihn rasch. Saltsjö-Duvnäs, ein Vorort nicht weit von Saltsjöbaden, wo Familie Juliander wohnte. Margit hatte die Frau Anfang der Woche befragt.

»Was meinst du, wie sind die Chancen, sie an einem Samstagnachmittag im Juli zu Hause anzutreffen?«, sagte Margit.

Thomas warf einen Blick auf die Uhr. Halb zwei.

»Lass nur«, sagte er. »Ich kann gleich anschließend hinfahren. Ich übernehme das.«

Im selben Moment, als er das sagte, wurde ihm klar, dass er damit eine passende Entschuldigung hatte, um sich später nicht mit Carina treffen zu müssen.

Der Alte blickte zu Erik, der in einem Stapel Papier blätterte. Zuckerkörnchen vom Kardamomkringel waren auf die Dokumente gerieselt. Er versuchte erfolglos, sie wegzuwischen.

»Was hast du Neues zu bieten, Erik?«

»Wir sind die Liste der Insolvenzen durchgegangen, mit denen Juliander zu tun hatte. Aber wir haben nur einen Fall gefunden, in dem der Geschäftsführer mit einem Gewerbeverbot belegt wurde. Juliander hatte seinen Verdacht der Steuerhinterziehung an die Aufsichtsbehörden gemeldet.«

»Hast du mit dem Mann gesprochen?«

»Ja, er ist ungefähr zur selben Zeit in Rente gegangen. Er schien es nicht sehr zu bedauern.«

Erik kramte in seinen Unterlagen, und der Streuzucker verbreitete sich über den ganzen Tisch.

Thomas überlegte, ob Erik die richtige Kompetenz besaß, um eine Reihe von Insolvenzverfahren zu untersuchen. Aber im Moment war kein anderer verfügbar. Das Wirtschaftsdezernat hatte immer noch zu wenig Personal.

Der Alte blickte in die Runde. Die Kuchen waren lange aufgegessen.

»War's das? Dann gehen wir jetzt ins Wochenende. Wir sehen uns Montag.«

Die Frau, die die Tür des Hauses in Saltsö-Duvnäs öffnete, wurde blass, als Thomas ihr seinen Dienstausweis zeigte. Das Haus lag oben auf einem Berg, und Thomas konnte unten das Meer glitzern sehen.

»Es geht um den Mord an Oscar Juliander«, sagte er. »Ich würde Ihnen gern ein paar Fragen dazu stellen.«

Die Frau sah aus, als würde sie gleich in Tränen ausbrechen.

»Ich habe der Polizei doch schon alles gesagt. Am Mittwoch. Jetzt ist mein Mann zu Hause. Müssen Sie …« Ihre Stimme erstarb.

»Ich muss auch mit ihm reden.«

»Wer ist es denn?«, ertönte eine Stimme aus dem Haus. Ein kräftiger Mann in den Fünfzigern erschien, nur mit einer Badehose bekleidet. Hinter den gläsernen Terrassentüren im Wohnzimmer erkannte Thomas einen türkisblauen Pool.

»Darf ich reinkommen?«, fragte Thomas. »Ich hätte einige Fragen zu Ihrem Waffenschein.«

Sonntag, erste Woche

Kapitel 32

Wem nützte es, dass Oscar Juliander tot war?

Die Frage war die ganze Nacht durch Thomas' Träume gegeistert, und er wachte schweißüberströmt auf. Der Schlafboden in seinem Häuschen auf Harö wurde brütend heiß, sobald die Sonne morgens aufs Dach schien. Also ab acht Uhr Sommerzeit.

Er schlug die feuchte Bettdecke zurück und zog eine Badehose an. Dann kletterte er die Leiter hinunter in den großen offenen Raum, der Küche, Essplatz und Sitzgruppe beherbergte.

Das Haus war ursprünglich eine alte Scheune gewesen, aber Thomas und Pernilla hatten es in ein modernes, winterfestes Ferienhaus verwandelt. Es hatte jahrelang ihr ganzes Geld und jede freie Minute verschlungen. Sie hatten gestrichen und gezimmert und das meiste selbst gemacht, bis auf die Dinge, die einen Fachmann erforderten, wie die Nassräume und die Elektroinstallationen. Sogar die Fliesen in der Küche hatte Thomas, wenn auch mit einiger Mühe, selbst verlegt.

Inzwischen verbrachte er so viel Zeit wie möglich auf der Insel. Vor allem, seit Pernilla sich eine Wohnung in der Stadt genommen hatte. Seine gemietete Zweizimmerwohnung in Gustavsberg war nicht besonders gemütlich, und er hatte nicht genug Energie gehabt, um sie sich schön zurechtzumachen. Er war sowieso nicht oft dort. Außerdem hatte Carina im letzten Jahr viel von seiner Freizeit in Anspruch genommen, und meistens trafen sie sich bei ihr. Thomas hatte vermieden, sie nach Harö mitzunehmen, in das Haus, in dem Pernilla und er so glücklich gewesen waren, bis Emily starb.

Er nahm ein Handtuch aus der Dusche und öffnete die Haustür. Es waren nur wenige Meter bis zum Meer, ein schmaler Pfad führte hinunter zum Bootssteg. Thomas ging hinaus auf den Steg und sprang ins Wasser. Der Schock, als der Körper das kalte Nass durchstieß, wich fast augenblicklich einem Gefühl der Erfrischung. In Momenten wie diesen konnte er verstehen, warum die Finnen so versessen darauf waren, nach dem Saunagang in einem Eisloch unterzutauchen. Das

Blut strömte schneller durch die Adern und das Hirn wurde klar. Genau was er jetzt brauchte.

Prustend kam er an die Oberfläche und kletterte auf den Steg. Er griff zur Salzwasserseife, rieb sich ordentlich ein und sprang noch mal ins Wasser.

Morgentauchgang. Nichts ging über einen frühen Tauchgang im Schärengarten.

Zwischen den Zehen war etwas Seegras hängen geblieben, und er streifte es am Geländer des Stegs ab. Dann rubbelte er sich mit dem Handtuch trocken und ging zurück ins Haus.

Nachdem er sich angezogen hatte, beschloss er, nach Sandhamn hinüberzufahren und frisches Brot zu kaufen. In der Bäckerei, die für ihre unwiderstehlichen Seglerwecken berühmt war. Vielleicht konnte er auch noch einen Abstecher zu Nora machen und seinen Patensohn besuchen.

Plötzlich piepste sein Handy. Es war eine SMS von Margit, die wissen wollte, was er gestern erreicht hatte.

Der Mann in Saltsjö-Duvnäs hatte verwundert, aber ohne zu zögern über seine Waffen Auskunft gegeben: zwei Gewehre, eins davon ein Marlin. Es war allerdings defekt und derzeit zur Reparatur bei einem Waffenhändler. Er hatte den Einlieferungsbeleg vorgezeigt, damit Thomas sich selbst davon überzeugen konnte. Dann hatte er Thomas in den Keller geführt, wo er seine Waffen in einem verschlossenen Waffenschrank aufbewahrte, so wie es das Gesetz vorschrieb.

Am vergangenen Wochenende, als Juliander erschossen wurde, war er mit seiner Frau in Varberg gewesen, wo sie seine Schwester und deren Mann besucht hatten. Thomas hatte die Telefonnummer bekommen, damit er die Angaben nachprüfen konnte. Dieselben Angaben, die Margit zuvor von seiner Frau erhalten hatte.

Erst als der Mann wissen wollte, warum Thomas all die Fragen stellte, wurde es etwas anstrengend.

»Das fragen Sie besser Ihre Frau«, antwortete er so neutral er konnte. »Sie war vor einigen Jahren mit Oscar Juliander bekannt.«

Bevor der Mann weitere Fragen stellen konnte, verließ Thomas das Haus. Er war froh, dass er sich die Diskussion nicht mehr anhören musste, die jetzt mit Sicherheit folgte.

Inzwischen war es so spät gewesen, dass er eine gute Ausrede hatte, um Carina nicht mehr zu treffen.

Carina.

Er musste irgendwas an der Situation ändern, aber nicht gerade jetzt.

Thomas schickte eine Antwort-SMS an Margit und anschließend eine an Carina, in der er vorschlug, abends ins Kino zu gehen. Ein halbherziger Versuch, ihr eine Freude zu machen. Dann schob er die Gedanken an seine Freundin beiseite.

Als er sich mit einer Tasse Kaffee vor dem Küchenfenster in der Sonne niedergelassen hatte, kam die Frage zurück, die ihm schon die ganze Nacht im Kopf herumgegeistert war.

Wem nützte es, dass Oscar Juliander tot war?

Vielleicht lag die Erklärung doch in etwas begründet, das mit seinem Beruf als Rechtsanwalt zu tun hatte. Vielleicht war er über etwas gestolpert, das in einem Insolvenzverfahren besser nicht ans Licht kommen sollte. Thomas beschloss, mit Nora darüber zu reden, wenn er sowieso nach Sandhamn rüberfuhr. Sie war ja Justiziarin bei einer Bank, sie sollte sich mit solchen Sachen auskennen.

»Frag Julianders Sekretärin«, sagte Nora. Sie biss ein großes Stück von der Schnecke ab, die Thomas aus der Bäckerei mitgebracht hatte.

Sie saßen am Steg und genossen das herrliche Wetter. Wenn man Richtung Festland blickte, konnte man sehen, dass sich ein weiteres Tief näherte. Hellgraue Wolken hatten sich zusammengezogen und türmten sich über den Bäumen am Eknösund. Das Meer dort drüben war schon dunkler geworden, aber bei Nora und Thomas draußen schien noch die Sonne.

Die Jungs hatten ihre Plunderstücke in Rekordtempo verschlungen und waren wieder dabei, vom Steg ins Wasser zu springen – ihre Lieblingsbeschäftigung an einem Tag wie diesem. Henrik war am Vormittag nach Stockholm gefahren. Er hatte Bereitschaftsdienst, und es war irgendwas vorgefallen.

Thomas sah die blasse, unglückliche Eva Timell vor sich, die ihnen bei der Ermittlung schon eine große Hilfe gewesen war. Er knüllte das klebrige Kuchenpapier zu einer kleinen Kugel zusammen und legte sie aufs Tablett.

»Willst du nicht als Polizeianwärterin bei uns anfangen?«, sagte er lachend. »Ich finde, du hast gute Anlagen. Dann wärst du außerdem diesen schrecklichen Chef los, über den du dauernd schimpfst.«

Nora warf ihm einen verdrossenen Blick zu.

»Na, so viel schimpfe ich ja nun auch nicht. Aber er ist wirklich ein Idiot. Warum sie ihn behalten, ist mir ein Rätsel.«

Sie wurden von Simon unterbrochen, der angelaufen kam. Er war triefnass und trug einen kleinen wassergefüllten Eimer in der Hand. Man konnte ihm schon von Weitem ansehen, was er im Schilde führte.

Eine Sekunde bevor er Thomas erreichte, packte er den Eimer mit beiden Händen. Aber noch ehe er seinen Plan ausführen konnte, hatte Thomas ihm den Eimer weggenommen und den kleinen Frechdachs auf den Arm gehoben.

»Du hattest doch wohl nicht vor, dieses Wasser über einem Polizisten auszukippen«, sagte er mit seiner strengsten Stimme und sah den Jungen unter zusammengezogenen Augenbrauen finster an.

Simon beeindruckte das nicht im Mindesten.

»Lass mich runter!«, schrie er nur und bettelte seine Mutter mit Blicken an, ihm zu helfen.

»O nein«, sagte Nora. »Das musst du schon allein schaffen. Wenn du vorhattest, deinen Patenonkel nass zu machen, hast du selbst Schuld.«

Thomas trug Simon hinaus auf den Steg. Dann schwang er ihn dramatisch vor und zurück, bevor er ihn ins Wasser warf.

Adam stand daneben und lachte dermaßen, dass er sich kaum auf den Beinen halten konnte. Thomas ging mit ausgestreckten Armen auf ihn zu, aber Adam lief rasch weg und sprang von allein.

»Du kriegst uns nicht, du kriegst uns nicht«, riefen sie im Chor.

Thomas machte noch ein paar Scheinangriffe, dann ging er zurück und setzte sich.

Nora sah ihn an und schüttelte den Kopf.

»Du kannst wirklich gut mit Kindern umgehen, Thomas Andreasson«, sagte sie. »Weißt du das?«

»Kann sein«, sagte Thomas mit verlegenem Lächeln. »Aber verrat es keinem.«

Er streckte sich nach seiner Kaffeetasse aus und trank den letzten Schluck.

»Kannst du noch mit mir zu Signes Haus gehen, bevor du zurückfährst?«, fragte Nora.

Die Nachmittagssonne erleuchtete die weiß gestrichene Küche. Sie stapelte das Kaffeegeschirr in die Spülmaschine. Thomas würde gleich nach Harö zurückfahren und anschließend die Fähre in die Stadt nehmen.

»Sicher kann ich das«, antwortete Thomas. »Ich habe es nicht besonders eilig.«

»Jungs?«, rief Nora. »Könnt ihr euch einen Moment allein beschäftigen? Ich will Thomas nur etwas zeigen, es dauert nicht länger als eine halbe Stunde.«

Sie gingen zur Brand'schen Villa hinüber. Nora schloss die Haustür auf und sie betraten den Vorflur. Es roch ungelüftet im Haus. Unbewohnt.

Nora ging langsam hinaus auf die helle Glasveranda. In dem Versuch, die alte Atmosphäre wiederherzustellen, hatte sie die Mårbacka-Geranien dorthin gebracht. Aber sie ließen in der Hitze die Köpfe hängen und sorgten nur dafür, dass der Raum noch verlassener wirkte.

»Der Makler hat angerufen, er will zusammen mit der Familie aus der Schweiz hierherkommen. Sie wollen das Haus unbedingt kaufen, sagt er.«

Nora sank auf einen der alten Rattanstühle und blickte übers Meer. Die Wolken waren näher gezogen, nun würde die Sonne bald verschwunden sein. Sie strich mit der Hand über die Wolldecke, die über der Armlehne lag. Es waren immer noch dunkle Haare von Signes Labrador daran.

»Ich weiß nicht, was ich machen soll. Henrik ist ganz besessen davon, die Villa zu verkaufen. Er denkt nur noch daran, wie viel Geld wir herausschlagen können. Ich erkenne ihn kaum wieder.«

»Ist es wirklich so schlimm?«

»Er will, dass wir irgendeinen Riesenkasten in Saltsjöbaden kaufen. Etwas, das seinen versnobten Eltern gefällt.«

Sie seufzte und ließ sich gegen die Rückenlehne sinken.

Thomas wusste nicht, was er sagen sollte. Auf gewisse Weise konnte er verstehen, dass Henrik Signes Haus loswerden und sich stattdessen was Eigenes anschaffen wollte. Die Brand'sche Villa war zwar eine schöne alte Kaufmannsvilla, aber sie war unmodern und es würde viel Arbeit kosten, sie instand zu halten.

Gleichzeitig sah er Noras Dilemma. Er hatte Signe auch gekannt und gemocht, und er verstand sehr gut, warum sie Nora zu ihrer Erbin gemacht hatte.

»Würdet ihr nicht mehr Freude an etwas Größerem in Saltsjöbaden haben als an zwei Häusern hier draußen?«, fragte er vorsichtig.

In Noras Augen zuckten Flammen.

»Auf wessen Seite stehst du eigentlich?«

Thomas versuchte es noch mal.

»Ach komm, Nora. Sei realistisch. Was stellst du dir vor, wer dieses riesige Haus instand halten soll? Ihr habt doch schon ein prima Häuschen auf Sandhamn. Du bist voll berufstätig, und Henrik ist Arzt. Wäre es nicht besser, jetzt stattdessen mal an eure Dauerwohnung zu denken?«

Nora biss sich auf die Unterlippe, nickte aber widerstrebend. Sie erhob sich und trat ans Fenster. Jetzt war fast der gesamte Himmel wolkenverhangen, und auf dem Meer erschienen kleine weiße Schaumkronen. Die Farbe des Wassers war zu Grau gewechselt.

»Wenn du an meiner Stelle wärst, was würdest du denn tun?«, fragte sie schließlich.

»Ich kann dir nicht sagen, was du tun sollst«, sagte Thomas. »Das musst du selbst entscheiden.« Er zögerte einen Moment. »Aber lass nicht zu, dass Henrik dich zu einer Entscheidung drängt, die du noch nicht treffen willst.«

Nora nickte wieder.

»Warum vermietest du das Haus nicht erst mal für eine Zeit? Du musst es ja nicht verkaufen, wenn du nicht willst.«

Vermieten. Warum war sie nicht selbst darauf gekommen?

Jedes Mal, wenn Henrik das Thema Hausverkauf ansprach, bekam sie Bauchschmerzen. Sie war noch nicht bereit, zu verkaufen, so einfach war das. Auf einmal war ihr viel leichter ums Herz.

»Komm jetzt«, sagte sie. »Du musst los, bevor es anfängt zu regnen. Der Wind draußen frischt ordentlich auf.«

Montag, zweite Woche

Kapitel 33

Der Kinobesuch war nicht gerade ein Erfolg, dachte Thomas düster, während er sich in der kleinen Küche der Polizeistation einen Tee kochte.

Vor dem Kino hatten Carina und er sich nicht einigen können, in welchen Film sie gehen sollten. Er hätte sich liebend gern etwas Unkompliziertes angesehen, irgendwas, bei dem er nicht nachdenken musste. Nach einer Woche intensiver Ermittlungsarbeit wollte er vor allem den Kopf frei bekommen. Carina dagegen hatte sich auf ein romantisches Drama mit einer bekannten amerikanischen Schauspielerin versteift, die er nicht leiden konnte.

Als er schließlich nachgegeben hatte, war Carina bereits sauer. Inzwischen war es außerdem so spät geworden, dass es kaum noch Karten gab und sie mit schlechten Plätzen in der hintersten Reihe vorliebnehmen mussten. Erst in der Mitte des Films war Carina wieder aufgetaut. Ihre Hand hatte seine gesucht, und sie hatte ihm kleine Küsschen auf die Wange gegeben.

Thomas war das unangenehm gewesen. Er hatte sich gefühlt wie ein Halbstarker, der mit seiner Flamme in der letzten Reihe herumknutscht. Nachdem er ein paar Mal von ihr abgerückt war, hatte Carina den Wink verstanden, und die eisige Stimmung war zurückgekehrt. Nach der Vorstellung hatte sie gesagt, sie sei müde und wolle gleich nach Hause. Und Thomas hatte begriffen, dass er sich wieder mal danebenbenommen hatte.

Er ging den Flur entlang zu Margits Zimmer und ließ sich mit einem tiefen Seufzer auf ihren Besucherstuhl fallen. Margit schrieb noch einen Moment auf ihrem Computer weiter, dann speicherte sie ab und blickte auf.

»Welche Laus ist dir denn über die Leber gelaufen?«

Thomas winkte nur stumm ab.

»Krach mit Carina?«, fuhr Margit ungerührt fort. Sie klappte den Ordner zu, der aufgeschlagen auf ihrem Tisch gelegen hatte, und stellte ihn hinter sich ins Regal.

Thomas blickte sie überrascht an.

»Was hat Carina damit zu tun?«

Margit warf ihm einen Blick zu, als hätte sie einen Siebenjährigen vor sich.

»Erst kommt Carina rein und macht ein Gesicht wie sieben Tage Regenwetter. Dann kommst du zwanzig Minuten später und siehst genauso aus, oder noch schlimmer. Hast du heute schon mal in den Spiegel geguckt?«

Thomas musste zugeben, dass sie nicht ganz unrecht hatte. Er war müde und erschöpft, und das sah man. Aber er hatte keine Lust, im Dienst auf Carina angesprochen zu werden.

»Was Carina am Wochenende macht, ist doch wohl ihre Sache«, erwiderte er lahm.

»Hör doch auf, Thomas«, sagte Margit und machte eine ungeduldige Handbewegung. »Die ganze Station weiß längst, dass ihr was miteinander habt.«

»Ist das so offensichtlich?« Thomas kapitulierte.

»Tja, es ist unser Job, Indizien zu sammeln und Schlüsse daraus zu ziehen. Oder glaubst du, wir sind plötzlich auf beiden Augen blind geworden?«

»Wahrscheinlich nicht.«

»Der Einzige, der bisher nichts mitgekriegt hat, ist der Alte. Vermutlich, weil er nichts mitkriegen will.«

Margit sah Thomas streng an, lächelte dann aber versöhnlich.

»Ist sie nicht ein bisschen jung für dich?«

Thomas ließ den Kopf hängen. Das war genau der Punkt.

»Ich dachte, mit ihr zusammen würde ich mich jünger fühlen, aber stattdessen bringt sie mich dazu, dass ich mir alt und müde vorkomme.«

»Dann solltest du vielleicht derjenige sein, der etwas an der Situation ändert, bevor es zu spät ist«, sagte Margit und klang wie eine obervernünftige Lehrerin.

Sie bückte sich und sammelte einen Zettel auf, der neben dem Papierkorb gelandet war. Dann sah sie ihm wieder in die Augen.

»Sie ist sehr verliebt in dich, das merkt man ihr schon von Weitem an«, sagte sie. »Ich fände es gemein, sie unnötig leiden zu lassen, nur dass du es weißt.«

Thomas musste ihr beipflichten. Sobald er diese Ermittlung abgeschlossen hatte, versprach er sich selbst, würde er sich um die Sache mit Carina kümmern.

»Ich habe übrigens mit Sylvia Juliander über den Drogenkonsum ihres Mannes gesprochen«, sagte Margit.

»Wusste sie davon?«

»Offenbar nicht. Sie war schockiert. Meinte, das müsse ein Missverständnis sein.«

»Noch eine Überraschung also.«

»Es ist schon hart, so etwas posthum über den eigenen Mann zu erfahren«, sagte Margit. »Erst die Weibergeschichten, jetzt die Drogen.«

»Aber sie muss doch geahnt haben, dass er sie betrügt.«

»Vermutlich. Aber das ist nicht dasselbe, wie es wirklich zu wissen. Oder es öffentlich in den Schlagzeilen zu lesen.«

Thomas erhob sich.

»Wir sehen uns in fünf Minuten bei der Besprechung.«

»Carina hat es tatsächlich geschafft, den Absender der Mail herauszufinden, die Eva Timell uns überlassen hat«, eröffnete der Alte die Sitzung.

Thomas hätte schwören können, dass väterlicher Stolz in den Augen seines Chefs aufblitzte.

»Die E-Mail kam von einem Revisor, der in einem von Julianders Insolvenzverfahren die Bücher geprüft hat«, ergänzte Carina.

»Warum hat sie so eine merkwürdige Absenderadresse?«, fragte Thomas.

Carina warf ihm einen kühlen Blick zu.

»Weil der Revisor über Land unterwegs war und nicht an den Mailaccount in seiner Firma herankam. Deshalb hat er die Hotmail-Adresse seiner Teenagertochter benutzt.«

»Aber warum hatte er es so eilig?«, hakte Kalle nach. »Er klang ja richtig verzweifelt.«

»Offenbar brauchte er den Zahlungseingang vor dem Halbjahresabschluss, also buchführungstechnisch«, erklärte Carina. »Das hatten sie vor Mittsommer abgemacht. Aber Juliander hatte es vergessen.«

»Er hatte wohl vor der Regatta genug anderes zu bedenken«, warf Margit ein.

»Kann sein. Die Finanzabteilung der Revisionsfirma rief ihren

Mitarbeiter an und beauftragte ihn, dem Klienten wegen der Zahlung ein bisschen Dampf zu machen. Und da hat er die Mail geschickt.«

»Die Eva Timell dann falsch interpretiert hat«, sagte Margit.

»Ja, es war einfach ein Missverständnis.« Carina nickte.

»Wie hast du das alles rausgefunden?«, fragte Margit.

»Ich habe mit dem Revisor gesprochen. Und anschließend habe ich mich beim zuständigen Abteilungsleiter der Revisionsfirma erkundigt, sicherheitshalber. Er hat alles bestätigt. Ende der Geschichte.«

»Ende der Geschichte auch für diese Spur, mit anderen Worten«, konstatierte Thomas. »Dann können wir diese Theorie also abhaken. Weitere interessante Informationen?« Er sah Carina fragend an.

Sie wich seinem Blick aus und hielt stattdessen einen Stapel Papiere hoch.

»Ich bin alle Finanzinformationen durchgegangen, die ich kriegen konnte«, sagte sie forsch.

»Und?«, fragte der Alte.

»Ich weiß jetzt zumindest, warum er bei seiner Frau geblieben ist.«

»Lass hören«, sagte Margit.

»Das Ehepaar Juliander besaß alles gemeinsam. Sie hatten keine Gütertrennung vereinbart.«

»Schau an«, sagte Margit.

»Häuser, Autos, Boote, alles gehörte beiden zu gleichen Teilen.«

»Bei einer Scheidung hätte er ihr die Hälfte des Vermögens überlassen müssen«, sagte Margit. »Da wären etliche Milliönchen zusammengekommen.«

»Hatte er viele Schulden?«, wollte Thomas wissen.

»Die Häuser sind ziemlich hoch belastet, aber das scheint er mit Kapitalzinsen und Abschreibungen ganz gut kompensiert zu haben«, sagte Carina, immer noch, ohne ihn anzusehen. »Seine Einkünfte waren ja nicht gerade gering. Er bekam ein saftiges Gehalt.«

»Versicherungen?«, fragte Margit.

»Eine Lebensversicherung. Und eine private Rentenversicherung, auf die schon ordentlich eingezahlt worden war. Seine Witwe und die Kinder werden keine Not leiden müssen.«

»Vielleicht hat seine Frau ihn doch umgebracht, wegen des Geldes«, sagte Kalle. »Sie war seine Frauengeschichten leid und beschloss, für sich das Beste aus der Sache zu machen.«

Carina sah skeptisch aus.

»Alle Teilhaber der Anwaltskanzlei haben dieselben Rentenansprüche, das habe ich überprüft.«

»Keine Versicherungen, die erst kürzlich abgeschlossen wurden?«, fragte Margit.

»Nein, die bestehenden Versicherungen laufen schon seit Jahren. Alle über die Anwaltskanzlei abgeschlossen.«

»Sie hätte sich also auch gerne scheiden lassen können«, stellte Margit fest. »Sie hätte auf jeden Fall ganz schön abgesahnt.«

»Eine Sache ist allerdings merkwürdig«, warf Carina ein.

»Und die wäre?«, fragte der Alte.

»Ich verstehe nicht, wie er sich das große Segelboot leisten konnte.«

»Das Boot?«, sagte Margit.

»Das war doch neu, oder nicht?«

»Ja«, bestätigte Margit.

»Das wurde nicht über einen Kredit finanziert. Und es war wirklich sehr teuer. Woher hatte er das Geld dafür?«

»Er hatte davor doch auch schon ein Regattaboot. Das hat er sicher verkauft«, meinte Thomas.

»Für zwölf Millionen?«, sagte Carina.

Kapitel 34

»Ist Margit da?«, rief Thomas im selben Moment, als er die Station betrat. Er hatte seine Lederjacke an, denn der Sommer zeigte sich wieder von seiner launischen Seite. Draußen nieselte es. Laut Wetterbericht sollten die Wolken jedoch gegen Abend aufreißen.

»Margit«, rief er, »komm mal.«

Margit steckte den Kopf aus ihrem Büro und machte ein fragendes Gesicht. Ihre kurz geschnittenen Haare waren noch zerzauster als sonst.

»Was ist denn«, sagte sie. »Warum schreist du so?« Sie gähnte und schlurfte zum Kaffeeautomaten, um sich noch einen Becher schwarze Brühe zu zapfen.

»Hier«, sagte Thomas und zog einen braunen Umschlag mit dem Logo des Fernsehsenders SVT aus der Jacke. Er holte eine DVD heraus und hielt sie hoch.

»Was ist das?«

»Der Film, den die Fernsehleute gedreht haben, als Juliander erschossen wurde. Kalle hat deswegen mehrmals hinterhertelefoniert, und immer hatte angeblich irgendein Praktikant vergessen, ihn zu schicken. Also bin ich hingefahren und habe ihn selbst abgeholt. Komm, den sehen wir uns gleich mal an.«

Sie gingen zum Besprechungszimmer, das mit Fernseher und DVD-Player ausgestattet war. Thomas legte die DVD ein und griff nach der Fernbedienung, dann trat er auf den Flur und rief die anderen zusammen. Kalle war noch nicht aus der Mittagspause zurück, aber Erik und Carina kamen gleich aus ihren Zimmern und nahmen am Konferenztisch Platz.

Auf dem Bildschirm erschien eine Panoramaaufnahme über das glitzernde Meer. Thomas erinnerte sich sofort wieder an die Stimmung an jenem Tag. Das Wetter war herrlich gewesen, das Wasser wimmelte von Booten und die Vorfreude auf einen spannenden Start hatte in der Luft gelegen. Ein perfekter Tag für den Beginn dieser berühmten Regatta.

Der Film zeigte eine Reihe von Nahaufnahmen der großen Rennsegler. Sie würden alle gleichzeitig starten, um zwölf Uhr mittags.

Plötzlich zoomte das Fernsehteam auf die *Emerald Gin* und man konnte deutlich sehen, wie Oscar Juliander breit lächelnd am Ruder seines eleganten Swan-Bootes stand. Neben ihm erkannte Thomas Fredrik Winbergh, der den Blick fest auf die Konkurrenten gerichtet hatte.

Thomas bemerkte, dass Winbergh ein kleines Stück hinter Juliander stand, genau so, wie er es bei der Vernehmung gesagt hatte.

»Irgendwie unheimlich, einen Mann zu sehen, der gleich sterben wird«, murmelte Carina.

Der Helikopter des Fernsehteams stieg höher und die Kamera zoomte zurück, gleich würde man das gesamte Teilnehmerfeld sehen. Eine kleine Rauchwolke zeichnete sich vor dem Himmel ab.

»Das muss der Fünf-Minuten-Schuss gewesen sein«, sagte Thomas vor sich hin.

»Was murmelst du da?«, fragte Margit.

»Der Fünf-Minuten-Schuss. Auf dem Startfahrzeug werden zehn Minuten und fünf Minuten vor dem eigentlichen Start Warnschüsse abgefeuert. Damit die Teilnehmer sich rechtzeitig auf ihre Positionen begeben. Außerdem wird der Countdown auch über Funk angezählt.«

Auf dem Bildschirm flimmerte ein Boot nach dem anderen vorbei. Thomas sah auf die Uhr, inzwischen waren fast fünf Minuten vergangen, seit sie den letzten Schuss vor dem Start gehört hatten. Jetzt konnte es jede Sekunde so weit sein.

Der Helikopter schien sich nun der Startlinie zu nähern. Die verschiedenen Teilnehmer waren gut zu unterscheiden. Das Startfeld hatte sich entlang der Linie zwischen den beiden orangefarbenen Startflaggen positioniert. Er konnte die *Emerald Gin* deutlich unmittelbar neben der Luv-Flagge erkennen.

Plötzlich meinte er zu sehen, wie Oscar Juliander zuckte und zusammenbrach. Oder hatte er sich das nur eingebildet?

»Habt ihr gesehen?«, rief Erik aufgeregt. »Habt ihr gesehen? Das war der Moment, als er erschossen wurde. Das haben sie in den Nachrichten nicht gezeigt.«

»Es gibt so etwas wie Rücksichtnahme auf die Angehörigen«, erwiderte Margit. »Schon mal davon gehört?«

Erik verstummte und senkte den Blick.

Thomas trat einen Schritt näher an den Fernseher heran und studierte die Szene, die sich vor ihnen abspielte. Während die anderen Boote sich in den Wind legten, hörte die *Emerald Gin* schon nach einer knappen Minute auf zu segeln. Die Kamera schwenkte weiter und folgte dem Pulk der Segler auf seinem Weg zum Leuchtfeuer Almagrundet.

Thomas richtete die Fernbedienung auf den DVD-Player und drückte auf Anfang. Als der Film wieder von vorn begann, sahen sie, wie sich alle Boote an der Startlinie versammelten.

Thomas starrte konzentriert auf den Bildschirm.

Die Szene zeigte nicht nur das Feld der Regattasegler, sondern auch die Umgebung mit den Booten der Zuschauer. Er konnte ohne Mühe die Storebro der Familie Bjärring erkennen. Weitere zwanzig Boote lagen im direkten Umfeld. Sicherheitshalber hielt er den Film an, sprang wieder an den Anfang zurück und sah sich die Szene noch einmal an.

»Wir brauchen eine ordentliche Vergrößerung dieser Aufnahmen«, sagte er und deutete auf den Bildschirm. »Und dann müssen wir sie mit Fredrik Winberghs Vermutung abgleichen, aus welcher Richtung der Schuss seiner Meinung nach kam. Sachsen von der Rechtsmedizin sagt, dass die Kugel von schräg rechts vorn in den Brustkorb eingedrungen ist. Damit haben wir zumindest eine ungefähre Richtung.«

Ein entschlossener Zug erschien auf seinem Gesicht.

»Macht euch auf ein Puzzle gefasst«, sagte er. »Wir werden Julianders Mörder Stück für Stück einkreisen.«

»Schläfst du?«, flüsterte Nora vorsichtig zu Henrik hinüber.

Es war halb zwölf nachts, und sie hatten gerade richtig guten ehelichen Sex gehabt. Eine intensive Begegnung zweier Körper, die einander gut kannten und dennoch neu erwachtes Verlangen nach dem anderen verspürten. Zum ersten Mal seit Langem hatte sie sich wirklich hingegeben und sich nicht zurückgehalten.

Nora war es leicht ums Herz. Ein schläfriges und zufriedenes Gefühl erfüllte sie, und sie wusste, dass sie gleich einschlafen würde. Aber es war so schön, im Dunkeln dazuliegen und den Moment zu genießen, bis der Schlaf sie davontrug.

Henrik schlief schon, sie hörte seine leichten Atemzüge neben sich.

Am Abend waren sie mit ihrem kleinen Boot hinaus nach Falkenskär gefahren, zehn Minuten von Sandhamn entfernt, um zu picknicken. Sie hatte einen Korb zurechtgemacht mit selbst gemachten Minipizzas für die Kinder und gratinierten Tortillas gefüllt mit Hähnchen, Västerbotten-Käse und süßer Chili-Soße für sich und Henrik. Dazu gab es grünen Salat und einen leichten Roséwein. Es war ein richtig schönes sommerliches Abendessen gewesen, abgerundet durch Himbeeren mit dunkler Schokoladensoße zum Dessert.

Sie hatten auf den warmen, glatten Klippen gesessen, die Silhouette von Sandhamn im Norden betrachtet und es sich schmecken lassen. Es war ganz windstill, nicht einmal das Strandgras hatte sich bewegt, und das einzige Geräusch weit und breit kam von den weichen Wellen, die in der milden Abendluft sanft ans Ufer plätscherten.

Als es dämmerte, hatten sie Kerzen angezündet, die vor dem dunkler werdenden Himmel flackerten und die Glimmersplitter in den Klippen funkeln ließen. Es hatte ausgesehen, als säßen winzige Sterne in den Steinen.

Im Dunkeln hatte Henrik seinen Arm um ihre Schultern gelegt, und sie hatte sich entspannt und den Moment genossen. Es war lange her, dass sie sich an der Seite ihres Mannes so gelöst gefühlt hatte. Sie hatte ihren Kopf an seine Schulter gelehnt und gespürt, wie eine warme Woge der Hingebung sie erfüllte.

Nach dem Gespräch mit Thomas hatte sie einen Entschluss gefasst. Sie würde die Brand'sche Villa für zwei Jahre vermieten. An jemanden, der Lust hatte, sich um das Haus zu kümmern und es zu pflegen. Auf diese Weise würde sie genug Zeit zum Luftholen bekommen, bis sie eine Entscheidung über die weitere Zukunft des Hauses treffen musste.

Falls Henrik darauf bestand, dass sie sich in der Stadt etwas Neues kauften, konnten sie immer noch ein Darlehen auf die Immobilie aufnehmen. Das war ja eine der wenigen Vergünstigungen, die die Bank ihren Angestellten bot: ein Kredit zu wirklich guten Konditionen.

Nora lächelte zufrieden ins Dunkel.

Keine Sorgen mehr, dass sie sich nicht genug um Tante Signes

Nachlass kümmerte. Kein schlechtes Gewissen mehr gegenüber Henrik.

Diese Lösung würde sogar ihre unerträgliche Schwiegermutter gutheißen können.

Sie seufzte zufrieden und schmiegte sich an Henrik. Einen Moment später schlief sie wie ein Kind.

»Lasst uns auf die frisch Verlobten anstoßen«, rief sein Vater aus und schenkte den Herren in der Runde großzügig vom Cognac ein. Dann zog er eine Cohiba hervor, seine Lieblingszigarre, und wedelte genüsslich damit.

Aus den Augenwinkeln sah er, wie seine Mutter eine kleine Grimasse zog. Sie schätzte es nicht, wenn das ganze Haus am nächsten Morgen nach Zigarre roch, aber es wäre ihr niemals eingefallen, das ihrem Mann gegenüber zu erwähnen.

Die zukünftige Braut stand mit den stolzen Müttern zusammen und besprach das Fest, das schon jetzt als wichtigste Hochzeit der Saison galt. Als seine Verlobte merkte, dass er sie beobachtete, schenkte sie ihm ein kokettes Lächeln. Bildete er sich das ein oder entdeckte er darin einen Funken von Besitzanspruch?

Sein Vater kam auf ihn zu.

»Eine hervorragende Partie, lass es dir gesagt sein. Sie ist nicht nur ein ganz entzückendes Mädchen, sie kommt auch noch aus einem guten Stall. Und sie hat ordentlich Geld an den Hacken, darüber haben wir ja schon gesprochen. Du hättest es weiß Gott schlechter treffen können, Junge!« Der Vater lachte zufrieden.

Tief im Herzen wusste er, dass er einen verhängnisvollen Fehler begangen hatte. Aber jetzt gab es kein Zurück. Es war zu spät.

Er wusste kaum, wie er dahin gekommen war. Es hatte so unschuldig begonnen. Sie waren eine große Clique gewesen, die zusammen auf Partys ging. Er hatte einen legeren Charme, der den Damen gefiel, und war als Kavalier immer sehr begehrt. Sie war die kleine Schwester eines seiner Schulkameraden und auf unerklärliche Weise immer dabei. Irgendwie war sie immer genau dort aufgetaucht, wo er war, und so kam eins zum anderen. Sie war nicht besonders zimperlich, im Gegenteil, eigentlich war sie diejenige gewesen, die die Initiative ergriffen hatte.

Eines Abends waren sie bei ihr zu Hause gewesen. Die Eltern waren verreist, und sie hatte sturmfreie Bude. Danach hatte sie ihn mit ihren blauen Augen lange angesehen.

»Jetzt müssen wir heiraten«, hatte sie gesagt. »Wir können uns nicht länger verstecken. Stell dir vor, wenn sie uns auf die Schliche kommen. Meine Eltern würden mir das nie verzeihen.«

Sie hatte ihn komplett überrumpelt.

Ehe. Er hatte nicht im Entferntesten daran gedacht. Sie waren so verschieden. Und so jung. Sie kam aus einer wohlhabenden Familie, aber sie war kaum die Frau, die er sich erträumt hatte. Sie war hübsch, sie war verwöhnt, und jetzt wollte sie ihn haben.

Er hatte keine Ahnung gehabt, wie er sich aus der Affäre ziehen sollte. Ehe er sich versah, hatten sie ihre Verlobung bekannt gegeben.

Seine und ihre Eltern waren gleichermaßen begeistert. Sein Vater hatte ihm die Hand geschüttelt und ihm gratuliert. Seine Mutter hatte eine Träne der Rührung geweint.

Sie waren ein so schönes Paar.

»Woran denkst du gerade?«

Seine Zukünftige kam auf ihn zu und lächelte charmant. Sie war das hübscheste Mädchen weit und breit, kein Zweifel. Er lächelte hastig zurück.

»An dich natürlich«, sagte er unterwürfig. »Daran, was für ein Glückspilz ich bin, dass ich dich bekommen habe.«

Dienstag, zweite Woche

Kapitel 35

Die vergrößerte Luftaufnahme aus dem Fernsehfilm lag ausgebreitet auf dem Tisch im Konferenzraum. Sie hatten vierundzwanzig Stunden darauf warten müssen, aber es hatte sich gelohnt, dachte Thomas.

Mit einiger Mühe hatte er die Längen- und Breitengrade eingezeichnet und die Positionen übertragen, die Fredrik Winbergh auf der Seekarte markiert hatte.

Jetzt standen Margit und er am Tisch und sahen sich das Ergebnis an. Gar nicht mal so schlecht. Sie würden sicherlich die Boote identifizieren können, die sich in Schussweite befunden hatten.

»Das sieht ja richtig gut aus«, sagte Margit. »Hast du einen Zeichenkurs belegt?«

Thomas lächelte schwach, ohne den Blick von dem riesigen Foto abzuwenden.

»Wenn die Positionen stimmen und ich mich nicht verzählt habe, sind achtundzwanzig Boote in dem betreffenden Gebiet. Inklusive Bjärrings Storebro, von der wir schon wussten«, sagte er.

»Ein goldenes Dreieck, meinst du?«

»Schau hier«, sagte Thomas. »Wenn wir den Umkreis sicherheitshalber erweitern, haben wir weitere sieben Boote, die überprüft werden müssen. Das ist eine zu bewältigende Zahl.«

Margit beugte sich vor und studierte das Foto. Um das Startfeld herum breitete sich das Meer aus. Die nächste Insel lag weit entfernt.

»Wie groß ist die Chance, dass man jemanden von einer Bank im Cockpit aus umzubringen versucht?«, sagte sie nachdenklich, während ihr Blick über das Foto wanderte.

Sie streckte sich nach einer Lupe und untersuchte ein Boot nach dem anderen.

»Wie meinst du das?«, fragte Thomas.

Margit zeigte auf ein offenes Motorboot mit Steuerkanzel, auf dem ein paar Leute zu erkennen waren, die achtern im Cockpit saßen.

Thomas begriff, woran sie dachte.

»Ziemlich klein, schätze ich.«

Er ging langsam um den Tisch herum, um sich das Boot aus einem anderen Blickwinkel anzusehen.

»Wenn man jemanden auf offener See erschießen will, ohne entdeckt zu werden, würde man das eher von einem Boot aus tun, das eine schützende Kajüte hat.«

Margit legte das Vergrößerungsglas beiseite und deutete auf acht kleinere Boote.

»Wenn das so ist, können wir Außenborder und offene Motorboote aussortieren.«

Margits Überlegung war unbestreitbar logisch.

Thomas ging zu seinem alten Platz zurück, um sich das Boot wieder aus Margits Perspektive anzusehen.

»Das würde in dem Fall bedeuten, dass wir noch siebenundzwanzig Boote übrig behalten, wenn wir von anfangs fünfunddreißig ausgehen.«

»Siebenundzwanzig Stück. Wie identifizieren wir die?«

»Indem wir so weitermachen wie jetzt. Wir versuchen, Kennzeichen zu finden. Halten Ausschau nach Identifikationsmerkmalen.«

Thomas hielt die Lupe dicht über einen der kleinen Punkte.

»Bei dem hier kannst du sogar erkennen, was auf dem Rumpf steht. Wir schreiben alle Merkmale auf, die wir entdecken können, und versuchen dann, ein Boot nach dem anderen ausfindig zu machen.«

Er griff nach einem Filzstift und markierte jedes Boot mit einem Buchstaben.

»So, siehst du«, sagte er. »Eins nach dem anderen.«

»Das dauert Tage, vielleicht Wochen, die alle zu finden.«

»Ja, wir brauchen Hilfe dabei. Oder hast du einen besseren Vorschlag?«

Alles deutete darauf hin, dass der Täter sich auf einem anderen Boot befunden hatte. Bei der kriminaltechnischen Untersuchung der Swan waren keine Spuren eines an Bord abgefeuerten Schusses gefunden worden. Das untermauerte die Theorie. Und der Einschusswinkel legte die Vermutung nahe, dass sie den Mörder auf einem der Zuschauerboote suchen mussten. Es konnte nur eines von denen sein, die sie auf dem vergrößerten Foto vor sich hatten.

Aber welches?

Margit nahm Stift und Block und machte eine Liste nach Thomas' Buchstabenordnung.

»Ich habe übrigens Winbergh erreicht«, sagte sie.

»Wusste er von dem Bootsverkauf?«

»Er meint, Julianders altes Boot kann nicht mehr als drei, vier Millionen eingebracht haben. Außerdem gehörte es ihm nur zur Hälfte. Er hat es sich mit einem anderen Segler vom KSSS geteilt.«

»Nicht genug Geld also, um ein neues Boot zu kaufen.«

»Genau.«

»Woher kam das Geld dann? Wusste Winbergh etwas darüber?«

»Nein.«

»Wir müssen das genauer untersuchen.«

Am Morgen hatte Monica Linde angerufen.

Als Nora begriff, dass Henrik erneut mit Monica über den Verkauf der Brand'schen Villa gesprochen hatte, platzte ihr der Kragen.

»Hast du schon wieder mit deiner Mutter über Signes Haus gesprochen?«, schrie sie. »Die soll ihre Nase da raushalten, hörst du? Unsere Angelegenheiten gehen sie nichts an!«

Sie standen im Obergeschoss vor dem Badezimmer.

Henrik sah zuerst eher überrascht aus.

»Was regst du dich auf, das ist doch wohl nicht so schlimm.«

»Kann deine Mutter es nicht ein einziges Mal sein lassen, sich in unser Leben einzumischen? Die macht mich noch wahnsinnig.«

»Komm mal wieder runter, Nora. Werde bloß nicht hysterisch.«

»Ich bin nicht hysterisch. Ich habe es nur bis obenhin satt, dass Monica zu allem, was wir tun oder nicht tun, ihren Senf dazugeben muss.«

Jetzt wurde Henrik ärgerlich.

»Als würden deine Eltern sich nicht einmischen. Die sind doch andauernd hier. Wir wohnen ja auch nur zweihundert Meter auseinander.«

»Das ist etwas anderes. Die mischen sich nicht auf dieselbe Art ein.«

»Es gibt also eine Art, die erlaubt ist, und eine andere, die es nicht ist?«

»Das habe ich nicht gemeint.«

»Doch, du hast gemeint, dass die Art meiner Eltern falsch ist, aber die deiner Eltern richtig. Vielen Dank auch.«

Sein Ton war ätzend.

Er sah sie an, als hätte er eine Siebenjährige vor sich, und Nora hatte keine Lust mehr, sich weiter zu streiten. Obwohl sie wusste, dass sie im Recht war. Der Kampfgeist verließ sie und machte einem Gefühl der Resignation Platz.

Warum war Henrik nur so blind für die Fehler seiner Mutter? Konnte er nicht ein einziges Mal Partei für seine Ehefrau ergreifen?

Mittwoch, zweite Woche

Kapitel 36

Der Vorsitzende des Wahlausschusses, Anders Bergenkrantz, hatte soeben die Sitzung eröffnet.

Wie es die Tradition gebot, oblag es dem vorletzten Vorstandsvorsitzenden, die Vorbereitungen zur Wahl des neuen Vorsitzenden zu leiten. Die Versammlung im Klubhaus in Saltsjöbaden war hastig einberufen worden, aber niemand war überrascht gewesen, als die Einladung kam.

Es würde eine kurze Sitzung werden, denn es gab nur einen Tagesordnungspunkt.

»Wir müssen auf der Jahresversammlung einen neuen Kandidaten vorschlagen.« Bergenkrantz strich sich bekümmert übers Kinn.

Die einzige Frau im Raum sah ihn mit beinahe mitleidigem Blick an. Sie war eine intelligente und fähige Person und sich des Dilemmas, in dem sie steckten, durchaus bewusst. Die Zeit bis zur Jahresversammlung war viel zu knapp für einen normalen Wahlvorbereitungsprozess. Und der reguläre Kandidat, der erste Vizevorsitzende, stand nicht mehr zur Verfügung.

In ihrer gewohnt direkten Art, die insgeheim von dem konservativen Kreis hoch geschätzt wurde, kam sie sofort zur Sache.

»Es gibt wohl nur einen, der infrage kommt«, sagte sie und blickte in die Runde. »Der jetzige Vorsitzende tritt ab, und Oscar ist tot. Bleibt unser zweiter Vizevorsitzende. Wir müssen Ingmar bitten zu kandidieren.«

Einige der Anwesenden wanden sich auf ihren Stühlen.

Ingmar war kein selbstverständlicher Nachfolger von Hans Rosensjöö. Er war ein geschätzter Schriftführer und seit vielen Jahren Mitglied des Vereins, aber er war keine Führungspersönlichkeit. Er war sympathisch und ein sozialer Mensch mit einem großen Netzwerk an Kontakten, aber er hatte keine Visionen. Außerdem war er bekanntermaßen konfliktscheu. Ingmar hatte sich noch nie irgendwo durchgesetzt. Am allerwenigsten in seiner Ehe.

Aber im Moment gab es keine Alternative.

Eine vorsichtige Anfrage unter den erfahreneren Vorstandsmitgliedern hatte zu ebenso vorsichtigen Absagen geführt. Ein Vorstandsvorsitz kostete viel Zeit und Kraft. So etwas musste länger überlegt werden als den einen Monat, der bis zur Wahl blieb.

Einen Kandidaten aus dem weiteren Umfeld zu nehmen, der nicht schon im Vorstand saß, war undenkbar. Das hätte den altehrwürdigen Traditionen völlig widersprochen. Niemand wäre auch nur auf die Idee gekommen, so etwas vorzuschlagen.

»Ich persönlich habe so meine Bedenken, dass Ingmar der richtige Mann wäre, aber andererseits – wer sonst?«, sagte Anders Bergenkrantz. »Immerhin gehört Ingmar seit vielen Jahren dem Vorstand an. Er ist mit unseren Traditionen vertraut. Er ist einer von uns.«

Mit solchen Fragen mussten meine Vorgänger sich nie herumschlagen, dachte er missmutig.

Die einzige Frau im Vorstand erhob wieder ihre Stimme.

»Ich möchte einen Vorschlag machen. Wir sollten Hans Rosensjöö bitten, weitere zwölf Monate als beigeordneter Vorstandsvorsitzender im Amt zu bleiben, als Stütze für Ingmar. Auf diese Weise sorgen wir für Kontinuität und lösen gleichzeitig einen Teil des Problems.«

Das war eine kluge Lösung, dachte Bergenkrantz mit widerwilliger Bewunderung, und vermutlich genau das, was in dieser verfahrenen Situation das Beste war. Er hatte zwar noch nie gehört, dass in der Geschichte des Vereins so etwas gemacht worden wäre, aber im Moment blieb ihnen kaum eine andere Wahl.

Die anderen Vorstände am Tisch nickten beifällig. Zumindest gab es niemanden, der offen Widerspruch äußerte.

»Also dann«, sagte Bergenkrantz abschließend, »halte ich hiermit für das Protokoll fest: Der Wahlausschuss empfiehlt einstimmig, Ingmar von Hahne zum nächsten Vorsitzenden des KSSS zu wählen.«

Kapitel 37

Eigentlich hatte er keine gute Erklärung dafür, dass er mitten in der Woche zur Marina hinausfuhr. Vielleicht war es die Sehnsucht nach Urlaub, die sich bemerkbar machte. Noch anderthalb Wochen, dann erwartete ihn eine lange Segeltour durch den Stockholmer Schärengarten.

Oder vielleicht war es auch nur der schöne Abend, der ihn nach Bullandö hinaustrieb, wo seine geliebte Omega vertäut lag. Das Segelboot war eine Quelle ständiger Freude für ihn.

Martin Nyrén stellte das Auto wie üblich auf dem großen Parkplatz am Kai ab. Der war gut gefüllt, die meisten Leute waren bereits mit ihren Booten draußen.

Die Marina war groß und beliebt, viele Skipper wählten sie wegen der Nähe zum offenen Meer. Man kam leicht und schnell hinaus und musste nicht durch das Insel-Labyrinth des inneren Schärengartens navigieren, das sparte Zeit. Jetzt lag der Hafen allerdings schon ziemlich verlassen da. An den langen Pontonbrücken schaukelten nur noch vereinzelt Boote auf den Wellen.

Er hatte keine lange Tour geplant. Wollte nur ablegen und für ein paar Stunden hinaussegeln. Das milde Wetter und den langen Sommerabend genießen, bevor die Dunkelheit hereinbrach und daran erinnerte, dass die Tage jetzt im Juli schon kürzer wurden. Auf dem Weg vom Büro hatte er Sushi gekauft, und zwei Flaschen Bier waren auch in der Tasche. Das gehörte sich so auf See.

Erwartungsvoll ging er auf den äußersten Ponton zu. Dort lag seine Omega zwischen zwei Y-Schranken vertäut mit dem Bug zum Steg. Er hatte sie *Aurora* getauft, vielleicht nicht sehr originell, aber er mochte den Namen, er passte zu einem morgenfrühen Segler. Die Göttin der Morgenröte begleitete ihn in den stillen Stunden, wenn der Schärengarten gerade erst erwachte und die leichte Morgenbrise winzige Schaumspuren in die Wasseroberfläche zeichnete.

Er hatte überlegt, ob er über Nacht in einer Bucht festmachen und erst am nächsten Tag zurückkehren sollte. Wenn er früh aufstand, konnte er gegen halb zehn wieder im Büro sein. Jetzt im Sommer war das schon mal erlaubt.

Schon von Weitem sah er, dass irgendwas nicht stimmte. Der Bug war schräg zum Steg geneigt, das Boot schien fast auf der Seite zu liegen.

Er begann zu laufen.

Als er näher kam, wurde ihm klar, dass sich eine der Vertäuungen gelöst haben musste. Der Bug schlug gegen die Betonkante, bestimmt hatte der Gelcoat des Rumpfes schlimme Schrammen davongetragen.

Stumm fluchte er in sich hinein. Es würde mehrere Zehntausend Kronen kosten, die Außenhaut reparieren zu lassen, auch wenn die Versicherung einen Teil übernahm. Außerdem war er sicher, dass er das Boot ordentlich vertäut hatte, als er es am Sonntagabend verließ.

Dann blieb er stehen, ohne richtig begreifen zu können, was seine Augen sahen.

Der gesamte Bug war mit schwarzer Farbe besprüht. Es sah aus, als wäre ein Verrückter mit einer Spraydose darauf losgegangen. Auf der einen Seite war auch etwas geschrieben, er konnte den Buchstaben B erkennen, aber der Rest ging in Schwarz unter, so als hätte jemand in wilder Raserei die ganze Spraydose geleert.

Er konnte nicht verhindern, dass ihm die Tränen in die Augen stiegen, als er die Zerstörung betrachtete.

All das Schwarz, mit dem der schöne weiße Rumpf beschmiert war. Die wütenden schwarzen Striche, die sich kreuz und quer über das Holzdeck zogen.

Er fiel auf die Knie und berührte die angetrocknete Farbe. Sie erinnerte an verschmierten Kot.

Nach einer Weile stand er auf und ging zur Hafenmeisterei. Er musste den Vorfall anzeigen, musste sich erkundigen, ob jemand eine Ahnung hatte, wer hinter der Sache steckte.

Falls es sich um einen Dummejungenstreich handelte, war er kein bisschen lustig.

Donnerstag, zweite Woche

Kapitel 38

Der Blick wurde unweigerlich vom Bildschirm angezogen. Sie hasste jede Silbe in dem verletzenden Text, aber sie konnte es nicht lassen, ihn zu lesen.

Gib es zu, du widerliche Hure. Das Spiel ist aus. Du glaubst doch nicht, dass Oscar dich geliebt hat, er hat mit dir gespielt wie mit all den anderen Weibern. Du warst nur eine in einer langen Reihe. Jetzt wirst du für deine Sünden büßen.

Die Worte schnitten ihr ins Mark, sie zitterte am ganzen Körper. Langsam las Diana Söder die Nachricht noch einmal. Dann begannen die Tränen zu fließen und Angst überwältigte sie.

Von wem stammte diese schreckliche Mail? Wie war der Absender an ihre Mail-Adresse gekommen? Und wie konnte diese Person von ihrer Beziehung zu Oscar wissen?

Sie sank auf ihrem Bürostuhl zusammen und ließ den Kopf auf die Schreibtischunterlage sinken. Das Plastik wurde nass, aber es kümmerte sie nicht. Sie war allein im Büro.

Sie hatte nichts Böses im Sinn gehabt, als sie begann, sich mit Oscar zu treffen. Er hatte ihr versichert, dass seine Ehe am Ende war. Sylvia und er warteten nur noch darauf, dass die Kinder ihr Studium beendeten, danach wollten sie sich einvernehmlich scheiden lassen.

Das hatte er ihr immer und immer wieder gesagt.

Sie hatte ihm vertraut. Hatte seinen Versicherungen geglaubt. Warum auch nicht?

Nie zuvor hatte sie einen Menschen so sehr geliebt wie Oscar. Er war die Liebe ihres Lebens. Und er hatte sich wunderbar mit ihrem Sohn verstanden. Sie waren wie eine kleine Familie gewesen, und sie hatte begonnen, von einem gemeinsamen Kind zu träumen. Sie war noch keine vierzig, es war noch nicht zu spät.

Sie hatte vor Augen gehabt, wie sie viele, viele lange Jahre zusammenleben würden. Zusammen alt wurden. Sobald er geschieden war.

Wenn sie nur ein bisschen Geduld hatte. Wenn sie nur bereit war zu warten.

Resolut setzte sie sich auf und löschte die schreckliche Mail. Sicherheitshalber klickte sie den Papierkorb auf und löschte die Nachricht auch dort. Dann zwang sie sich, nicht mehr daran zu denken.

Sie schloss die Augen und versuchte, sich auf etwas anderes zu konzentrieren, etwas, das sie fröhlich machen würde.

Aber sofort stieg Oscars Bild vor ihrem geistigen Auge auf. Das Weinen schnürte ihr den Hals zu, und sie trank einen Schluck Wasser, um sich zu beruhigen. Sie warf einen letzten Blick auf den Bildschirm, der inzwischen schwarz geworden war.

Bestimmt hatte jemand herumfantasiert und sich einen üblen Scherz mit ihr erlaubt. Jemand mit einem perversen Sinn für Humor.

So war es. So musste es sein.

»Wie lange sitzen wir hier jetzt schon?« Margit rieb sich die Augen. Es war fast acht Uhr abends.

Sie saßen immer noch im Konferenzraum. Das vergrößerte Foto der Startumgebung hatten sie inzwischen auf der Tischplatte festgeklebt, um von allen Seiten Zugang zu haben. Eine kurze Pause, in der sie jeweils eine Wurst im Fladenwickel verschlungen hatten, war die einzige Unterbrechung seit der Mittagspause gewesen.

Margit blickte angewidert auf die Reste im Papierkorb.

»Nicht gerade GI-Methoden«, murmelte sie.

Thomas blickte von seinem Vergrößerungsglas auf.

»Vielleicht sollten wir für heute Schluss machen«, sagte er und rieb sich den Nacken. »Ich sehe schon Sterne.«

Er studierte die Liste, auf der sie alle Kennzeichen festgehalten hatten. Immer wieder hatten sie das Foto untersucht, aus allen möglichen und unmöglichen Winkeln, aber immer noch waren viel zu viele Boote übrig, die identifiziert werden mussten.

Jedes Mal, wenn sie einen neuen Anhaltspunkt gefunden hatten, gaben sie die Informationen an Kalle weiter. Seine Aufgabe bestand darin, sie mit den bekannten Bootstypen zu vergleichen und die Versicherungsgesellschaften anzurufen, um nach Angaben über die möglichen Eigner zu forschen. Ihm standen weitere Helfer zur Seite, die telefonierten und im Internet nach Informationen suchten.

Eine Art Haustürbefragung per Telefon, wenn man so wollte. Aber zum Verzweifeln langsam und umständlich.

Alle Informationen, die sie herausfilterten, waren von Nutzen, dachte Thomas. Aber leicht war es nicht. Eine Sekunde lang fragte er sich, ob das hier überhaupt ein gangbarer Weg war, aber was blieb ihnen denn als Alternative?

Sie mussten das Boot ausfindig machen, von dem der Täter geschossen hatte.

Freitag, zweite Woche

Kapitel 39

Es war Freitagnachmittag, und das Team fieberte dem Wochenende entgegen.

Das Bedürfnis nach Erholung war groß. Die Gesichter rund um den Tisch sahen erschöpft und blass aus, und die Nerven lagen blank. Die vergangenen Tage waren damit angefüllt gewesen, die Zuschauerboote zu identifizieren und ausfindig zu machen. Die mühsame Kleinarbeit hatte an den Kräften gezehrt.

Inzwischen waren zwölf Tage seit dem Mord an Oscar Juliander vergangen.

Carina hatte wieder einmal Kuchen gekauft und auf den Tisch gestellt – ein gut gemeinter Versuch, die Kollegen mit Energie zu versorgen. Sie war die Einzige im Raum, die zufrieden mit sich und der Welt schien. Sie wirkte beinahe fröhlich, trotz der bedrückten Atmosphäre, und summte leise vor sich hin, ohne sich von den niedergeschlagenen Mienen der anderen beeinflussen zu lassen.

Der Alte nahm am Kopfende des Tisches Platz. Auch ihn schien es zu belasten, dass bei den Ermittlungen kein Durchbruch in Sicht war. Sein Gesicht war verschlossen, und der Mund zu einem Strich zusammengepresst.

»Gut, fangen wir an. Als erstes Julianders Finanzen.« Er wandte sich seiner Tochter zu. »Hast du etwas gefunden, das erklärt, warum er die Swan kaufen konnte?«

»Keine Aktiengewinne«, antwortete Carina. »Aber ich habe eine andere Sache entdeckt, die sehr interessant ist, etwas, das es wert sein könnte, genauer untersucht zu werden.«

Sie schwieg, offenbar um den Effekt zu steigern, und begann in ihren Unterlagen zu blättern.

»Komm schon, Carina«, sagte Erik. »Mach's nicht so spannend.«

Carina lächelte ihn an und zog neckisch die Augenbrauen hoch. Sie ließ sich noch ein paar Sekunden Zeit, um die Spannung zu erhöhen und sicherzugehen, dass das ungeteilte Interesse der müden Kollegen ihr galt.

»Ich habe Julianders Brieftasche durchsucht. Gründlich. Die Rechtsmedizin hatte sie vor ein paar Tagen geschickt. Und darin habe ich eine Kreditkarte gefunden.«

»Aha«, sagte der Alte. »Eine Kreditkarte hat doch jeder.«

»So eine nicht. Es ist eine persönliche Platinkarte, ausgestellt von einer Bank in Liechtenstein, der Verwaltungsbank Vaduz.«

»Liechtenstein, wo ist das noch gleich?«, fragte Kalle.

»Anderthalb Autostunden von Zürich entfernt«, sagte Margit. »Ein Steuerparadies. Steht auf der schwarzen Liste der OECD.«

»Warum?«, hakte Kalle nach.

»Wegen Geldwäsche. Liechtenstein arbeitet nicht mit den Polizei- und Steuerbehörden anderer Länder zusammen.«

»Und was hat die Kreditkarte damit zu tun?«, fragte Erik. »Was bedeutet denn überhaupt so eine Platinkarte?«

Carina lächelte ein wenig herablassend über seine Frage und warf einen schnellen Seitenblick in Thomas' Richtung.

»Das ist eine besonders edle Karte ohne Kreditobergrenze. Damit kannst du alles kaufen, was du willst.«

»So eine hätte ich gerne«, sagte Kalle mit sehnsüchtigem Gesichtsausdruck.

»Ich auch«, seufzte Carina.

»Erzähl mehr über die Kreditkarte«, mahnte Thomas.

Carina hielt die vergrößerte Fotokopie einer grauen Plastikkarte hoch.

»Kreditkarten bekommt man normalerweise durch seine Hausbank. Sie sind entweder an ein bestimmtes Konto gebunden, von dem die Beträge direkt abgezogen werden, wenn man einkauft, oder man bekommt monatlich eine Gesamtrechnung über die Kartenumsätze.«

»Ja, ja«, sagte Erik ungeduldig. »Wir wissen alle, wie Kreditkarten funktionieren.«

»Moment«, sagte Carina. »Ich bin noch nicht fertig. Bei einer schwedischen Kredit- oder Geldkarte muss die ausstellende Bank die Schulden oder Guthaben jedes Jahr an das Finanzamt melden. Das taucht dann auf dem Steuererklärungsvordruck auf.«

»Aber du hast doch gesagt, dass Julianders Kreditkarte nicht von einer schwedischen Bank stammt«, sagte Thomas.

»Genau«, erwiderte Carina und strahlte übers ganze Gesicht. Das stundenlange Surfen und Suchen im Internet machte sich jetzt bezahlt. Sie fühlte sich wie eine voll ausgebildete Polizistin.

Dass Thomas ihr gegenüber in den letzten Wochen zunehmend kühler geworden war, hatte sie verunsichert. Aber sie hatte ihren Ärger hinuntergeschluckt und beschlossen, ihm zu beweisen, was in ihr steckte. Sie würde ihm durch ernsthafte Polizeiarbeit imponieren, damit er sie wieder mit denselben bewundernden Blicken ansah wie letzten Sommer.

Sie war so verliebt in ihn, dass es wehtat, und sie sehnte sich jede Sekunde des Tages nach ihm. Ein ganzes Jahr lang hatte sie akzeptiert, dass ihre Beziehung vor den Kollegen im Dienst geheim bleiben sollte. Aber sie war nicht bereit, sich heimlich abservieren zu lassen.

Sie war überhaupt nicht bereit, auf ihn zu verzichten.

»Die Sache verhält sich so«, sagte sie und blickte in die Runde. »Wenn jemand eine ausländische Kreditkarte benutzt, hat er in der Regel auch ein Konto bei einer ausländischen Bank. In diesem Fall in einem Land außerhalb der EU, das die Einkünfte schwedischer Staatsangehöriger nicht offenlegt.«

»Wir reden also von Schwarzgeld«, sagte Margit und beugte sich interessiert vor. Sie stützte das Kinn auf die Hände und dachte nach. »Geld im Ausland, das in Schweden nicht versteuert wird?«

Carina nickte eifrig.

»Wenn er schlau war, und das war er sicher, hat er die Karte vermutlich nur für Barabhebungen benutzt«, fuhr Carina fort. »Dann lässt sich nicht verfolgen, was wann wo gekauft wurde. Das ist so gut wie unmöglich.«

»Jetzt wissen wir also, wo der Herr Anwalt seine Scheinchen gebunkert hat«, sagte Thomas. »Kann man davon ausgehen, dass er die Karte benutzt hat, um sein teures neues Boot zu kaufen?«

»Auszuschließen ist das nicht«, sagte Carina und lächelte.

Zur Belohnung bekam sie ein warmes Lächeln zurück.

»Das war sehr interessant«, sagte Margit mit Nachdruck. »Gute Arbeit, Carina.«

»Ja, gut gemacht«, stimmte Thomas zu.

Carina strahlte noch mehr.

»Also, wie gehen wir jetzt weiter vor?«, fragte der Alte. »Wie finden wir heraus, um welche Summen es geht?«

»Und wo sie herkommen«, sagte Margit.

»Das weiß ich«, sagte Thomas. »Ich weiß genau, mit wem wir sprechen müssen.«

Kapitel 40

Sie standen vor dem kleinen Kiosk auf der Strandpromenade von Sandhamn. Nora hatte gerade zwei große Eistüten für Simon und Adam bezahlt. Drei Kugeln für jeden. Simon hatte sich Schokolade, Erdbeer und Vanille ausgesucht. Adam, der ein bisschen wagemutiger war, hatte Blaubeer, Melone und Karamellkrokant genommen.

Oben auf jede Eistüte hatte die Verkäuferin eine knallrosa Geleehimbeere gesetzt. Das sah so gut aus, dass Nora ihr Portemonnaie noch einmal hervorholte und für sich selbst auch ein kleines Eis kaufte, obwohl sie als Diabetikerin besser darauf verzichten sollte.

Es war bereits fünf Uhr nachmittags, also würde es ein spätes Abendessen geben. Schon wieder. Wie so oft im Sommer auf Sandhamn.

Mit dem Eis in der Hand gingen sie hinunter zum Wasser und setzten sich auf eine Bank. Am langen Kai lagen die Boote dicht an dicht, und die Touristen spazierten daran vorbei und bewunderten sie. Henrik hatte eine Abendzeitung gekauft und sich sofort darin vertieft.

Simon hatte sich kaum hingesetzt, als ihm seine Geleehimbeere in den Sand fiel. Tränen schossen ihm in die Augen, aber Nora tröstete ihn schnell damit, dass es sicher möglich war, eine neue zu bekommen. Sie ging zum Kiosk zurück und bekam tatsächlich eine neue Himbeere auf die oberste Kugel gesetzt.

Freudestrahlend umarmte Simon sie ganz fest.

»Du bist die beste Mama der Welt«, rief er aus.

Dankbar hielt er ihr seine Eistüte hin, um sie probieren zu lassen. Nora schüttelte den Kopf und lächelte ihn an.

»Ich habe doch selbst eins, Schatz. Trotzdem vielen Dank.«

Im selben Moment klingelte ihr Handy.

Das Eis in der einen Hand, versuchte sie, mit der anderen das Mobiltelefon aus der Tasche ihrer roten Shorts zu angeln. Als sie es geschafft hatte, sah sie Thomas' Namen auf dem Display.

»Hallihallo«, meldete sie sich lachend. »Alles klar bei dir in der Stadt? Wie kommt ihr mit den Ermittlungen voran?«

»Langsam«, erwiderte Thomas. »Viel zu langsam.«

Nora schleckte am Eis, das mit erschreckender Geschwindigkeit dahinschmolz. Ein großer Tropfen Schokoladeneis landete trotz aller Vorsicht auf ihren Shorts. Typisch.

»Kommst du am Wochenende raus?«, fragte sie.

»Ja. Du, kannst du mir bei einer Sache helfen?«

»Sicher, worum geht's?«

»Ich brauche ein paar Informationen zum Bankgeheimnis. Genauer gesagt, zum Bankgeheimnis in Liechtenstein.«

»Liechtenstein«, echote Nora lachend. »Willst du Geld waschen?«

»Nicht direkt.« Thomas' Stimme war ernst. »Könntest du für mich ein bisschen nachforschen? Ich müsste mehr über die Banken in dem Land wissen. Können wir uns Sonntag auf eine Stunde zusammensetzen?«

»Sonntag.« Nora überlegte einen Moment. »Warte mal kurz«, sagte sie und drehte sich zu Henrik um, der völlig versunken die Sportbeilage las. »Was machen wir übermorgen?«, flüsterte sie und schleckte eifrig an ihrem Eis.

»Nichts Besonderes«, sagte er, ohne den Blick von den rosa Seiten zu nehmen. »Wieso?«

»Thomas fragt, ob ich ihm bei einer Sache helfen kann. Ist das in Ordnung? Du gehst nicht segeln?«

Henrik schüttelte den Kopf und blinzelte in die warme Nachmittagssonne.

»Nein.«

Er verschwand wieder in den Tiefen der Sportwelt, ohne noch mehr zu sagen.

Nora hielt das Handy wieder ans Ohr.

»Sonntag geht.«

»Gut, dann machen wir das so. Kommst du zu mir nach Harö rüber, oder soll ich nach Sandhamn kommen?«

»Es ist einfacher, du kommst hierher. Dann brauche ich meinen Laptop nicht übers Wasser zu schippern. Wie viel Uhr?«

»So gegen drei?«

»Gut. Bis dann.«

Nora legte auf und steckte das Handy nachdenklich zurück in die Hosentasche.

Liechtenstein. Ein Name, der im Zusammenhang stand mit illegalen Bargeldgeschäften. Was das wohl mit dem Mord an Oscar Juliander zu tun hatte?

Sie blickte auf ihr Eis, das sich in der Waffeltüte in eine zähflüssige Pfütze verwandelt hatte. Oder vielmehr der klägliche Rest, der noch nicht auf ihre Shorts getropft war. Ein Glück, dass es die Waschmaschine gab, die beste Freundin von Eltern mit kleinen Kindern. Noras Mutter hatte früher die Wäsche unten am Kai waschen müssen, als es noch keine Waschmaschinen auf Sandhamn gab. Erst in den Sechzigerjahren war im Hafen eine öffentliche Waschküche eingerichtet worden, in der die Frauen waschen konnten.

Sie blickte an sich hinunter und seufzte. Am besten, sie ging auf kürzestem Weg nach Hause und zog sich um.

Samstag, zweite Woche

Kapitel 41

Im selben Moment, als er auf der Grillparty ankam, wurde Martin Nyrén klar, dass es ein Fehler gewesen war, die Einladung anzunehmen.

Eigentlich hatte er das von Anfang an gewusst, aber er hatte es sich trotzdem nicht verkneifen können. Das hier war eine der wenigen Möglichkeiten, Indi während des langen Monats Juli zu sehen.

Außerdem wäre es aufgefallen, wenn er abgesagt hätte.

Wie ihn diese Urlaubswochen quälten. In der Stadt konnte man sich viel leichter treffen, ohne dass es Verdacht erregte. Man brauchte nur Überstunden oder ein Geschäftsessen vorzuschützen, und schon konnte man sich davonschleichen. Aber jetzt gab es keine Ausreden, zu denen man greifen konnte. Nur eine unendlich lange Wartezeit darauf, dass der Sommer vorbeiging.

Er blieb stehen und betrachtete die Szene vor sich.

Vor dem Haus war ein großes Partyzelt aufgestellt worden. Durch die Öffnung konnte er lange Tische mit karierten Tischdecken erkennen. Zwei mächtige Lautsprecher standen ebenfalls im Zelt, vermutlich für die Disco später am Abend.

An einer Ecke des Rasens waren ein paar professionelle Grills aufgebaut. Dahinter standen zwei Männer mit weißen Kochmützen und ebensolchen Schürzen. Offenbar sollte es Lamm am Spieß geben, denn etwas, das genauso aussah, rotierte langsam über der roten Glut.

Martin aß gerne Lamm, besonders gegrilltes. Aber dass es gutes Essen geben würde, war nur ein kümmerlicher Trost. Er merkte, wie ihn Unlust beschlich. Mit Mühe widerstand er dem Impuls, sich heimlich aus dem Staub zu machen.

Die letzte Zeit war anstrengend gewesen. Der Mord an Oscar war immer noch nicht aufgeklärt, und die Verwüstung seiner Omega belastete ihn. Außerdem hatte er immer noch das unangenehme Gefühl, hin und wieder beobachtet zu werden.

Der Rasen war voller lachender Menschen, die mit einem Glas in der Hand beisammenstanden. In der Mitte hatte man eine provisorische Bar aufgebaut, hinter der ein hübsches junges Mädchen stand und jedem zu trinken servierte, der etwas haben wollte. Martin ging zu ihr hin. Sie schöpfte aus einem großen Glasgefäß mit einer hellroten Flüssigkeit, in der Orangenstücke und Eiswürfel schwammen.

»Sangria«, lächelte sie und reichte ihm ein gut gefülltes Glas. »Heute ist spanischer Abend. Bitte sehr.«

Er nahm das Glas dankbar entgegen und trank einen großen Schluck. Das Zeug war richtig gut. Nicht so eine dünne Brühe, wie man sie bei Charterreisen in Spanien bekam, sondern vollmundig und stark. Kein Wunder, dass die Spanier so vernarrt in ihr Nationalgetränk waren. Er trank noch einen Schluck und versuchte, einen Funken Partystimmung in sich zu finden.

Mit dem Drink in der Hand betrachtete er wieder das Festgelände.

Links von ihm lag das Sommerhaus des Gastgeberpaares, ein modernes, luftiges weißes Gebäude, von dem man eine schöne Aussicht hatte. An die südliche Hauswand schloss sich eine breite Terrasse an, die Platz für einen Esstisch und für Liegestühle bot.

Er konnte direkt vor sich sehen, wie die Gastgeber müßige Sommertage auf den Holzdielen der Terrasse verbrachten, die von einem Geländer aus weißen, gekreuzten Latten umrahmt wurde. Es erinnerte ein wenig an die Signalflaggen auf See. Auf beiden Seiten des Grundstücks standen hohe Kiefern, die vor Einblicken schützten, und zur Straße hin diente eine Fliederhecke demselben Zweck.

Ein Wasserscooter tauchte unten am Steg auf. Martin Nyrén waren diese Tempomonster schon lange ein Dorn im Auge. Insgeheim sehnte er sich nach den Zeiten zurück, als sie auf dem Meer verboten waren. Sie sorgten für Unruhe und dienten keinem vernünftigen Zweck. Sie waren lediglich teures Spielzeug für Menschen, die nichts Besseres mit ihrem Geld anzufangen wussten.

Aber er hatte eine leise Ahnung, wer in dieser Familie so ein Spielzeug benutzte. So war das wohl, wenn man fast erwachsene Kinder hatte. Man konnte sich gegen derart dummes Zeug kaum wehren.

Ein altes, geteertes Ruderboot lag ebenfalls am Steg. Es bildete einen seltsamen Kontrast zu dem Wasserscooter. Martin konnte sich gut vorstellen, was für ein Gefühl es war, an einem windstillen Tag mit dem alten Boot hinauszurudern und sich mit den Wellen treiben zu lassen.

An der rückwärtigen Ecke des Partyzeltes sah er eine Gruppe vom KSSS. Hans Rosensjöö stand dort zusammen mit mehreren anderen Vorstandsmitgliedern und ihren Frauen.

Er beschloss, Guten Tag zu sagen. Wenn er schon einmal hier war, konnte er das ebenso gut gleich hinter sich bringen. Jetzt musste er ohnehin bis nach dem Essen bleiben.

Er brachte seine Gesichtszüge entschlossen in eine Form, die Partystimmung signalisieren sollte, und ging auf die Gruppe zu.

Vielleicht ergab sich ja im Laufe des Abends sogar die Gelegenheit, ein paar ungestörte Minuten mit Indi zu verbringen, dachte er. Nur einen kleinen Moment der Zweisamkeit, den er im Gedächtnis behalten konnte, um davon zu zehren in Zeiten, in denen sie sich nicht treffen konnten.

Nach dem Dessert, wenn alle mit einem Espresso in der Hand Small Talk pflegten.

Auf einmal war ihm leichter zumute.

»Hallo zusammen«, sagte er mit breitem Lächeln. »Ist das nicht ein schönes Fest? Wie geht's euch?«

Ein schwacher Duft stieg ihm in die Nase, ein Hauch von Gewürzen, der ebenso schnell verflog, wie er gekommen war. Er versuchte sich zu erinnern, wann er ihn schon einmal gerochen hatte, und nach einer Weile fiel es ihm wieder ein.

An jenem Abend in seiner Wohnung, als er das Gefühl hatte, dass jemand dort gewesen war.

Aber als er versuchte, dem Duft nachzuschnuppern, war er verschwunden.

Sonntag, zweite Woche

Kapitel 42

Thomas war gerade angekommen, und nun standen sie in Noras Küche. Im Haus war es ungewöhnlich ruhig und still. Adam war am Morgen ins KSSS-Segelcamp nach Lökholmen hinausgefahren, wo er bis zum nächsten Samstag bleiben würde, und Henrik hatte Simon mitgenommen, um mit der Wurfangel auf Heringsjagd zu gehen.

»Du trinkst doch einen Tee mit?«, fragte Nora und nahm zwei große gemusterte Becher aus dem Regal, ohne auf Antwort zu warten. »Was für einen möchtest du, normal oder mit Vanillegeschmack?«

Sie holte Milch aus dem Kühlschrank und öffnete den Schrank, um den Honig herauszunehmen.

»Earl Grey, wenn du hast«, sagte Thomas und nahm zwei Löffel aus der Besteckschublade. Er war in Noras Küche fast ebenso zu Hause wie in seiner eigenen. Kein Wunder, wenn man sich seit Jahrzehnten kannte.

»Möchtest du was dazu?« Nora öffnete den Brotbehälter, der am Ende der hellen Anrichte stand.

Thomas schüttelte den Kopf.

»Lass nur, danke. Hab schon zu viel Kuchen gegessen.« Er klopfte sich auf den Bauch.

Nora verdrehte die Augen. Sie fand, dass Thomas immer noch aussah wie vor fünfzehn Jahren, als er Handball spielte.

Sie setzten sich an den Küchentisch und Nora schob ihm einen Becher mit dampfendem Tee hin.

»Hast du was herausgefunden?«, fragte Thomas.

Nora klappte ihren Laptop auf, der neben ihr auf dem Küchentisch stand.

»Da«, sagte sie und zeigte auf das Dokument, in dem sie ihre Erkenntnisse zusammengestellt hatte. »Lies selbst.«

Thomas beugte sich vor, um besser sehen zu können.

Nora hatte genau beschrieben, was das Bankgeheimnis rechtlich und inhaltlich bedeutete. Thomas stellte schnell fest, dass der Begriff fast ebenso lange existierte, wie es Banken gab. In wenigen Worten zusammengefasst lief es darauf hinaus, dass eine Bank nicht verpflichtet war, einer dritten Seite gegenüber Angaben über ihre Kunden zu machen, weder schriftlich noch mündlich. In vielen Staaten war dies per Gesetz geregelt.

In den letzten Jahren allerdings waren die Steuerparadiese durch die zunehmende Wirtschaftskriminalität und die Fälle von internationalem Terrorismus in Bedrängnis geraten. Die USA und die EU hatten großen politischen Druck ausgeübt, um auch diese Länder zur Zusammenarbeit zu bewegen.

»Wo hast du das gefunden?«

»In juristischen Datenbanken. Einige davon befassen sich mit internationaler Gesetzgebung und Rechtsprechung auf diesem Gebiet.«

»Du meine Güte.«

»Ich vermute, es geht darum, dass Juliander irgendwelche Guthaben im Ausland hatte?« Nora sah Thomas fragend an.

Er nickte bestätigend.

»Behalte es bitte für dich. Wir wollen auf keinen Fall, dass etwas davon nach außen dringt.«

»Vielen Dank für dein Vertrauen«, erwiderte Nora trocken. »Glaubst du, ich gehe damit hausieren? Aber wenn du mich bittest, mich in Fragen des Bankgeheimnisses zu vertiefen, werde ich ja wohl wenigstens den Grund erfahren dürfen.«

Sie trank einen Schluck Tee und blickte Thomas herausfordernd an.

»Natürlich. So war das nicht gemeint«, sagte er lächelnd.

Nora klickte eine neue Seite in ihrem Laptop auf und fuhr fort:

»Hieraus geht hervor, dass Liechtenstein eines von diesen Steuerparadiesen ist. Die Behörden anderer Staaten erhalten keinerlei Einblick.«

»Führt das nicht international zu Unmut?«

»Genauso ist es. Die EU hat zum Beispiel die Schweiz immer wieder bedrängt, und in den letzten Jahren sind die Schweizer tatsächlich zunehmend kooperationsbereiter geworden, besonders was Gelder aus dem Drogenhandel und schwarze Konten betrifft.«

Thomas studierte den Text auf dem Bildschirm.

»Gibt es irgendeinen Weg, an Informationen über eventuelle Konten von Juliander zu kommen?«

»Das ist nicht so einfach. Sie haben zwar das Bankgeheimnis etwas gelockert, aber das gilt vor allem im Zusammenhang mit Terrorismus und Rauschgifthandel.« Sie schwieg einen Moment. »Du musst mir schon genauer sagen, worum es geht, sonst kann ich dir nicht helfen.«

Thomas war nicht ganz wohl bei dem Gedanken, Informationen weiterzugeben, die bisher keiner außerhalb der Ermittlungsgruppe kannte.

Andererseits konnte Nora ihnen mit einem Fachwissen helfen, an das auch jemand von der Polizei nicht so ohne Weiteres herankam, und wenn, dann würde es sehr viel länger dauern. Und gerade diese Kompetenz war auf der Polizeistation Nacka definitiv nicht vorhanden.

»Traust du mir nicht?«, fragte Nora und auf ihrer Stirn zeigte sich eine kleine ärgerliche Falte. »Wenn ich die Fragestellung nicht kenne, kann ich auch keine vernünftige Antwort liefern.«

Sie griff nach der Teekanne und goss sich einen halben Becher ein. Dann zeigte sie mit der Kanne auf Thomas' Becher, und er nickte dankbar. Sie schenkte ihm ebenfalls nach.

»Du hast recht«, sagte Thomas. »Also, es geht um Folgendes.«

Rasch fasste er den Stand der Dinge zusammen und beschrieb, wie sie an Julianders ausländische Kreditkarte gekommen waren.

Nora hörte aufmerksam zu. Als er ihr seine Theorie über geheime Guthaben in Liechtenstein darlegte, machte sie ein besorgtes Gesicht.

»Dann habt ihr ein Problem.«

»Wieso?«

Nora scrollte die Seite auf dem Bildschirm hinunter. »Es muss der begründete Verdacht eines Verbrechens vorliegen, damit die Behörden in Liechtenstein mit dem Ausland zusammenarbeiten.«

»Der liegt doch vor«, wandte Thomas ein.

»Eine ausländische Kreditkarte und ein geheimes Bankkonto sind in ihren Augen kein Verbrechen. Für sie ist Steuerflucht nichts besonders Gravierendes. Höchstens ein Vergehen, für das es maximal sechs Monate Haft gibt. Das reicht nicht, um das Bankgeheimnis aufzuheben.«

»Was bedeutet das?« Thomas wurde langsam nervös und Nora bestätigte seine schlimmen Vorahnungen.

»Dass es sehr schwer sein wird, Informationen über Julianders Karte und sein Konto zu erhalten.«

»Was kann man da machen?«

Nora trank einen Schluck Tee und überlegte.

»Ich denke, du solltest mit einem Staatsanwalt von der Wirtschaftskripo sprechen. Einem, der Erfahrung mit dem Kontakt nach Liechtenstein hat.«

Thomas verzog das Gesicht und Nora las den Text auf dem Bildschirm noch einmal durch, kam aber zu keinem anderen Ergebnis als dem, das sie ihm eben genannt hatte.

»Da ist noch etwas, das du wissen solltest«, sagte sie. »Es dauert eine halbe Ewigkeit, bis man Material aus Liechtenstein bekommt.«

»Was heißt das genau?«

»Etliche Jahre. Zuerst muss das schwedische Justizministerium ein formelles Amtshilfeersuchen an sein ausländisches Pendant richten.«

»Und dann?«

»Dann nimmt das Justizministerium in Liechtenstein Kontakt zu den ausführenden Behörden seines Landes auf. Als Nächstes ist ein Beschluss des Landgerichts erforderlich, um das Material beschlagnahmen zu können. Gegen diesen Beschluss kann Widerspruch eingelegt werden. Über drei Instanzen.«

Thomas stieß einen Pfiff aus.

»Außerdem ist ein besonderer Beschluss nötig, damit das Gericht das betreffende Material überhaupt bei sich behalten darf. Gegen diesen Beschluss kann auch dreimal Revision eingelegt werden.«

»Das ist doch absurd.«

Nora lächelte ihn schief an. »Es kommt noch besser. Selbst wenn man es schafft, dass dieser Beschluss rechtsgültig wird, ist ein weiterer spezieller Beschluss nötig, damit das Material an die schwedischen Behörden ausgeliefert werden kann.«

Thomas stöhnte.

»Sag nichts. Auch gegen diesen Beschluss kann man dreimal Widerspruch einlegen.«

Nora nickte. »Stimmt. Insgesamt muss man also neun Instanzen erfolgreich überstehen, bevor irgendetwas ausgeliefert wird.«

»Wie lange dauert das?«

»Drei bis vier Jahre, schätze ich.«

Thomas begann langsam, alles Vertrauen in das Rechtssystem zu verlieren.

»Was noch?«, sagte er matt.

»Willst du es wirklich wissen?«

Er nickte.

»Üblicherweise sind an die Gerichtsbeschlüsse Bedingungen geknüpft. Das ausgelieferte Material darf nicht zu Steuerprüfungszwecken herangezogen werden. Du musst also deinen Antrag mit der Mordermittlung begründen, sonst bekommst du das Material trotzdem nicht.«

Es fiel Thomas schwer, Noras Erklärungen zu verdauen.

»Aha«, sagte er schließlich. Frustriert erhob er sich und lehnte sich an die Anrichte, während er überlegte. »Das sieht mir nicht nach einem gangbaren Weg aus, wenn ich dich richtig verstanden habe, also …«

Nora fiel ihm ins Wort.

»Was für eine Kreditkarte hatte er denn?«

»Ich glaube, eine Mastercard, oder vielleicht auch Visa. Wieso?«

»Du könntest mit der schwedischen Niederlassung der Kreditkartenfirma sprechen. Die Karte wurde zwar im Ausland ausgestellt, aber vielleicht helfen sie dir trotzdem. Zumindest so weit, dass ihr seht, welche Zahlungen geflossen sind.«

Natürlich. Follow the money.

»Eine andere Frage ist«, dachte Nora laut nach, »woher das Geld stammt. Also das, was auf dem geheimen Konto ist.«

»Weiter«, ermunterte Thomas sie. Das war genau die Frage, die sich die Ermittlungsgruppe auch gestellt hatte.

»Denn eine ausländische Kreditkarte ist doch eigentlich nur sinnvoll, wenn es dazu ein Konto gibt, auf dem entweder ein fester Geldbetrag liegt oder auf das laufend Zahlungen eingehen, oder?«

»Das nehme ich an.«

»Er kann kaum Geld von seinen Klienten auf ein ausländisches Bankkonto transferiert haben. Vor allem nicht, wenn sich dieses Konto in einem Steuerparadies befindet. Ein Insolvenzverwalter muss vor dem Gericht Rechenschaft ablegen. Wenn er eine Bank in Liechtenstein benutzt hätte, wäre das sofort aufgeflogen.«

»Und es hätte keinen Sinn ergeben, Kapital auf legalem Weg auszuführen.« Thomas versuchte, ihrem Gedankengang zu folgen.

»Nein, denn dann hätten die Behörden davon erfahren. Er hätte es versteuern müssen.«

»Es gibt bestimmt Leute, die Geld in Reisetaschen aus Schweden herausschmuggeln.«

Nora schüttelte skeptisch den Kopf.

»Damit wäre er ein enormes Risiko eingegangen, entdeckt zu werden. Mit der Folge, dass man ihn sofort aus der Anwaltskammer ausgeschlossen hätte.«

»Die Zehntausendkronenfrage ist also, woher das Geld stammt, das die Kreditkarte deckt.«

Thomas nahm wieder auf dem Küchenstuhl Platz. Sein Tee war kalt geworden, aber er trank den letzten Rest trotzdem.

»Die Karte hatte kein Kreditlimit«, sagte er wie nebenbei.

Nora pfiff leise durch die Zähne.

»Dann kann es kein kleiner Betrag sein, den Juliander dort gebunkert hat.«

Während Thomas nach Harö zurückfuhr, dachte er weiter über das Rätsel Juliander nach. Das Bild eines Mannes, der außerordentlich erfolgreich gewesen war, mit einer perfekten Karriere und einer perfekten Familie, bekam immer mehr Risse.

Warum war Juliander dieses Risiko eingegangen?

Schwarzgeld im Ausland zu verstecken, war schließlich ein Verbrechen. Und kein geringes. Für einen renommierten Rechtsanwalt war das besonders gefährlich. Wenn man ihn erwischt hätte, wäre seine Karriere schlagartig zu Ende gewesen.

War Juliander der Erfolg derart zu Kopf gestiegen, dass er sich einbildete, über dem Gesetz zu stehen? Oder hatte er sich das neue Segelboot so inbrünstig gewünscht, dass er bereit gewesen war, gegen das Rechtssystem zu verstoßen, dem er sein Leben lang gedient hatte?

Vielleicht hatte Juliander jemanden betrogen, und dieser Jemand hatte ihn aus Rache umgebracht. Fragte sich nur, wer das sein konnte.

Woher stammte das Geld?

Montag, dritte Woche

Kapitel 43

»Hast du bei der Kreditkartengesellschaft was erreicht?«, fragte Thomas und schnitt ein Stück von seinem Hacksteak ab, einem der beiden Gerichte auf der Tageskarte.

Margit und er saßen in einem der Restaurants am Nacka Strand, einen kurzen Spaziergang von der Polizeistation entfernt. Sie hatten sich draußen einen Tisch gesucht, um dem Essensdunst im Lokal zu entgehen und ein bisschen frische Luft zu schnappen.

»Unsere liebe Staatsanwältin Öhman hat sich um die nötigen Formalitäten gekümmert«, sagte Margit und blickte von ihrem panierten Dorsch auf. »Ich habe kurz mit dem Geschäftsführer gesprochen, bevor wir gegangen sind. Er sagte, ich soll ihm unsere Fragen mailen, und das habe ich getan.«

»Wirkte er kooperationsbereit?«

»Geht so. Der zuständige EDV-Mitarbeiter ist im Urlaub und muss erst zurückgeholt werden. Andererseits ist es sicher nicht das erste Mal, dass sie Daten für eine polizeiliche Ermittlung heraussuchen müssen.«

Sie biss von ihrem Fisch ab und fuhr fort:

»Der Chef hat mich vorgewarnt, dass es etwas dauern kann. Leider.«

»Okay«, sagte Thomas. »Hoffen wir das Beste. Bin mal gespannt, was sie finden. Das wird bestimmt interessant.«

Er griff nach einer Scheibe Brot, bestrich sie mit Butter und aß sie auf, bevor er den letzten Rest Hacksteak auf seine Gabel spießte.

»Willst du einen Kaffee?« Er stand auf, ehe Margit antworten konnte, in der sicheren Gewissheit, dass sie noch nie eine Tasse Kaffee abgelehnt hatte.

Mit langen Schritten ging er ins Dunkel des Restaurants hinein und steuerte den Tisch an, auf dem die Kaffeekannen auf Warmhalteplatten standen. Er nahm zwei weiße Porzellantassen und füllte sie mit der schwarzen, heißen Flüssigkeit. Mit einer Tasse in jeder Hand ging er zu Margit zurück.

»Hier, bitte.« Er nahm einen Schluck und genoss es, einen anständigen Kaffee zu trinken.

»Wenigstens geht es an der Bootsfront vorwärts«, sagte Margit.

Kalle und seinen Helfern war es nach einer unendlichen Zahl von Telefonaten geglückt, die Eigentümer von fünfzehn Zuschauerbooten ausfindig zu machen. Weitere drei hatte Axel Bjerring identifizieren können, der von Kalle um diesen Gefallen gebeten worden war.

Als Thomas das Foto ein letztes Mal studiert hatte, war ihm aufgegangen, dass er selbst eines der noch übrigen Boote kannte. Es gehörte einem fünfundsiebzigjährigen Nachbarn auf Harö, ein Bekannter seiner Eltern. Es fragte sich allerdings, ob der Mann Oscar Juliander gekannt hatte.

Jetzt hatten sie neunzehn der siebenundzwanzig Boote auf dem Foto durchgestrichen. Ihre Eigentümer würden der Reihe nach vernommen werden.

Die Ermittlung kam voran, wenn auch mit sehr kleinen Schritten.

Dienstag, dritte Woche

Kapitel 44

Thomas hatte die Station am frühen Nachmittag verlassen und war nach Harö hinausgefahren. Er konnte keinen klaren Gedanken mehr fassen, und schließlich hatte er es aufgegeben und alle Listen und Berichte auf dem Schreibtisch ihrem Schicksal überlassen.

Er musste den Kopf frei bekommen.

Schon auf der Fähre fiel ihm das Atmen leichter, und sobald er in seinem Haus angekommen war, suchte er etwas zu essen zusammen und kochte eine Thermoskanne Kaffee, packte alles in eine wasserdichte Kühltasche und ging hinunter zum Steg. Dort hob er seinen Kajak vom Holzgestell und ließ ihn vorsichtig zu Wasser.

Den Proviant verstaute er vorn im Bug. Er zog eine Schwimmweste an, setzte sich vorsichtig in die Mitte des schmalen Rumpfes, holte tief Luft und griff nach dem Paddel.

Endlich durchatmen.

Zunächst wollte er an Sandhamn vorbeipaddeln, dann einen weiten Bogen schlagen und nach Stora Hästskär hinaus, einer Insel südlich von Sandhamn. Sie war viele Jahre lang vom Militär genutzt worden, das dort eine Radarstation betrieben hatte. Damals war die Insel Sperrgebiet gewesen, niemand hatte sie betreten dürfen. Bereits vor etlichen Jahren war Hästskär vom Militär aufgegeben worden, aber aus alter Gewohnheit hielten die Menschen sich trotzdem von der Insel fern.

Das passte Thomas ausgezeichnet.

Mit routinierten Armschlägen trieb er den Kajak nach Südosten voran. Das Paddel war fast zweieinhalb Meter lang und er nahm schnell Fahrt auf. Kein Lüftchen regte sich, das Meer war spiegelglatt und es kam ihm vor, als würde er durch wogende Seide gleiten.

Er genoss die Stille um sich herum. Es war ein überwältigendes Gefühl, in einem so winzigen Boot mitten auf dem Meer unterwegs zu sein. So als würde man von unten zur Natur aufschauen, ohne sich jedoch unter der Oberfläche zu befinden. Eine ganz andere Perspektive als in einem normalen Boot.

Als er sich der Fahrrinne nach Sandhamn näherte, blickte er automatisch zum Steg der Lindes hinüber. Es war gerade erst sieben Uhr abends, vermutlich saßen Nora und ihre Familie immer noch beim Abendessen.

Er lächelte, als er an Simon dachte. Es machte immer viel Spaß, mit ihm zu reden. Simon liebte es, lange Vorträge über dieses und jenes zu halten, er hatte ein helles Köpfchen, das voller Ideen steckte.

Auch wegen der Jungs hoffte Thomas, dass Henrik und Nora sich darüber einigten, was sie mit der Brand'schen Villa anfangen sollten. Wie konnte es angehen, dass man sich wegen eines alten Hauses so oft stritt, das war es doch wohl nicht wert. Aber bei Henrik wusste man nie.

Thomas kannte ihn nicht gut genug, um zu verstehen, wie er argumentierte. Er wusste nur, dass Henriks Art der Argumentation ganz anders war als seine eigene. Noras Mann beurteilte seinen Erfolg durch die Augen anderer. Für ihn war es wichtig, wen man kannte und in welchen Kreisen man sich bewegte. Dass Nora sich in einen Mann verliebt hatte, der in dieser Hinsicht so ganz anders war als sie, erstaunte Thomas immer noch. Nora wurde von einer inneren Überzeugung getrieben, was richtig und was falsch war. Sie wäre nie auf die Idee gekommen, die Menschen in ihrer Umgebung nach ihrem Status oder ihren Beziehungen zu bewerten.

Es war offensichtlich, dass der Graben zwischen Nora und Henrik tiefer wurde. Henrik machte sich mehr und mehr die Werte seiner Eltern zu eigen. Seine Erziehung und seine Familientraditionen holten ihn langsam ein, und Nora wurde darüber immer stiller und unglücklicher.

Aber Thomas wusste auch, was für ein Dickschädel seine Jugendfreundin war. Sie würde bis zum Letzten für den Erhalt ihrer Ehe kämpfen. Und sei es der Kinder wegen. Nora war einer der loyalsten Menschen, die Thomas kannte, sie würde niemals leichtfertig etwas versprechen. Deshalb war es auch so offensichtlich, wie sehr sie unter dem Konflikt zwischen Signes letztem Willen und Henriks Ansprüchen litt.

Thomas hob den Arm zu einem neuen Paddelschlag, als er plötzlich aus dem Augenwinkel eine Bewegung wahrnahm. Er drehte den Kopf und erkannte unter der Wasseroberfläche einen Fischschwarm schräg vor dem Kajak. Ein glückliches Lächeln breitete sich auf seinem Gesicht aus. Was für ein herrlicher Anblick: die silbern schimmernden Fische, die pfeilschnell vor dem Bug dahinglitten.

Als er eine Weile später Hästskär erreicht hatte, schob er den Kajak zwischen das Schilf der kleinen Bucht, setzte sich ans Ufer und verzehrte den mitgebrachten Proviant. Dann streckte er sich auf dem Handtuch aus und schloss die Augen. Ehe er sich versah, war er in der Abendsonne eingeschlafen.

Als er aufwachte, war fast eine Stunde vergangen. Sein rechter Arm, der unter dem Kopf gelegen hatte, war eingeschlafen und ganz taub und steif. Er massierte ihn, um die Blutzirkulation wieder in Gang zu bringen. Immer noch schläfrig griff er nach der Wasserflasche und nahm einen ordentlichen Zug.

Er hatte vom Start der Gotland-Runt-Regatta geträumt.

Thomas fuhr sich mit der Hand durchs Haar und versuchte, sich den Traum in Erinnerung zu rufen. Er war in einem kleinen Boot draußen auf dem Meer gewesen, umgeben von anderen Zuschauerbooten. Alle warteten hoch konzentriert auf den Start. Vor dem Horizont ragte das graue Startfahrzeug auf.

Im Traum hatte er auf dem Vordeck gestanden, breitbeinig und mit einem Gewehr in der Hand. Vor ihm lag die *Emerald Gin*, bereit, jeden Moment die Startlinie zu überqueren. Er war nur fünfzig Meter von der schönen Swan entfernt, deren Rumpf in der Sonne glänzte. Mit eiskalter Berechnung zielte er sorgfältig auf Oscar Juliander, der am Ruder stand. Er konnte sein breites Lachen sehen. Gleich hinter ihm erkannte er Fredrik Winbergh.

Aber gerade als Thomas abdrückte, schaukelte das Deck unter ihm ordentlich. Eine große Welle hatte sein Boot angehoben und er verlor das Gleichgewicht. Der Schuss ging los, verfehlte sein Ziel aber um mehrere Meter.

Mit einer Hand an der Reling sah er zu, wie Juliander an ihm vorbeisegelte und Richtung Horizont verschwand.

Das war ein unheimlich realer Traum gewesen. Er sah noch direkt vor sich, wie das Deck zu schaukeln begann und wie die plötzliche Bewegung dazu führte, dass der Schuss ins Leere ging. Genau in dem Moment, als er die Gelegenheit hatte, sein Opfer zu töten.

Plötzlich wurde ihm etwas klar.

Der Schütze musste sich auf einem großen, stabilen Schiff befunden haben.

Sie hatten sich davon blenden lassen, dass an jenem Tag nur eine schwache Brise wehte und das Meer ungewöhnlich ruhig war. Daraus hatten sie gefolgert, dass der Schuss von jedem beliebigen Boot gekommen sein konnte.

Ihm fiel wieder ein, wie er bei der Obduktion mit Sachsen über die Wellenbewegungen diskutiert hatte. Aber was sie nicht bedacht hatten, waren die vielen Zuschauer, die dafür sorgten, dass das Meer trotzdem unruhig war. Wenn eine große Anzahl Boote in einem relativ eng begrenzten Bereich dümpelte, lösten die Rumpfbewegungen Wellen aus, auch dann, wenn kein nennenswerter Wind wehte. Ein kleineres Boot würde darauf stärker reagieren, vermutlich so stark, dass es unmöglich war, von dort aus ein anvisiertes Ziel zu treffen.

Aber wenn der Mörder an Bord einer großen Jacht gestanden hatte, die von einem durchgehenden Kiel stabilisiert wurde, spielte das keine Rolle. Dann hätte der Schütze die Balance halten und sicher zielen können, trotz des Wellengangs.

Thomas spürte, wie sein Körper vor Aufregung zu kribbeln begann.

Wie viele große Jachten hatten in dem goldenen Dreieck, wie Margit es nannte, gelegen? Vermutlich nicht sehr viele. Definitiv keine siebenundzwanzig.

Wenn seine Überlegungen stichhaltig waren, konnten sie die Mehrzahl der Zuschauerboote außer Acht lassen. Und das Boot, auf dem sich der Mörder befunden hatte, wäre viel leichter einzukreisen.

Sobald er zurück auf der Polizeistation war, musste er sich das Foto noch einmal genau ansehen. Morgen früh würde er die erste Fähre von Harö zurück in die Stadt nehmen.

Mittwoch, dritte Woche

Kapitel 45

Alle waren im großen Konferenzzimmer der Polizeistation versammelt. Es war sparsam möbliert: ein langer Tisch und acht Stühle, ein großer Papierblock auf einem Flipchart und am Kopfende eine Weißwandtafel.

Das Einzige, was die dürftige Ausstattung aufwog, war die Aussicht aufs Wasser. Von hier aus konnte man tagsüber die großen Fährschiffe beobachten, die Scharen von entzückten Touristen in das Venedig des Nordens brachten.

An der einen Wand war das vergrößerte Foto aus dem Fernsehfilm befestigt. Thomas ging hin und deutete auf den Zuschauerbereich.

»Im betreffenden Bereich nahe der Startlinie befinden sich nur drei große Jachten. Eine davon gehört Axel Bjärring. Er hatte die gesamte KSSS-Mafia an Bord, und mit denen haben wir schon gesprochen. Sie liefern sich gegenseitige Alibis.«

Dann zeigte er etwas mehr nach rechts.

»Hier seht ihr die beiden anderen großen Schiffe innerhalb des Schussbereichs: eine Princess-47 und eine Riva Malibu von 42 Fuß.«

Er erklärte kurz, was ihm durch den Kopf gegangen war.

»Nicht schlecht gedacht«, murmelte Margit.

»Beide Eigner sind identifiziert worden, und Kalle hat sie schon kurz vernommen.«

»Dann lass mal hören«, wandte sich der Alte an Kalle, »was Holger Alsing zu sagen hatte.«

Kalle hatte am Tag zuvor mit Alsing gesprochen, dem das Princessboot gehörte. Holger Alsing war ein freundlicher Mann, der zusammen mit seiner Frau, drei Kindern im Teenageralter und einer blauäugigen Siamkatze zum Start von Gotland Runt hinausgefahren war, um einen angenehmen Tag auf See zu verbringen. Ziemlich bald hatten die Kinder jedoch begonnen, über Langeweile und Seekrankheit zu klagen.

»Sie wissen ja, wie Teenager so sind«, hatte Alsing mit einem Augenzwinkern zu Kalle gesagt.

Kalle hatte zwar keine Ahnung, wie Teenager so waren, sagte aber nichts dazu.

Die Quengelei der Kinder hatte jedenfalls dazu geführt, dass die ganze Bagage zurück nach Sandhamn fuhr. Dort waren sie ins Värdshuset gegangen. Erst am Abend, als sie die Fernsehnachrichten sahen, hatte Familie Alsing mitbekommen, was passiert war.

Als Kalle ihn fragte, ob jemand seine Angaben bezeugen könne, hatte Alsing lachend auf seine Frau und seine drei Kinder verwiesen. Sie hatten alle im selben Boot gesessen, sozusagen.

»Ich denke nicht, dass da noch viel mehr zu holen ist«, fasste Kalle seinen Bericht zusammen.

Das Gespräch mit dem Eigner der anderen Jacht war ganz ähnlich verlaufen.

Es waren mehrere Leute an Bord gewesen, und alle hatten sich gegenseitig immer im Blick gehabt. Im Unterschied zu Alsing hatte dieser Skipper schon früh gemerkt, dass an Bord der *Emerald Gin* etwas nicht stimmte, aber nicht die ganze Tragweite erkannt. Er dachte, jemand habe gesundheitliche Probleme bekommen und der Start sei deswegen abgebrochen worden.

Nach Kalles Bericht wurde es still im Raum. Alle grübelten über die Informationen nach und studierten das Foto an der Wand.

Carina sah es als Erste.

»Die Luke. Da ist eine Luke auf dem Vordeck des einen Schiffes. Hier.« Sie erhob sich halb von ihrem Stuhl und zeigte aufgeregt auf die Stelle.

Thomas trat an das Foto heran. Es zeigte die Ausrichtung der Boote in Relation zu Julianders Swan im Augenblick des Starts. Aber nur die Princess-47 hatte eine Luke auf dem Vordeck. Bei den anderen war das Vordeck völlig glatt.

Thomas beugte sich so dicht es ging an das Foto heran. War es denkbar, dass jemand bei aufgestellter Luke aus der Vorpiek schoss?

Warum nicht.

Falls der Schütze sich auf die Pritsche kniete, die Luke öffnete und sorgfältig zielte. Falls das Boot nicht krängte, was es nicht tat, wenn es groß genug war. Falls derjenige außerdem vor Einblicken geschützt war, sodass niemand ihn stören oder entdecken konnte.

»Sehr gut beobachtet, Carina«, sagte er mit einer Wärme in der Stimme wie schon lange nicht mehr.

Ihr Gesicht leuchtete bei seinen Worten auf, und er bekam sofort ein schlechtes Gewissen, weil sie sich so darüber freute.

»Ist mir nur gerade eingefallen. Einfach so.«

Der Alte warf seiner Tochter einen anerkennenden Blick zu.

»Dann müssen wir uns diesen Holger Alsing wohl noch einmal vorknöpfen«, konstatierte Margit. »So schnell wie möglich. Was macht er beruflich?« Sie sah Kalle fragend an.

»Ingenieur, eigene Consulting-Firma. Nimmt oft Kunden mit aufs Meer raus.«

»Hatte er Verbindungen zu Juliander?«

»Nach seinen Angaben nicht. Hat ihn nie getroffen.«

»Sagt er«, warf Thomas ein.

»Sagt er«, bestätigte Kalle.

»Hat er einen Waffenschein? Für Gewehre, beispielsweise ein Marlin?«

»Ich werde das sofort prüfen lassen.«

Thomas nickte nachdenklich und betrachtete wieder das Foto des Startbereichs.

Konnte es sein, dass sie den Täter hatten? Dass die anderen Spuren – die vielen Frauengeschichten, die russische Mafia, die Drogen, die Mauschelei mit der ausländischen Kreditkarte – nur Sackgassen gewesen waren? Dinge, die zu Julianders Leben gehörten, aber nichts mit seinem Tod zu tun hatten?

Konnte es so einfach sein, dass die Lösung des Rätsels sich an Bord einer Princess-47 befunden hatte, die ganze Zeit, direkt vor ihren Augen?

Bisher hatten sie nur Alsings eigene Angaben, dass er den Tag mit seiner Frau und seinen Kindern zusammen verbracht hatte. Vielleicht stimmte das überhaupt nicht. In dem Fall müssten sie seine Aussage schnellstens überprüfen und mit den anderen Familienmitgliedern sprechen. Aber was für ein Motiv konnte Alsing gehabt haben?

»Es gibt da möglicherweise ein Problem«, sagte Kalle leise.

»Welches?« Der Alte runzelte die Stirn, während er den letzten Rest aus seiner Kaffeetasse trank.

Kalle machte ein unglückliches Gesicht.

»Er ist nicht in Schweden.«

»Er? Meinst du Alsing?«, fragte Thomas.

»Und warum nicht?«, sagte Margit.

»Er ist heute Morgen ins Ausland gereist«, sagte Kalle. »Die ganze Familie war auf dem Weg nach Mallorca. Er kommt erst in vierzehn Tagen zurück.« Er ließ den Kopf hängen, als sei er persönlich dafür verantwortlich, dass ein möglicher Täter sich ins Ausland abgesetzt hatte.

Thomas und Margit wechselten einen Blick.

»Sollen wir ihn per Telefon kontaktieren?«, fragte Thomas.

Der Alte machte ein skeptisches Gesicht.

»Damit würden wir ihn nur warnen. Im Moment haben wir nichts gegen ihn in der Hand. Nur einen Verdacht. Das ist viel zu wenig, um ihn dort unten festnehmen zu lassen.«

Thomas musste ihm beipflichten. Es waren schon handfeste Beweise nötig, um einen Tatverdächtigen mit Polizeigewalt aus dem Ausland zurückzuholen. Er konnte direkt hören, wie Staatsanwältin Öhman die Rechtslage erklärte.

»Wann kommt er zurück, sagst du?«, fragte Margit in sachlichem Tonfall.

»In zwei Wochen.«

»Dann schnappen wir ihn uns. Sobald er wieder da ist, laden wir ihn zur Vernehmung vor.«

»In der Zwischenzeit seht ihr zu, was ihr über den Mann in Erfahrung bringen könnt«, sagte der Alte. »Was genau er beruflich macht, wie seine finanzielle Situation ist, ob er einen Waffenschein hat und so weiter.«

»Irgendwo finden wir eine Verbindung zu Juliander«, sagte Margit. »Ganz sicher. Wir werden gut vorbereitet sein, wenn Holger Alsing wieder schwedischen Boden betritt.«

Die Musik war ohrenbetäubend, und er war betrunkener als jemals zuvor in seinem Leben. Aber es gefiel ihm. Er genoss die Unbekümmertheit, die der Alkohol ihm schenkte.

Losgelöst und ohne Sorgen, dachte er, als wäre er wieder ein junger Mann auf einem Studentenfest.

Sie waren im Alexandras, dem Nachtklub für Stockholms Crème de la crème. Die Bar, in die alles drängte, was Rang und Namen hatte. Einschließlich des Königs.

Der Junggesellenabschied hatte mit einem Besuch des Centralbadet begonnen, wo er eine Massage von einer äußerst leicht bekleideten jungen Dame erhalten hatte. Dann waren sie weitergezogen ins Restaurant Riche und hatten vornehm zu Abend gespeist, einen Schnaps nach dem anderen gekippt und mit einem kräftigen Bourgogne nachgespült. Zum Abschluss hatte es Kognak und Kaffee gegeben und eine sentimentale Ansprache seines besten Freundes Ruter, der eigentlich Rudolf hieß und am Samstag sein Trauzeuge sein würde.

Unglaublich, was für lustige alte Geschichten Ruter zum Besten gegeben hatte, alle hatten Tränen gelacht. Als sie aufbrachen, um ins Alexandras weiterzuziehen, konnte er kaum noch stehen, aber sein Kumpel Greven hatte ihn fest am Arm gepackt und ihn geführt. Die schöne Besitzerin des Nachtklubs hatte sie persönlich in Empfang genommen und zu einer abgetrennten Ecke gebracht, wo bereits Gläser und Flaschen auf dem Tisch bereitstanden.

Rundherum wurde wild zur Musik der Popgruppe Sweet getanzt. Lauter schöne Frauen mit langen blonden Haaren und kurzen Röcken und junge Männer mit Koteletten und Samtjacketts. Irgendwer drückte ihm ein Glas Gin Tonic in die Hand, obwohl er wirklich keinen Drink mehr brauchte.

In einer Woche war es so weit. Um fünfzehn Uhr in der Oskarskyrkan im Herzen von Östermalm.

Er hatte sich schon vor langer Zeit aus den Festvorbereitungen ausgeklinkt. Dieser nie versiegende Strom von Entscheidungen, die getrof-

fen werden mussten, von der Gestaltung der Hochzeitstorte bis hin zur Sitzordnung an der Brauttafel, hatte seine Nerven strapaziert. Es war ihm unbegreiflich, wie man so viel Zeit auf die Planung eines Festes von wenigen Stunden verwenden konnte.

Nach der Verlobung war alles mit unglaublicher Geschwindigkeit angelaufen. Die junge Frau, die seinen Ring trug, erschreckte ihn mit ihrer Vehemenz. Es war, als sei die Zeremonie schon lange viel wichtiger als ihre Beziehung. In den letzten Monaten hatte er sie nur selten gesehen, sie war viel zu sehr damit beschäftigt, die Veranstaltung bis ins kleinste Detail zu planen.

Er trank einen großen Schluck aus dem Glas, erhob sich mühsam und schwankte auf Greven zu, der eine süße Brünette auf dem Schoß hatte.

»Skål, verdammt noch mal«, sagte er und kippte den Rest des Drinks hinunter.

Dann bestellte er sich einen neuen.

Donnerstag, dritte Woche

Kapitel 46

Das Begräbnis war für vierzehn Uhr angesetzt, aber schon eine halbe Stunde vorher hatte sich eine große Anzahl Trauergäste vor der Uppenbarelsekyrkan in Saltsjöbaden versammelt.

Die rote Backsteinkirche lag oben auf einem Hügel mit weiter Aussicht über Erstaviken. Mit ihrem Glockenturm und ihrer Jugendstil-Architektur dominierte sie die Umgebung.

Es war selbstverständlich, dass Oscar Juliander in der schönen alten Kirche beigesetzt werden sollte. Das imposante, von Ferdinand Boberg entworfene Gotteshaus fasste vierhundert Personen. Heute würde man diesen Platz auch brauchen, dachte Thomas, der zusammen mit Margit ein Stück entfernt stand. Der Parkplatz war bereits bis zur letzten Stellfläche besetzt, und inzwischen begannen immer mehr Leute, ihre Autos an dem schmalen Weg zu parken, der zur Kirche hinaufführte.

Thomas erkannte mehrere der Trauergäste wieder. Etliche bekannte Wirtschaftsführer und Anwälte waren darunter. Am Eingang stand Ivar Hallén von der Kanzlei Kalling in einer Gruppe ernster Männer und Frauen. Alle waren in teure schwarze Anzüge und Kostüme gekleidet. Thomas vermutete, dass es sich um Julianders Kollegen aus der Kanzlei handelte.

Unter ihnen entdeckte er auch Eva Timell. Sie trug eine dunkle Sonnenbrille, aber man konnte trotzdem sehen, dass sie geweint hatte. Die Nase war rot geschwollen und die Gesichtshaut fleckig.

Thomas und Margit warteten, bis alle anderen hineingegangen waren. Dann folgten sie ihnen diskret, kurz bevor das hölzerne Portal geschlossen wurde. Es waren so viele Leute in der Kirche, dass die Sitzplätze kaum reichten, und sie konnten sich gerade noch auf die letzte Bank drängen, als sich die Türen für die nächsten Angehörigen wieder öffneten.

An der Spitze ging die Pfarrerin neben Sylvia Juliander, die tiefschwarz gekleidet war und einen Hut mit Trauerschleier trug. Dann folgten die drei Kinder, die Tochter einige Schritte vor ihren Brüdern. Ihre Hände umkrampften ein zerdrücktes Batisttaschentuch. Die Söhne im schwarzen Anzug mit weißer Krawatte, die Gesichter maskenhaft erstarrt, trugen jeder eine rote Rose in der Hand.

Sie nahmen in der Bank vor dem Altar Platz, und Stille senkte sich über die Trauergemeinde. Während der Organist die Einleitung zu »Härlig är jorden« intonierte, dachte Thomas an die letzte Beerdigung, auf der er gewesen war. Damals hatte ein kleiner weißer Sarg vor dem Altar gestanden, und Pernilla und er hatten in der ersten Bank gesessen und versucht, das absolut Unfassbare zu begreifen.

Dass es keine Emily mehr gab. Dass Emily tot war.

Sie waren nur zu zweit gewesen, sie hatten es nicht ertragen, andere Menschen um sich zu haben. Nicht einmal ihre Eltern hatten kommen dürfen. Ihre Kraft hatte mit Mühe und Not gereicht, um die Beerdigung zu überstehen, Trauergäste waren nicht erwünscht.

Thomas tat sein Bestes, um das nagende Gefühl von Versagen zu ignorieren, das in ihm hochkroch, während er sich an die Beerdigung erinnerte und an die darauffolgende Scheidung von der Frau, mit der er hatte alt werden wollen.

Wenn er morgen tot umfiele, würden bestimmt nicht so viele Menschen um ihn trauern, dass sie eine ganze Kirche füllten, dachte er in einem Anfall von Selbstmitleid. Nur eine Exehefrau und eine junge Freundin, derer er schon überdrüssig geworden war.

Mit einiger Mühe schob Thomas die düsteren Gedanken beiseite, dann schloss er die Augen und dachte an die Mordermittlung.

Bisher hatten sie nur Fragmente von Spuren zusammengetragen, nichts Konkretes, an das sie anknüpfen konnten. Und wo sie auch hinschauten, lauerten die Medien. Die Polizei hatte alle Mühe, sich gegen die Spekulationen zu wehren. Es schien keine Grenze dafür zu geben, wie viel man aus dieser Sache herauspressen konnte. Das Geschreibsel der Boulevardzeitungen war pure Fantasterei. Wäre der Alte nicht so klug gewesen, den Pressesprecher der Polizei einzubinden, hätten sie keine Sekunde Ruhe gehabt.

Thomas schlug die Augen wieder auf und sah zum Altar.

Die Familie hatte einen Sarg aus Walnussholz ausgesucht. Um ihn herum war eine unvorstellbare Zahl von Kränzen und Gestecken aufgebaut. Ein besonders schönes Blumengesteck in weißen und grünen Farbtönen prangte oben auf dem Sarg.

Die Pfarrerin hielt eine unerwartet zu Herzen gehende Trauerrede über den Verstorbenen. Sie sprach von seinem großen Lebenshunger, von seinem Talent, allen Situationen etwas Humorvolles abzugewinnen, und davon, wie beliebt und geachtet er gewesen war.

Thomas stellte verwundert fest, dass es ihn anrührte. Das Bild, das sich während ihrer Ermittlungen ergeben hatte, zeigte einen Mann, der ohne mit der Wimper zu zucken seine Frau belog und betrog, der es mit der Wahrheit nicht genau nahm, der seinen materiellen Status als selbstverständlich ansah – einen tief egoistischen Mann, der seine Interessen über die aller anderen stellte.

Aber jetzt schimmerte ein anderer Mensch durch. Oscar Juliander war gemocht worden. Er hatte den Trauernden in der Kirche viel bedeutet. Etliche weinten leise. Seine Witwe und seine Kinder vorn in der ersten Bank waren untröstlich. Und irgendwo nahm vermutlich die verzweifelte Diana Söder Abschied. Sie hatte sich natürlich nicht zur Kirche getraut. Erst recht nicht, nachdem die Zeitungen sie öffentlich an den Pranger gestellt hatten. Thomas erinnerte sich an ihr blasses Gesicht mit den tränenerfüllten Augen und spürte eine Welle von Mitleid.

Was hatte den verstorbenen Anwalt veranlasst, so offensichtlich nach allen Attributen des Erfolgs zu streben?, fragte er sich, während die Pfarrerin Oscar Julianders Seele den Segen Gottes spendete. War es der Wettbewerb als solcher, der ihn angetrieben hatte, oder das Anhäufen von Trophäen? Hatte er seinen feinen Anwaltstitel genossen, das hohe Gehalt, die Boote und Autos, oder waren es nur tote Dinge gewesen, die ihren Reiz verloren, sobald er sie besaß?

Vielleicht deuteten die vielen widersprüchlichen Aussagen, die Angaben über Kokainmissbrauch und wiederkehrende Wutausbrüche darauf hin, dass die Realität im Begriff gewesen war, Oscar Juliander einzuholen.

Dass sein Kartenhaus zusammenzubrechen drohte.

Als es Zeit war, am Sarg Abschied zu nehmen, schlichen sich Thomas und Margit hinaus. Vorsichtig öffneten sie die schwere Kirchentür und blieben auf der Steintreppe stehen. Sie hatten mit ihrer Teilnahme an der Trauerfeier keinen bestimmten Zweck verfolgt. Aber es war ihnen passend erschienen, nicht zuletzt, da immer noch viel Arbeit vor ihnen lag, bis sie mit Sicherheit sagen konnten, ob Alsing der Täter war.

Nach einer Weile wurde das Kirchenportal weit geöffnet und der Vorplatz füllte sich. Viele Trauergäste waren ergriffen, mehrere der Frauen weinten immer noch.

Die Familie hatte zum Begräbniskaffee in die Grünewaldvilla geladen, nicht weit von Julianders Haus entfernt. Thomas nahm an, dass die meisten dorthin gehen würden. Er nickte mehreren Leuten zu, mit denen er draußen auf Sandhamn gesprochen hatte und die ihn wiedererkannten.

Als er einen Schritt zurücktrat, um jemanden vorbeizulassen, der es eilig hatte, stieß er versehentlich einen Mann im dunklen Anzug an. Mit einer Entschuldigung auf den Lippen drehte er sich um und sah, dass es Ingmar von Hahne war.

»Keine Ursache«, erwiderte von Hahne, der im letzten Moment sein Gleichgewicht wiedergefunden hatte.

Er schüttelte Thomas und Margit die Hand. Isabelle von Hahne, die neben ihrem Mann stand, drehte sich um und begrüßte sie ebenfalls.

»Wie kommen Sie mit den Ermittlungen voran, wenn man fragen darf?«, erkundigte sich Ingmar von Hahne höflich.

Thomas und Margit wechselten einen Blick. Eine neutrale Antwort war bei solchen Gelegenheiten immer am besten.

»Wir machen Fortschritte«, erwiderte Margit. »Aber es braucht seine Zeit.«

»Wir hoffen ja alle, dass Sie den Verbrecher so schnell wie möglich fangen. Solche Menschen dürfen einfach nicht frei herumlaufen.«

Margit wechselte das Thema.

»Soweit ich verstanden habe, sollen Sie auf der Jahresversammlung des KSSS im September zum neuen Vorsitzenden gewählt werden«, sagte sie. »Ich habe neulich in der Zeitung gelesen, dass man Sie jetzt offiziell für das Amt vorgeschlagen hat.«

Ehe Ingmar von Hahne etwas sagen konnte, kam ihm seine Frau zuvor.

»Ist das nicht fantastisch? Ingmar hat so viel Zeit in diesen Verein investiert. Er hat es wirklich verdient.« Sie blickte ihren Mann zufrieden an. »Er wird in seinem Amt Außerordentliches leisten, davon sind wir alle überzeugt. Es ist eine so wichtige und ehrenvolle Aufgabe. Und Ingmar ist genau der richtige Mann dafür.«

Sie lächelte strahlend, unbeeindruckt davon, dass es ihrem Mann peinlich war.

»Wussten Sie übrigens, dass schon Ingmars Vater im Vorstand saß? Er war seinerzeit Vizevorsitzender, und nun kommt die zweite Generation. Vielleicht wird unser Sohn Marcus einmal dasselbe tun.« Sie seufzte leicht. »Mein Schwiegervater wäre so stolz gewesen, wenn er das noch erlebt hätte. Aber leider ist er schon vor vielen Jahren gestorben.«

»Ist ja gut, Isabelle«, sagte Ingmar von Hahne und machte ein entschuldigendes Gesicht. »Ich betrachte das mehr als Notlösung. Jemand muss Hans ablösen, und da der arme Oscar nicht mehr unter uns ist …«

Er ließ den Satz unvollendet und deutete mit einer hilflosen Geste an, wie unangenehm ihm das alles war. Sein Blick richtete sich auf einen unbestimmten Punkt zwischen den Bäumen.

Margit trat von einem Fuß auf den anderen und schien nach einem passenden Thema zu suchen, um die peinliche Stille zu beenden.

Ingmar von Hahne sah auf die Uhr.

»Ich fürchte, wir müssen uns verabschieden«, sagte er. »Der Begräbniskaffee, wir sollten Sylvia nicht warten lassen. Viel Erfolg bei Ihren Ermittlungen.«

Mit einem freundlichen Kopfnicken drehte er sich um und ging auf die geparkten Autos zu.

»Eigentlich macht er doch einen sehr netten Eindruck«, sagte Margit, als das Ehepaar von Hahne außer Hörweite war. »Im Gegensatz zu seiner versnobten Frau.« Sie schauderte. »Furchtbar. Möchte mal wissen, was er an ihr findet.«

Thomas war nicht so angenehm beeindruckt, von keinem der beiden.

»Eine Oberschichtzicke der schlimmsten Sorte, wenn du mich fragst. Solche wie die sieht man auf Sandhamn oft. Aber er ist keinen Deut besser.«

Er zuckte die Schultern und steuerte auf den Parkplatz zu.

»Komm«, sagte er. »Lass uns fahren. Hier verpassen wir nichts mehr.«

Kapitel 47

Nora kochte vor Wut. Sie zitterte am ganzen Leib, und der Atem kam hart und stoßweise.

Wie konnte er nur?

Erschöpft sank sie in eine Ecke von Signes altem Bootsschuppen, in den sie geflüchtet war, um allein zu sein. Sie begrub den Kopf in ihren Händen und lehnte sich an die Wand. Über ihr hingen die Barschnetze an einem Haken. Es roch nach Tang und Seegras, ein beruhigender und vertrauter Duft.

Sie holte tief Luft und atmete langsam wieder aus.

Nach dem harten, langen Winter wollte sie so gerne, dass sie wieder zueinanderfanden. Aber Henriks Worte waren unmissverständlich gewesen, sie echoten immer noch in ihrem Kopf.

Zugegeben, das letzte Jahr war anstrengend gewesen. Sie hatte es kaum geschafft, die düsteren Gedanken loszuwerden. Nacht für Nacht träumte sie von den Stunden im Leuchtturm Grönskär. Manchmal wachte sie auf und hatte immer noch den Rauchgeruch in der Nase. Es war, als ob die Erinnerung sich in ihrem Körper festgekrallt hatte und nicht mehr loslassen konnte.

Henrik hatte versucht, sie zu überreden, einen Psychologen aufzusuchen. Schließlich hatte sie nachgegeben und einen Therapeuten angerufen, den ein Kollege von Henrik empfohlen hatte. Viel Hoffnung hatte sie nicht gehabt, wenn Henrik nicht so hartnäckig gedrängt hätte, wäre sie nicht hingegangen.

Der Psychologe hatte seine Praxis am Sveavägen in der City. Er trug eine Hornbrille und war fast kahlköpfig. Jedes Mal hatte er dieselbe graue Hose an und ein Hemd, das bis zum Hals zugeknöpft war.

Sie hatte in einem hellbraunen Sessel sitzen müssen, direkt ihm gegenüber. Seine simple Technik bestand darin, alles umzudrehen, was sie sagte, und es in Form einer Frage zu ihr zurückzuspielen.

Er begann jede Sitzung damit, sich zu erkundigen, wie sie sich fühlte. Wenn sie es ihm gesagt hatte, griff er ihren letzten Satz auf und retournierte ihn, diesmal mit einem Fragezeichen am Ende. Sie antwortete, und das Manöver begann von vorn. Wenn die Stunde um war, verlangte er fünfhundert Kronen.

Fünf Mal war sie hingegangen, dann hatte sie aufgegeben. Psychotherapie war nichts für sie, obwohl das mit den Albträumen nach den Sitzungen tatsächlich besser wurde. Sie kamen nicht mehr so oft und waren nicht mehr so intensiv.

Aber sie konnte sich nicht gegen die Enttäuschung wehren, die sie überfiel, als sie nach Ablauf ihrer Krankschreibung in ihre Abteilung zurückkehrte. Es war so deutlich, warum sie sich an ihrem Arbeitsplatz nicht wohlfühlte. All das, was sie bewogen hatte, sich auf eine andere Stelle zu bewerben, war immer noch da.

Der Zorn auf Henrik wuchs. Seinetwegen hatte sie den Job in Malmö ablehnen müssen. Gleichzeitig wünschte sie sich verzweifelt, dass ihr gemeinsames Leben wieder so werden sollte, wie es einmal gewesen war.

Als sie letzte Woche eng an ihn geschmiegt eingeschlafen war, glücklich und zufrieden, war sie überzeugt gewesen, dass es funktionieren konnte. Aber dann war alles wieder genau wie vorher. Henrik setzte seinen Willen durch, seine Mutter mischte sich ein, und sie selbst biss die Zähne zusammen und fügte sich.

Jetzt hatte er sich mit dem Immobilienmakler darauf geeinigt, dass die Familie aus der Schweiz Signes Haus besichtigen durfte. Obwohl Nora ihm gesagt hatte, dass sie die Villa vermieten statt verkaufen wollte. Sie hatte sich wirklich bemüht, ihm klarzumachen, warum sie vor einem Verkauf zurückschreckte. Hatte ihm ihre innere Zerrissenheit und die widerstreitenden Gefühle beschrieben.

Hatte er eigentlich auch nur ein Wort von dem verstanden, was sie ihm erklärte? Hatte er überhaupt zugehört?

Die Familie würde die Brand'sche Villa am Samstag besichtigen, hatte er geantwortet, ohne mit der Wimper zu zucken. Um vierzehn Uhr, nach dem Ende von Adams Segelfreizeit.

Sie hatte wie versteinert in der Küche gestanden. Unfähig, auch nur ein Wort hervorzubringen.

»Was hast du, Mama?«, hatte Simon besorgt gefragt, als sie einfach nach draußen ging, kreideweiß im Gesicht.

Sie hatte es keine Sekunde länger ausgehalten, mit Henrik im selben Raum zu sein. Wie sie zum Bootsschuppen gekommen war, wusste sie gar nicht richtig. Es war einfach der natürlichste Ort, um Zuflucht zu suchen. Sie musste unbedingt eine Weile allein sein.

Wie konnte Geld nur so wichtig für ihn sein? Wie hatten sich die Dinge bloß so entwickelt?

Kapitel 48

Sie hatten sich zusammengesetzt und gingen Julianders Kontenaufstellung durch. Die meisten anderen Kollegen hatten bereits Feierabend gemacht. Thomas würde später am Abend zu Carina gehen und auf dem Weg Pizza besorgen.

»Der Mann hat über seine Verhältnisse gelebt«, stellte Margit fest. »Er konnte es sich unmöglich leisten, die Swan zu kaufen.«

»Vergiss nicht seine ganzen Affären«, sagte Thomas und dachte an den Ring, den Diana Söder zum Geburtstag bekommen hatte. Der war nicht billig gewesen. Die Befragung der anderen Geliebten hatte Ähnliches zutage gefördert. Oscar Juliander war ein sehr spendabler Mann gewesen, der seine Freundinnen auf teure Reisen und in elegante Hotels eingeladen hatte.

»Merkwürdig, dass es nicht eine einzige Kontobewegung im Zusammenhang mit dem Boot gibt. Wenn er nicht irgendwo einen Koffer voller Geld hatte, muss es eine andere Erklärung dafür geben«, sagte Margit und schob den Papierstapel beiseite. »Warum taucht in den Kreditkartenabrechnungen nichts auf, falls er tatsächlich mit der Karte aus Liechtenstein bezahlt hat?«

Thomas trank den letzten Schluck kalten Tee aus und dachte nach. Erneut studierte er die Aufstellung, die sie von der Kreditkartenfirma bekommen hatten. Alle in Schweden erfolgten Transaktionen waren darauf verzeichnet.

»Auf jeden Fall hat er sich mit Bargeld versorgt«, konstatierte er.

Eine Anzahl von Barabhebungen war säuberlich nach Datum geordnet aufgelistet. Jedes Mal zehntausend Kronen.

Juliander hatte regelmäßig sein verfügbares Einkommen aufgestockt. Ein einfacher, aber genialer Trick, um ein geheimes Konto zu nutzen. Indem er sich an den Geldautomaten verschiedener Banken bediente, erregte er keine Aufmerksamkeit. Kein Bankkassierer konnte misstrauisch werden.

»Ein gewiefter Anwalt, das muss man sagen«, meinte Margit. »Die Kreditkarte war nicht mal auf seinen Namen ausgestellt.«

Sie las laut vor, was auf der Karte stand.

»Springfund S. A. Ein völlig nichtssagender Name. Sitz in Liechtenstein. Unmöglich, einen Zusammenhang zu der Person herzustellen, die über die Karte verfügt.«

»Die Barabhebungen konnten also nicht auf ihn zurückverfolgt werden.«

Sofern man nicht im Rahmen einer Mordermittlung die Karte in die Hände bekam und sie dem Inhaber zuordnen konnte, fügte Thomas in Gedanken hinzu.

»Aber eine Frage bleibt: Wie hat er das Segelboot bezahlt?«

»Ich glaube, ich hab's«, sagte Thomas.

»Ach ja?«

»Die Werft ist nicht in Schweden.«

»Kannst du das ein bisschen genauer erklären?« Margit sah ihn erstaunt an.

»Die Werft, die die Swan-Boote baut, liegt in Finnland. Deshalb sehen wir nicht, ob er das Boot mit der Karte bezahlt hat. Diese Aufstellung hier umfasst nur Zahlungen in Schweden, weil wir nämlich Informationen von einem schwedischen Unternehmen angefordert haben.«

»Dann müssen wir also mit der finnischen Niederlassung sprechen?«

»Wahrscheinlich. Die schwedische Tochter der Kreditkartengesellschaft hat sicher nur Zugang zu schwedischen Transaktionen. Vermutlich gibt es eine finnische Tochterfirma, die sich um den Zahlungsverkehr in Finnland kümmert.«

Margit seufzte hörbar.

»Dann müssen wir die finnische Polizei um Amtshilfe bitten, damit wir die gleichen Informationen aus Finnland erhalten. Das heißt, wir brauchen einen entsprechenden Beschluss von Öhman.«

Noch eine Zeitverzögerung, dachte Thomas.

»Ja. Aber es ist die einzig wahrscheinliche Erklärung, wie es Juliander möglich war, die Swan zu kaufen. Mittels einer ausländischen Kreditkarte, die in Schweden kaum in Erscheinung tritt und natürlich in einem anderen Land noch viel weniger.«

»Das ist ja elegant ausgedacht«, sagte Margit. »Auch wenn es nicht legal ist.«

»Aber wir wissen immer noch nicht, woher das Geld stammt.«

»Nein.«

»Geschäfte mit diesem Alsing vielleicht? Etwas, das nicht ganz astrein ist?«

»Das müssen wir herausfinden.«

Freitag, dritte Woche

Kapitel 49

Martin Nyrén pfiff munter vor sich hin, während er an die SMS dachte, die er gerade erhalten hatte.

Komme Sonntagabend in die Stadt. Hab Sehnsucht. Indi

Endlich.

Es war die reinste Folter gewesen, an der Beisetzung teilzunehmen und seine Gefühle nicht zeigen zu können. Er hatte eine Bank hinter Indis Familie gesessen, so dicht, dass sie einander hätten berühren können, und er hätte so gerne Trost gespendet in der bleiernen Stille, die nur von diskreten Schluchzern unterbrochen wurde.

Hin und wieder hatte er versucht, zu Indi hinüberzuschielen, aber mehr als der eine oder andere verstohlene Blick war nicht möglich gewesen. Er musste sich die ganze Zeit in Erinnerung rufen, diskret zu sein.

Während die Trauergemeinde den abschließenden Psalm sang, verlor er sich in Erinnerungen an ihre letzte Begegnung. Es war eine der seltenen Gelegenheiten gewesen, die ganze Nacht miteinander zu verbringen. Indis Familie war verreist, es waren also keine Notlügen nötig, um ausnahmsweise einmal zusammen aufzuwachen.

Er hatte kaum gewagt einzuschlafen, aus Angst, die kostbare Zeit zu vergeuden. Sein Schlaf war leicht und unruhig gewesen, immer wieder hatte er die Hand ausgestreckt, um sich zu versichern, dass er nicht allein im Bett lag. Die leichten Atemzüge neben ihm erfüllten ihn mit tiefem Glücksgefühl. Wenn sie doch nur immer so zusammen sein könnten wie jetzt. Er hätte alles dafür gegeben, um diesen Traum wahr werden zu lassen.

Es war ein wunderbarer Abend, eine wunderbare Nacht gewesen. Im Gegensatz zu der traurigen Veranstaltung in der Uppenbarelsekyrkan.

Martin Nyrén hasste Begräbnisse, schon aus Prinzip. Aber wenn es um ältere Menschen ging, lag darin zumindest eine Art natürlicher Ordnung, die man akzeptieren konnte. Es war logisch, dass ein alter Mensch, der ein langes Leben gehabt hatte, irgendwann starb.

Aber in einer Kirchenbank zu sitzen und Oscars Kinder so verzweifelt zu sehen, hatte ihm schier das Herz zerrissen. Das Schluchzen der Tochter hatte fast die Orgelmusik übertönt. Die Söhne waren beherrschter gewesen, aber als es Zeit war, an den Sarg zu treten, waren auch sie zusammengebrochen.

Die Einzige, die keine Träne vergoss, war Sylvia. Sie hatte während der ganzen Zeremonie wie versteinert dagesessen, aber schließlich hatte sie in den vergangenen Wochen ja auch einen Schock nach dem anderen erlebt. Wahrscheinlich stand sie unter Beruhigungsmitteln. Den Begräbniskaffee hatte sie auf vorbildliche Weise gemeistert. Hatte höflich mit jedem der Anwesenden ein paar Worte gesprochen und war eine perfekte Gastgeberin gewesen.

Typisch Sylvia.

Martin Nyrén verdrängte die Erinnerung an das Begräbnis und ging in die Küche. Er nahm ein Kochbuch aus dem Regal und begann, darin zu blättern. Er überlegte, was er am Sonntagabend, wenn er Indi endlich wiedersehen durfte, Gutes kochen sollte. Entenbrust mit Orangenschnitzen und Rotweinschaum klang interessant, oder warum nicht Jakobsmuscheln in Hummersauce? Und dazu einen edlen Wein. Oder vielleicht Champagner. Ja, das war besser. Champagner musste es sein.

Für die Liebe seines Lebens war das Beste gerade gut genug.

Kapitel 50

»Spannst du am Wochenende mal aus?«, fragte Margit und stellte die Kaffeetasse ab. Es war Freitagnachmittag halb fünf und sie saßen im Pausenraum der Polizeistation, nachdem sie den ganzen Tag letzte Zeugenvernehmungen durchgeführt hatten.

»Vielleicht fahre ich Sonntag für ein paar Stunden nach Harö. Für morgen hatte ich mir vorgenommen, das ganze Material noch mal in Ruhe durchzugehen.«

»Dann komme ich auch her.«

Margit klang müde, und Thomas schüttelte den Kopf.

»Das brauchst du nicht. Bleib du mal bei deiner Familie. Ich schaff das schon allein.«

Er hatte über vieles nachzudenken.

Gestern Abend war er bei Carina gewesen. Sie hatten Pizza gegessen, die Thomas unterwegs besorgt hatte, und jeder ein Bier getrunken. Sie war sehr verschmust gewesen, aber Thomas hatte nicht auf ihre Einladungen reagiert. Nach einer Weile war die Stimmung deutlich abgekühlt, Carina hatte zuerst geschmollt und war dann wütend geworden. Sie hatten eine lange Diskussion geführt, oder besser gesagt, Carina hatte ihm einen langen Vortrag über sein unmögliches Benehmen gehalten.

»Du musst dich endlich entscheiden, Thomas«, hatte sie schließlich mit Tränen in den Augen gesagt. »Du weißt, dass ich dich liebe. Ich bin seit über einem Jahr in dich verliebt. Aber ich verstehe nicht, was du mit unserer Beziehung willst.«

In ihrer Erregung war sie vom Esstisch in der kleinen Küche aufgesprungen und hatte sich mit dem Rücken an die Anrichte gestellt. Die dunklen Haare waren zu einem Pferdeschwanz gebunden, und es versetzte Thomas einen Stich ins Herz, als er sie so sah. Sie war so jung und verletzlich, und er war es, der sie verletzt hatte.

»Den einen Moment bist du supersüß«, fuhr sie fort, »und wir haben es superschön zusammen. Aber dann komme ich zum Dienst und du beachtest mich kaum. Und ich begreife nicht, wieso.« Sie sah ihn mit festem Blick an. »Ich habe keine Lust mehr auf dieses Spiel. Wenn wir weiter zusammenbleiben wollen, bin ich nicht mehr bereit, mich verleugnen zu lassen.«

Sie verlor die Beherrschung und ihre Stimme brach. Die Augen liefen voll Tränen. Sie verschränkte die Arme vor der Brust und holte tief Luft.

»Schämst du dich für mich, Thomas? Begreifst du nicht, wie sich das für mich anfühlt, wenn du dich nicht öffentlich mit mir zeigen willst?«

Mit resignierter Geste wischte sie sich die Tränen ab.

»Es ist besser, wenn du jetzt gehst«, sagte sie. »Und denk darüber nach, was du eigentlich willst. Ich werde nämlich nicht mehr lange darauf warten, dass du dich entscheidest.«

Thomas sah an ihrer zitternden Unterlippe, dass sie sich mit aller Kraft zusammenriss, um nicht vollends in Weinen auszubrechen.

Er war aufgestanden, hatte seine Jacke genommen und war ohne ein Wort gegangen.

Er schämte sich, denn sie hatte mit jedem ihrer Worte recht. Er hatte viele Stunden mit Carina zusammen verbracht, und niemand hatte ihn dazu gezwungen. Aber er hatte alles getan, um zu vermeiden, dass ihre Beziehung öffentlich wurde.

Wenn er in sich hineinhorchte, fühlte er sich immer noch unwohl bei dem Gedanken, Carina als seine Freundin vorzustellen, ein junges Ding von fünfundzwanzig.

Sofort rügte er sich selbst. Junges Ding. Schon der Ausdruck war herabwürdigend. Was war nur mit ihm los?

Unbewusst stieß er einen tiefen Seufzer aus.

»Was hast du?«, fragte Margit und unterbrach seine inneren Selbstvorwürfe.

»Ich muss mir über ein paar Dinge klar werden«, erwiderte er ungewohnt mürrisch.

Es blieb eine Weile still, bevor Margit wieder das Wort ergriff.

»Dann fahre ich ins Sommerhaus, wenn wir hier fertig sind. Meine Schwester und ihr Mann kommen morgen Abend zum Essen. Ich muss meine Mädchen dazu bringen, dass sie bleiben und ihrer Tante und ihrem Onkel Gesellschaft leisten.«

»Haben sie denn was anderes vor?«, fragte Thomas.

»Im Moment ist es fast unmöglich, sie am Wochenende abends anzutreffen«, sagte Margit. »Sie sind jeden Abend unterwegs, besonders jetzt in den Sommerferien.« Sie klang ein wenig resigniert.

»Teenager sind wohl so«, sagte Thomas.

»Schon, aber ich habe diese ständigen Diskussionen darüber, wie sie aussehen und wo sie hingehen, so satt. Ganz zu schweigen von dem leidigen Thema, wann sie abends zu Hause sein müssen.«

»Kannst du ihnen nicht Bertil auf den Hals hetzen?«, sagte Thomas halb aufmunternd, halb im Scherz.

Margits Mann Bertil, Lehrer von Beruf, war ein freundlicher, lieber Gemütsmensch und wirklich niemand, der anderen Leuten einen Schrecken einjagen konnte. Thomas hatte ihn erst einige Male getroffen, aber sich oft gefragt, wie Bertil es schaffte, seine Oberstufenschüler im Zaum zu halten. Wenn es Schüler gab, die unerträglich waren, dann in der Oberstufe.

Margits skeptischer Gesichtsausdruck machte Thomas klar, dass sein Vorschlag gleichermaßen realitätsfremd wie undurchführbar war. Ihr Blick gab ihm deutlich zu verstehen, dass er nicht die geringste Ahnung hatte, wie man mit Teenagern umgehen musste.

»Die Sache ist die, Thomas«, sagte sie in einem beinahe belehrenden Tonfall, »dass es ein spezielles Band zwischen Mutter und Tochter gibt, vor allem, wenn die Tochter, oder in diesem Fall die Töchter, in der Pubertät sind. Glaub mir«, ihr entschlüpfte ein kleiner Seufzer, »es hat überhaupt keinen Zweck, Bertil da mit reinzuziehen.«

Sie trank einen Schluck und stellte die Tasse ab.

»Alles hat seine Zeit. Wenn der achtzehnte Geburtstag erst überstanden ist, werden sie am nächsten Morgen aufwachen und ganz normale Menschen sein.« Sie lächelte matt. »Hoffentlich.«

Kapitel 51

Eva Timell lag hellwach in ihrem Bett. Sie hatte die Augen geschlossen, aber der Schlaf wollte sich nicht einfinden.

Ihr Kummer war unbeschreiblich. Ihr Zorn auch.

Nach der Beisetzung war sie drauf und dran gewesen, zu Sylvia zu gehen, die nur wenige Meter von ihr entfernt gestanden hatte. Tagsüber gehörte er mir, hatte sie vorgehabt zu sagen, und du hast wohl keine Ahnung, wem er nachts gehörte. Dir jedenfalls nicht. Nur dass du es weißt.

Aber Sylvia war umringt gewesen von Trauergästen, die ihr kondolieren wollten. Da hatte sie der Mut verlassen. Und wozu einen öffentlichen Skandal anzetteln? Davon wurde Oscar auch nicht wieder lebendig.

Also hatte sie es sein lassen. Stattdessen war sie mit den anderen zum Begräbniskaffee gegangen und hatte sich ganz normal benommen. Hatte mit gefühllosen Lippen höflich Konversation betrieben und versucht, so wenig wie möglich zu sagen. Sobald sie konnte, war sie davongeschlichen und auf direktem Weg nach Hause gefahren. Hatte sich mit Blofeld auf dem Schoß und einem Glas Wein in die Sofaecke verkrochen.

So hatte sie stundenlang gesessen, versunken in Erinnerungen an Oscar und all ihre gemeinsamen Stunden. Schließlich hatte sie ein heißes Bad genommen und war zu Bett gegangen. War erschöpft eingeschlafen und erst nach zehn Stunden wieder aufgewacht.

Aber jetzt wollte der Schlaf einfach nicht kommen. So wie in den meisten Nächten, seit sie die Nachricht erhalten hatte. Fast jeden Abend brauchte sie mindestens eine halbe Flasche Wein, um überhaupt wegdämmern zu können. Und am nächsten Morgen erwachte sie viel zu früh, mit hämmernden Kopfschmerzen und zugeschnürtem Hals. Unfähig, wieder einzuschlafen, obwohl sie wusste, wie müde sie den Tag über sein würde.

Sie versuchte, sich zur Entspannung zu zwingen. Holte tief Luft und spannte Bein- und Armmuskeln zehn Sekunden lang fest an.

Atmete aus und ließ die Glieder erschlaffen. Wiederholte die Übung dreimal. Atmete in tiefen Zügen ein und aus, um dem Körper innere Ruhe vorzutäuschen, damit er losließ und sich dem ersehnten Schlaf hingab.

Manchmal funktionierte das, aber jetzt nicht. Sie war überhaupt nicht müde. Nur wütend und unglücklich. Und schrecklich vom Leben enttäuscht. Was hatte sie sich in all diesen Jahren nicht ihm zuliebe versagt. All die Jahre, die sie gewartet und gehofft hatte. Jetzt stand sie da, ohne eigene Familie, mit einer weißen Katze als einziger Gesellschaft.

Was ist nach dieser ganzen Zeit von mir übrig geblieben?, dachte sie und schmeckte bittere Galle im Mund. Wer soll sich jetzt um mich kümmern, Oscar? Wer?

Samstag, dritte Woche

Kapitel 52

Warum hatte sie sich nur darauf eingelassen? War sie wirklich so versessen darauf, den Familienfrieden zu bewahren?

Nora versuchte, in sich hineinzuhorchen, kam jedoch zu keinem Ergebnis. Aber wie sonst sollte sie erklären, dass sie nun hier vor der Brand'schen Villa stand, um Herrn und Frau Schweizerkäse zu Diensten zu sein? Ihre richtigen Namen waren Ivar und Ella Borman, aber insgeheim hatte Nora sie umgetauft. Sie hatte sie von Anfang an nicht leiden können, genau wie diesen schleimigen Makler, diesen übereifrigen Severin.

Frau Schweizerkäse ging gerade durch das Erdgeschoss und inspizierte die Räume. Sie war schon in der Küche gewesen und hatte ihr Urteil gefällt. »Was für ein entzückend altmodischer Stil«, hatte sie gesagt. »Aber ich könnte mir vorstellen, dass es noch schöner wäre, wenn man diese Wand hier entfernt, dann könnte man sogar von der Küche aus das Meer sehen.«

Nur zu, dachte Nora, während sie mit über der Brust verschränkten Armen an der Wand des Esszimmers lehnte. Kauf dir ein altes, einzigartiges, geschichtsträchtiges Haus und verwandle es in einen modernen Kasten mit offener Etagenlösung. Warum ein klassisches Esszimmer erhalten, wenn man es wie alle anderen machen kann, die ihren Stil aus Schöner Wohnen abkupfern, weil sie keine eigenen Ideen haben?

Sie schielte zu der Frau hinüber, die jetzt Signes schöne alte Möbel begutachtete. Bevor sie es verhindern konnte, entschlüpfte ihr ein verächtliches Knurren.

»Entschuldigung«, Ella Borman drehte sich um, »was haben Sie gesagt?«

»Nein, nein«, erwiderte Nora hastig. »Ich hatte nur etwas im Hals.«

Rasch wandte sie sich ab und tat so, als hätte sie in einer Ecke der Fensterbank etwas entdeckt, das entfernt werden musste.

»Ist die Einrichtung im Kaufpreis inbegriffen?«, fragte Ella Borman und zupfte an den alten Spitzengardinen. Dann setzte sie sich auf einen der alten Esszimmerstühle und blickte über den Tisch, als gehörte das alles schon ihr.

»Darüber haben wir noch nicht gesprochen«, erwiderte Nora.

»Das meiste ist ja Sperrmüll, aber das eine oder andere Stück könnte man vielleicht übernehmen. Das Büfett da in der Ecke zum Beispiel. So ein bisschen Lokalkolorit ist ja immer ganz nett.«

Nora lächelte steif.

Wie konnte sie es wagen, Signes Eigentum als Müll zu bezeichnen? Signe hatte ihre Möbel geliebt und die meisten Stücke in ihrem ursprünglichen Zustand bewahrt, nicht nur, weil sie ihr gefielen, sondern weil ihr Vater und Großvater sie für das Haus gekauft hatten. Alle Möbel standen schon so lange an ihrem Platz, wie Nora zurückdenken konnte.

Und jetzt sollten sie auf den Sperrmüll wandern.

Henrik kam zusammen mit dem Makler und dem Auslandsschweden, diesem fetten Geldsack, die Treppe herunter. Severin hatte ununterbrochen die Vorteile des Hauses angepriesen, und Nora vermutete, dass es die zu erwartende Provision war, die ihn beflügelte.

»Zu welchem Datum würden Sie das Haus übergeben?«, fragte er.

»Wir haben uns noch nicht entschieden, ob wir es überhaupt verkaufen«, sagte Nora kühl.

Henrik warf ihr einen Blick zu.

»Über das Datum können wir reden«, sagte er und lächelte den potenziellen Käufer beruhigend an. »Wir werden uns bestimmt einig.«

»Nun sehen Sie sich diese herrliche Aussicht an«, warf Severin in dem unbeholfenen Versuch ein, das Thema zu wechseln. »Bei schönem Wetter reicht der Blick bis fast bis nach Runmarö. Und die malerischen Waxholmfähren, die hier tagsüber vorbeifahren, runden das Bild wunderbar ab.«

Er zeigte zum Sund hinüber.

»Hin und wieder kommt die prächtige alte *Norrskär* vorbei. Das ist einer der wenigen originalen Dampfer, die noch im Schärengarten verkehren. Wenn man ein echtes, leckeres Dampfer-Steak essen will, sollte man eine Tour mit diesem Schiff machen.« Er rieb sich den Magen, um seine Worte zu unterstreichen.

»Was meinen Sie, sollen wir mal hinunter zum Anleger gehen? Nur wenige Immobilien auf Sandhamn können sich rühmen, einen so imposanten und stabilen Bootssteg zu haben. An dem kann jede noch so große Jacht festmachen.«

»Das hört sich gut an«, sagte Borman. »Wir haben eine Fairline von gut vierzig Fuß Länge, die braucht Platz.«

»Und vergiss nicht all unsere Gäste«, zwitscherte seine Frau. »Wir haben viele Freunde und Bekannte im Schärengarten und werden fast immer Besuch haben.«

Sie nestelte an ihrer großen Sonnenbrille, die sie ins Haar zurückgeschoben hatte.

Nora hatte ein Gefühl, als würde etwas in ihr absterben. Erkannte Henrik nicht, wie oberflächlich diese Leute waren?

Signe würde sich im Grab umdrehen, wenn sie wüsste, dass ihr geliebtes Heim von diesem schrecklichen Paar in Beschlag genommen werden sollte. Aber Henrik stand nur da und lachte, als wäre alles in bester Ordnung.

Hatte es überhaupt Sinn, sich noch länger dagegen zu sträuben? Wo doch nicht einmal ihre eigenen Eltern Stellung beziehen wollten.

»Das ist deine Entscheidung, Nora«, hatte ihre Mutter gesagt, als Nora ihr erzählte, wie unschlüssig sie war. »Du musst tun, was du für richtig hältst.«

Ihr Vater war wie üblich derselben Meinung wie seine Frau. Die beiden würden zu ihr stehen, egal, wie sie sich entschied, aber helfen konnten sie ihr nicht. Nora musste selbst zu einer Entscheidung kommen.

Sogar Thomas hatte sich davor gedrückt, Partei für sie zu ergreifen, und stattdessen daran erinnert, dass es sehr viel Arbeit bedeuten würde, die Brand'sche Villa instandzuhalten, falls sie sich dazu entschloss, sie nicht zu verkaufen.

Nora merkte, dass die Kraft aus ihr entwich wie Luft aus einem mürben Gummiballon. Ihre Knie begannen zu zittern, sie wollte nur noch weg von hier. Wollte nach Hause und sich eine Decke über den Kopf ziehen und so tun, als hätte es diese Besichtigung nie gegeben.

»Hier sind die Schlüssel zum Bootsschuppen«, sagte sie tonlos. »Wenn Sie schon mal hier sind, können Sie sich den auch gleich ansehen.«

Kapitel 53

»Wie schön, dass ihr kommen konntet. Immer herein mit euch«, sagte Isabelle von Hahne und lächelte strahlend. »Ingmar macht gerade die Drinks fertig. Er wird euch gleich begrüßen.«

Sie nahm dem Ehepaar Rosensjöö die leichten Sommermäntel ab und hängte sie auf Bügeln an die Garderobe. Hans Rosensjöö überreichte ihr einen Blumenstrauß, sie nahm ihn begeistert entgegen und roch daran.

»Was für schöne Rosen! Ich liebe Rosen. Ganz entzückend, vielen Dank.«

Sie ging ins Wohnzimmer voraus. Auf dem runden Glastisch standen kleine Schalen mit Knabberzeug und ein Tablett mit acht Cocktailgläsern. In jedem Glas befand sich ein silberner Zahnstocher, auf den drei grüne Oliven aufgespießt waren. Daneben stand eine Kristallkaraffe, die bis oben hin mit eiskaltem Martini gefüllt war.

Ingmar von Hahne stand über das Tablett gebeugt, blickte jedoch auf, als sie den Raum betraten. Er lächelte und ging auf seine Gäste zu, küsste Britta auf beide Wangen und gab ihrem Mann die Hand.

»Arvid und Kristina kommen auch«, sagte Isabelle, während sie die Martinis einschenkte. »Und Anders und Ann-Sofie.«

Sie reichte Britta Rosensjöö eines der gefüllten Gläser.

»Ingmar«, sagte sie und sah ihren Mann ungeduldig an, »kannst du bitte mal nachsehen, ob sie gerade gekommen sind? Ich meine, es hörte sich so an.«

Das war keine Frage, eher ein Befehl.

»Natürlich, Liebling«, antwortete ihr Mann und verschwand lautlos durch die Tür.

Für einen Moment wurde es still im Raum.

Hans Rosensjöö, der sich so kurz nach Oscars Begräbnis am liebsten vor dem Abendessen bei Ehepaar von Hahne gedrückt hätte, starrte in sein Glas. Wie praktisch, dachte er. Ein elegantes kleines Dinner, um Ingmar so kurz vor der Jahresversammlung den Weg zu ebnen. Typisch Isabelle.

Er hatte sich mittlerweile mit dem Gedanken angefreundet, dass Ingmar sein Nachfolger werden sollte. Aber was von Hahnes Gattin betraf, fiel ihm das schon schwerer, obwohl sie für Ingmar in seiner neuen Funktion zweifellos ein Gewinn war. Nein, er ging Isabelle nach Möglichkeit aus dem Weg. Die Energie und Zielstrebigkeit, die viele an ihr bewunderten, stießen ihn eher ab. Für seinen Geschmack waren ihre Ambitionen viel zu durchschaubar.

Wie üblich sprach Isabelle in voller Lautstärke und gestikulierte, um ihre Worte zu unterstreichen. Sie war wirklich eine, die sich auf dem gesellschaftlichen Parkett so richtig wohlfühlte. Ihre Power kannte keine Grenzen, wenn es darum ging, Benefizveranstaltungen oder andere Events zu organisieren.

Aber das war vielleicht gerade das Problem, dachte Hans Rosensjöö. Diese – er suchte nach dem richtigen Wort – Besessenheit. Das Einzige, was in ihrem Leben zählte, war gesellschaftlicher Erfolg. Ihm war eine solche Denkweise fremd, ebenso wie sie es für Britta war.

Nicht eine Sekunde lang wäre ihm in den Sinn gekommen, den Posten als Vorsitzender des KSSS anzunehmen, um gesellschaftlich Punkte zu sammeln. Er hatte es eher als Verpflichtung empfunden, als etwas, dem man sich nicht entzog, wenn man darum gebeten wurde. Und er war sich durchaus bewusst gewesen, welche Verantwortung die Aufgabe mit sich brachte.

Dass Isabelle es genießen würde, an Ingmars Seite zu repräsentieren, daran bestand kein Zweifel. Etwas, das Britta nie besonders gemocht hatte, um ehrlich zu sein.

Na ja, darüber brauchte er sich den Kopf nun wirklich nicht zu zerbrechen. Ingmar hatte es sich selbst ausgesucht, sein Leben mit Isabelle zu teilen. Er war es, der ihren Geltungsdrang aushalten musste.

Hans Rosensjöö sah liebevoll zu seiner Frau hinüber. Britta war mit der Zeit zwar ganz schön rundlich geworden und interessierte sich inzwischen fast nur noch für die Enkelkinder, aber sie wäre niemals auf die Idee gekommen, so mit ihm umzuspringen, wie Isabelle es mit Ingmar tat. Ihn wie einen Laufburschen in die Diele hinauszuschicken, um die nächsten Gäste hereinzuholen. Was waren das denn für Sitten. Das hätte Britta mit ihm nicht machen können.

Er hob das Glas Martini an die Lippen und trank einen Schluck.

Der Cocktail war hervorragend, genauso trocken, wie er ihn liebte. Der gute Ingmar war zwar nicht Herr im eigenen Haus, aber Drinks mixen, das konnte er.

Im selben Moment kehrte Ingmar von Hahne mit den neu eingetroffenen Gästen zurück.

Es waren der Vorsitzende des Klubkomitees und seine Frau, Arvid und Kristina Welin. Gefolgt vom Vorsitzenden des Wahlausschusses, Anders Bergenkrantz, und seiner Frau Ann-Sofie.

Die Runde war vollzählig.

Der Geist Oscar Julianders schwebte über der Dinnergesellschaft.

Alle am Tisch waren beim Begräbnis gewesen, und die Damen hatten einige taktvolle Bemerkungen über die geschmackvolle Zeremonie gemacht. Man hatte über die schönen Blumengestecke gesprochen und über die anrührende Trauerrede der Pfarrerin.

Dann kehrte Schweigen ein.

Hans Rosensjöö brach das Eis und warf die Frage in den Raum, die sich alle anderen insgeheim auch stellten.

»Hat jemand etwas gehört, wie die Polizei vorankommt? Ist doch merkwürdig, dass sie den Mörder nicht finden. Jetzt sind schon über zwei Wochen vergangen. Ich begreife nicht, was die Leute eigentlich die ganze Zeit machen.«

Er ließ den Blick durch das hellblaue Esszimmer schweifen. Der Tisch war mit geerbtem Porzellanservice gedeckt und mit silbernen Kandelabern geschmückt. In der Mitte stand eine Vase mit einem geschmackvollen Blumenstrauß. Ingmar, der neben seiner Frau saß, hatte Britta als Tischdame. Ihm gegenüber saß Kristina. Das bedeutete, dass er vor dem Dessert eine kurze Dankesrede würde halten müssen, etwas, was er im Laufe der Jahre schon viele Male getan hatte.

Arvid Welin räusperte sich.

Er war ein eloquenter Mann mit einem verblüffend wachen Verstand. In jungen Jahren hatte er bissige politische Glossen in der Studentenzeitung geschrieben, aber mit zunehmendem Alter war seine Gesinnung sehr viel konservativer geworden. Erst nach etlichen Schnäpsen verfiel er manchmal noch in einen radikalen Ton, der an die wilden Sechziger erinnerte.

»Offenbar fehlt ihnen der richtige Wind in den Segeln«, sagte er. »Aber was habt ihr erwartet? Heutzutage wird doch überall eingespart. Man sieht ja nicht mal mehr einen Streifenwagen auf den Straßen.«

»Ich frage mich, ob sie denjenigen, der den armen Oscar umgebracht hat, jemals kriegen«, sagte Kristina Welin.

»Ja, es ist ein richtiger Skandal, dass sie mit ihren Ermittlungen noch nicht weitergekommen sind«, sagte Anders Bergenkrantz.

»So dürft ihr nicht reden«, erwiderte Britta Rosensjöö vorwurfsvoll und legte ihre Hand auf seinen Arm. »Selbstverständlich werden sie Oscars Mörder fangen, das wäre ja noch schöner. Wenn ihr mich fragt, war das einer aus der Unterwelt. Oscar war schließlich Anwalt. Es gibt sicher viele Verbrecher, die sich gern an ihm gerächt hätten.« Sie schüttelte sich leicht.

»Oscar war Insolvenzverwalter, Liebes«, sagte ihr Mann nachsichtig. »Mit Strafsachen hatte er nichts zu tun. Ich glaube kaum, dass er Kontakt zu Kriminellen hatte.«

»Was denn sonst?«, beharrte Britta. »Andere Feinde hatte Oscar doch nicht. Und denk doch nur an seine wunderbare Frau. Die arme Sylvia, es zerreißt mir das Herz, wenn ich an sie denke. Das alles ist so dermaßen tragisch.«

»Habt ihr schon mal daran gedacht, dass es vielleicht ein Missverständnis war?«, sagte Ann-Sofie Bergenkrantz mit wichtiger Miene. Ihr Doppelkinn zitterte leicht und sie zog diskret eine Falte ihres viel zu engen Kleides glatt.

»Ich habe von einem Mann gelesen, der erschossen wurde, als er auf der Elchjagd war«, fuhr sie fort. »Vielleicht war es jemand, der Seevögel schießen wollte und einfach nur in die falsche Richtung gezielt hat.«

»Aber meine Liebe«, sagte Isabelle von Hahne, »du glaubst doch nicht im Ernst, dass jemand mitten in der Regatta Seevögel jagt?«

Sie streckte sich nach der Wasserkaraffe und schenkte sich und ihrem Tischherrn ein, während sie vor sich hin lachte.

Ann-Sofie Bergenkrantz war sicher, dass alle mitbekommen hatten, wie geringschätzig das klang, und senkte den Blick auf ihren Teller. Isabelle war immer so von sich überzeugt. Niemand durfte an ihren Ansichten rütteln. Beschämt spürte sie, wie sie rot wurde, aber dann nahm sie allen Mut zusammen. Diesmal sollte Isabelle nicht das letzte Wort behalten.

»Vielleicht hat er Geschäfte mit jemandem gemacht, der keine weiße Weste hatte? Ich habe mich immer gewundert, wie Oscar es sich leisten konnte, so ein Leben zu führen. Er hatte doch nicht geerbt, oder?«

Sie blickte entschuldigend in die Runde. Es war unfein, über Geld zu reden, das wusste sie, aber die Sache mit Oscar und seinen Finanzen war doch merkwürdig.

Insgeheim studierte sie in den Klatschblättern immer die Ranglisten mit den reichsten Schweden. Obwohl viele ihrer Freunde darunter waren, hatte sie Oscar nie auf einer dieser Listen entdeckt. Es war ungewöhnlich, dass jemand mit einem solchen Lebensstandard kein Vermögen hatte, von dem man wusste.

Selbstverständlich hätte Ann-Sofie niemals zugegeben, dass sie sich über Kapital und Einkünfte ihrer Bekannten auf dem Laufenden hielt, aber sie machte sich so ihre Gedanken darüber, wie die Dinge wirklich lagen. Es musste zum Beispiel eine enorme Summe gekostet haben, sich dieses Swan-Boot anzuschaffen.

Jetzt sah sie, wie Isabelle die Lippen kräuselte. Die reiche Isabelle, mit einem goldenen Löffel im Mund geboren, war sich natürlich viel zu fein, um über Geld zu reden.

Wieso war Isabelle immer so überheblich?, dachte sie. Wieso musste sie immer über andere triumphieren, die ihr, wie sie meinte, nicht das Wasser reichen konnten? Jeder wusste doch schon, wie elegant und weltgewandt sie war. Und superschlank natürlich, im Gegensatz zu Ann-Sofie, die ständig mit ihren überflüssigen Pfunden kämpfte.

Ann-Sofie kam sich auf einmal fett und plump vor.

Ingmar von Hahne, der viel netter als seine Frau war, sprang ihr zur Seite.

»Vielleicht war es jemand, der Oscar den Erfolg neidete«, sagte er philosophisch und schenkte ihr ein aufmunterndes Lächeln. »Oscar hat schließlich eine Menge erreicht in seinem Leben, nicht wahr?«

Ann-Sofie lächelte dankbar zurück. Sie konnte nicht begreifen, wie ein so sympathischer Mann es mit einem solchen Drachen aushielt. Sie hatte nie gehört, dass er ein böses Wort zu Isabelle gesagt hätte, im Gegenteil, meistens schwächte er ihre verletzenden Worte mit einem schnellen Kommentar oder einer leicht ironischen Bemerkung ab.

Ingmar war ein vollendeter Gentleman, das war er wirklich. Und dazu war er noch adlig.

»Möglicherweise war es jemand, der verhindern wollte, dass Oscar größenwahnsinnig wird«, fuhr Ingmar fort. »Die griechischen Götter straften denjenigen, der sich für unbesiegbar hielt. Oscar hatte alles, vielleicht war es zu viel für einen einzelnen Mann?«

»Wie kannst du so etwas sagen!«, zischte seine Frau und funkelte ihn verärgert an. »Es liegt doch auf der Hand, dass Oscar von einem Verbrecher erschossen wurde. Einem Killer aus der Unterwelt, genau wie Britta gesagt hat. Wahrscheinlich war er auch noch Ausländer.«

Sie wandte sich abrupt zu Hans Rosensjöö um.

»Noch etwas Lammfilet?«

Ingmar von Hahne zuckte mit den Schultern und trank einen Schluck von dem Wein, der dunkelrot in seinem Glas schimmerte.

Fast wie Blut. Wie Oscars Blut.

Kapitel 54

Diana Söder blickte sich im Zimmer um und ein Schauer lief ihr über den Rücken. Die Wohnung kam ihr schmutzig vor, als wäre jemand mit lehmigen Stiefeln bis in die entferntesten Ecken gekrochen und hätte den schönen Teppichboden verdreckt.

Der Text auf dem Bildschirm flimmerte vor ihren Augen. Sie zog den Morgenrock fester zusammen. Obwohl es nicht kalt im Zimmer war, fror sie. Sie fühlte sich ungeschützt, wie ausgeliefert, obwohl sie sich in ihrer eigenen Wohnung befand, das Sicherheitsschloss abgesperrt und die Kette vorgelegt war.

Sie ging in die Küche und füllte ihr Weinglas auf. Ihre Hand zitterte, als sie den Schraubverschluss wieder auf die Flasche setzen wollte, und sie verschüttete ein paar Tropfen.

Tränen stiegen ihr in die Augen, aber sie biss die Zähne zusammen. Jetzt nur nicht in Panik geraten.

In ihrem elektronischen Postfach lagen vier Mails, die in den letzten Tagen gekommen waren. In allen stand fast dasselbe wie in der ersten Mail.

Lange, hasserfüllte Sätze, die im Detail beschrieben, wie sie angeblich das Gewehr genommen hatte, aufs Meer hinausgefahren war und Oscar mit kalter Berechnung abgeknallt hatte. Falls sie ihre Tat nicht zugäbe, würde ihr das noch leidtun.

Was sollte sie nur tun? Die Polizei informieren? Ihnen die Mails zeigen, die behaupteten, sie hätte Oscar ermordet? Dann würde man ihr vielleicht Fabian wegnehmen. Das wäre das Allerschlimmste. Das durfte niemals passieren, niemals.

Sie setzte das Weinglas mit einer heftigen Bewegung an den Mund und trank es zur Hälfte aus. Dann ging sie zurück ins Schlafzimmer. Den Rechner ließ sie an, sie hatte keinen Nerv, ihn herunterzufahren. Das kalte blaue Licht verbreitete einen gespenstischen Schimmer.

Wer konnte so grausam sein? So gehässig?

Was, wenn jemand plante, ihr und ihrem kleinen Sohn etwas anzutun?

Sie kroch unter die Bettdecke, ohne den Morgenrock auszuziehen. Inzwischen fror sie so sehr, dass sie am ganzen Leib zitterte und ihre Zähne aufeinanderschlugen wie bei einem verängstigten kleinen Kind.

»Oscar«, schluchzte sie ins Kissen, »Oscar, du darfst nicht tot sein. Du kannst mich nicht hier alleinlassen. Komm zurück!«

Sonntag, dritte Woche

Kapitel 55

Das hartnäckige Klopfen an der Tür ließ Thomas mit einem Ruck erwachen. Es war gestern Abend schon spät gewesen, als er endlich auf Harö ankam. Den ganzen Tag hatte er auf der Polizeistation verbracht, die urlaubsbedingt kaum besetzt war, und sich durch Stapel von Vernehmungsprotokollen gearbeitet. Als er schließlich aufgab, war es fast sechs Uhr abends gewesen.

Hier auf Harö hatte er ein Bier getrunken und zwei Stück Brot gegessen und war fast darüber eingeschlafen. Das Glas Whisky, das er sich eingeschenkt und mit ans Bett genommen hatte, stand unberührt neben ihm. Es war, als hätte jemand einen Schalter gedrückt, so schnell war er in der Bewusstlosigkeit versunken.

Jetzt warf er verschlafen einen Blick zur Uhr. Kurz vor zehn Uhr morgens. Er hatte fast elf Stunden in der Welt der Träume verbracht.

Es klopfte wieder, jemand rief seinen Namen. Es klang wie eine Kinderstimme. Er zog sich rasch eine Unterhose an und kletterte vom Schlafboden herunter. Als er die Tür öffnete, stand Nora davor, zusammen mit Simon und Adam. Thomas sah die drei verwundert an.

»Hallo, Thomas«, sagte Simon und umarmte ihn fest. Er reichte seinem Patenonkel kaum bis zur Taille.

Adam, vier Jahre älter als sein kleiner Bruder, war schon zu groß für eine Umarmung. Er begnügte sich mit einem leichten Kopfnicken.

»Was macht ihr denn hier, wenn ich fragen darf?«, sagte Thomas und öffnete die Tür weit, um sie einzulassen.

Ein Blick in Noras blasses Gesicht sagte ihm, dass dies kein normaler Höflichkeitsbesuch war.

Nora lächelte traurig und hielt eine Bäckertüte hoch, aus der es nach frischem Brot duftete.

»Mama hat gesagt, wir wollen dich überraschen«, sagte Simon und schlüpfte unter Thomas' ausgestrecktem Arm hindurch ins Haus. »Hast du Saft? Am liebsten Orangensaft, ich mag den roten nicht, den man im Zeltlager kriegt.«

Ohne auf Antwort zu warten, ging er an den Kühlschrank und schaute selbst nach, was er Trinkbares enthielt.

Thomas trat einen Schritt zur Seite, um Nora und Adam Platz zu machen.

»Ich habe leider keinen Saft«, antwortete er. »Wie wär's mit einem Glas Milch? Wenn du groß und stark werden willst, musst du viel Milch trinken.«

Er zwinkerte den Jungs zu und spannte den rechten Arm an, um seine Muskeln zu zeigen.

»Ich will mich nur schnell anziehen«, fügte er hinzu, »dann bekommt ihr zwei was zu trinken und Mama eine schöne Tasse Kaffee.« Er drehte sich zu Nora um. »Seid ihr mit der *Snurran* gekommen?«

Er meinte das Boot der Familie Linde, ein offenes, fünfzehn Fuß langes Steuersäulen-Motorboot, mit dem sie für gewöhnlich zum Fischen und Baden hinausfuhren.

Nora nickte. »Sie liegt unten am Steg. Neben deinem Buster. Ich kann Kaffee machen, während du dich anziehst. Ich dachte, du wärst um diese Zeit schon auf. Das sieht dir gar nicht ähnlich, so lange zu schlafen.«

Sie ging in den Küchenbereich, um die Kaffeemaschine einzuschalten, und Thomas verschwand im Bad.

Er fragte sich, was wohl passiert sein mochte. Noras Augen waren rot und verweint. Bestimmt ging es wieder um dieses Haus. Vielleicht wäre es besser gewesen, wenn sie es nie geerbt hätte. Aber nun war es zu spät.

Thomas konnte sich problemlos vorstellen, wie Henrik und seine Schlange von Mutter Nora zusetzten, um ihren Willen durchzuboxen. Henriks Vater Harald war dagegen gar nicht so verkehrt. Auf der Hochzeit vor vielen Jahren hatten Harald und er die ganze Nacht zusammengesessen und sich eine Flasche Whisky geteilt, und der Alkohol hatte den steifen Diplomaten aufgetaut. Als der Morgen graute, hatte Harald geradezu menschliche Züge bewiesen. Sie hatten sich richtig gut unterhalten, unter anderem über die Chancen der schwedischen Eishockey-Nationalmannschaft, noch einmal WM-Gold zu holen.

Aber Henriks Mutter war ein echtes Biest. Und Henrik war blind für ihre Fehler.

Nora und Henrik waren mittlerweile über dreizehn Jahre verheiratet, aber Thomas hegte den Verdacht, dass Henrik seiner Mutter noch kein einziges Mal die Meinung gesagt hatte. Anscheinend merkte er nicht, wie hochmütig und überheblich Monica anderen Leuten gegenüber sein konnte. Ganz zu schweigen davon, wie sie ihre Schwiegertochter behandelte. Aber er war ja auch das einzige Kind und wurde von seinen Eltern regelrecht vergöttert.

Thomas liebte seine eigene Mutter sehr, aber wenn sie Pernilla so behandelt hätte, wie Monica es mit Nora tat, hätte er sie zum Teufel gejagt, so viel stand fest.

Als Thomas aus dem Bad kam, war der Kaffee fertig. Nora hatte den Tisch gedeckt und Brötchen und Zimtschnecken in eine Schüssel getan. Die Jungs saßen bereits am Küchentisch und fragten nun wie aus einem Mund, ob sie anfangen durften. Thomas hatte kaum genickt, als sie auch schon kräftig zulangten.

Nora goss Kaffee in zwei Tassen, die sie im Schrank über der Spüle gefunden hatte.

»Jungs«, sagte Thomas, »was haltet ihr davon, wenn ihr die Zimtschnecken mitnehmt und euch auf die Treppe in die Sonne setzt? Dann braucht ihr nicht hier drinnen zu hocken und euch das langweilige Gerede von uns Erwachsenen anzuhören. Klingt das nicht gut?«

Adam und Simon liefen nach draußen, und Thomas sah Nora mitfühlend an. »Also«, sagte er. »Was ist passiert?«

Kaum hatte er die Frage gestellt, füllten Noras Augen sich mit Tränen. Ihre Schultern sanken herunter und sie wirkte verzweifelter, als er sie seit Langem gesehen hatte.

Was ist nur mit mir los?, dachte er. Wo ich auch hinkomme, bringe ich Frauen zum Weinen.

Er ging um den Tisch herum und umarmte sie. Nora lehnte sich an ihn und ließ den Tränen freien Lauf. Nach ein paar Minuten, als ihr Schluchzen in lautloses Weinen übergegangen war, streckte er die Hand nach der Küchenrolle aus und riss ein ordentliches Stück ab.

Nora nahm das Papier und schnäuzte sich nachdrücklich.

»Erzähl mal, was los ist«, sagte er. »Es geht um Henrik, oder? Habt ihr euch gestritten?«

Nora nickte und schnäuzte sich wieder.

»Wir hatten gestern Abend einen furchtbaren Streit. Schlimmer als je zuvor. Henrik will unbedingt, dass wir Signes Haus verkaufen. Er hat gemeine Sachen über mich gesagt. Dass ich egoistisch bin und immer nur an mich denke.«

Sie machte eine Pause, um Luft zu holen.

»Er sagt, ich würde aus einer sentimentalen Laune heraus verhindern, dass er und die Jungs in einem schönen Haus in der Stadt leben können. Und außerdem hat er gesagt«, sie sah Thomas an wie ein junger Hund, der zu Unrecht ausgeschimpft wurde, »dass er sich zutiefst für mich geschämt hat.«

»Warum das denn?«

»Gestern war dieses Paar aus der Schweiz da und hat sich das Haus angesehen. Sie haben sich aufgeführt, als würde es ihnen schon gehören, und überhaupt keine Rücksicht genommen.«

Nora berichtete ihm von der Besichtigung und was sich hinterher abgespielt hatte. Sie beschrieb, wie Henrik mit wutverzerrtem Gesicht in der Küche gestanden und außer sich vor Zorn mit der Faust auf den Tisch gehauen hatte. Die verletzenden Worte waren nur so aus ihm herausgesprudelt, ein Schwall von Gemeinheiten, der kein Ende nehmen wollte.

»Wie kann er nur so etwas sagen«, schluchzte sie. »Das war das Schlimmste, was er mir je an den Kopf geworfen hat. Ich fasse es nicht, warum er so unbedingt verkaufen will. Wir hatten doch schon darüber gesprochen, es zu vermieten.«

Die Tränen begannen wieder zu fließen und die Nase wurde immer roter.

»Schhhh«, versuchte Thomas sie zu beruhigen.

Er tätschelte ihre Schulter in dem unbeholfenen Versuch, sie zu trösten, aber es schien nicht zu wirken.

Nora versuchte zu lächeln, schaffte es aber nicht.

»Entschuldige, dass ich dich geweckt habe, aber ich brauchte wirklich jemanden zum Reden. Henrik ist in die Stadt gefahren, gleich mit der ersten Morgenfähre.«

»Wissen die Jungs von dem Streit?«

»Nein. Ich habe ihnen erzählt, dass er ins Krankenhaus gerufen wurde, wegen einem Notfall. Ich musste ihnen ja irgendwas sagen.«

Thomas verspürte den irrationalen Impuls, Henrik anzurufen und ihm gehörig die Meinung zu sagen. Nora hatte ein außergewöhnlich schweres und anstrengendes Jahr hinter sich. Schon letzten Sommer hatte es in der Beziehung geknirscht, aber Thomas hatte geglaubt, dass sich das nach den dramatischen Ereignissen auf Grönskär wieder einrenken würde. Wie Henrik die Stirn haben konnte, sie so unter Druck zu setzen, war ihm unbegreiflich. Aber das sagte er natürlich nicht. Das Wichtigste war im Moment, dass Nora sich wieder beruhigte. Es hatte keinen Sinn, wütend zu werden, schon gar nicht, wenn die Jungs in der Nähe waren.

Er riss noch mehr Küchenpapier ab und Nora sah ihn unter der Tränenflut dankbar an.

»Wenn ich so weitermache, hast du bald kein Küchenpapier mehr.«

»Keine Sorge. Vielleicht war es ganz gut, dass Henrik weggefahren ist. Wenn er sich wieder beruhigt hat, sieht er vielleicht ein, dass er überreagiert hat.«

»Meinst du?«

»Ist doch klar, dass er den Verkauf nicht durchsetzen kann, wenn du absolut nicht willst. Das weißt du. Und er liebt dich. In der Hitze des Gefechts sagt jeder mal Dinge, die er nicht so meint.«

»Hoffentlich«, sagte Nora mit zitternder Stimme.

Sie strich sich die rotblonden Haare aus dem Gesicht und wischte sich die Tränen ab. Ihre graublauen Augen waren verquollen, aber sie blickten jetzt wieder etwas zuversichtlicher. Trotzig schob sie die Ärmel ihres hellblauen Pullovers hoch und schnäuzte sich noch einmal ordentlich in das Küchenpapier.

»Wir kennen Henrik doch beide«, sagte Thomas aufmunternd. »Er kann manchmal ein richtiger Hitzkopf sein, aber er würde dir nie mit Absicht Kummer zufügen wollen.«

Insgeheim war Thomas sich da zwar nicht so sicher, Henrik hatte einen egoistischen Zug an sich, den Thomas von Monica Linde wiedererkannte. Aber es war keine gute Idee, Öl ins Feuer zu gießen. Jedenfalls nicht im Moment.

»Du musst jetzt vor allem erst mal auf andere Gedanken kommen, damit du Abstand gewinnst. Das renkt sich wieder ein, du wirst sehen. Henrik wird schon zur Vernunft kommen.« Er umarmte sie fest.

Nora sah ihn dankbar an und versuchte, sich zu sammeln.

»Ich bin also kein selbstsüchtiges Monster? Das ist nicht alles bloß meine Schuld?« Auf ihrem Gesicht lag ein bittender Ausdruck. »Es ist ja nicht nur meinetwegen, dass ich mich so gegen einen Verkauf wehre. Irgendwann wollen die Jungs vielleicht einmal jeder ein Haus auf Sandhamn haben. Es geht ja auch um ihre Zukunft.«

Sie schwieg einen Moment und trank einen Schluck Kaffee, bevor sie weitersprach.

»Allein schon bei dem Gedanken an diese protzigen Schweizer dreht sich mir der Magen um. Stell dir vor, ich müsste sie jeden Tag sehen, durchs Küchenfenster.«

»Ist es so schlimm?«

»Du machst dir keinen Begriff. Nie im Leben würde ich das ertragen. Ganz egal, wie viel sie bezahlen.«

Nora war eine Kämpferin, kein Zweifel. Sie würde das hier auch überstehen, da war Thomas sich ganz sicher.

»Du bist so lieb, weißt du das?«, fuhr sie fort. »Ich war völlig verstört, als ich heute Morgen aufgewacht bin. Ich musste das unbedingt loswerden.«

Sie blickte auf die Tischplatte, wo ihr Zeigefinger ganz von selbst kleine Achten malte. Dann warf sie einen Blick auf die Uhr und stand auf.

»Ich muss mal nach den Jungs sehen. Wir sitzen hier ja schon eine ganze Weile.«

In ihrer Stimme lag noch Wehmut, aber auch ein Ton, der vorher nicht dagewesen war.

»Ich werde das schon wieder hinkriegen. Es gibt immer einen Weg, nicht wahr?«

Kapitel 56

Wie üblich stand das Zauntor offen. Henrik bog auf den vertrauten Sandweg ein, und nach den ersten hundert Metern öffnete sich die Landschaft und der Kiefernwald wurde von einer großen Wiese abgelöst, auf der ein Dutzend Apfelbäume standen.

Das Sommerhaus seiner Eltern lag auf einem kleinen Vorsprung direkt am Wasser. Hier hatte Henrik seit seiner Kindheit jeden Sommer verbracht. Sein Großvater hatte das Anwesen in den Vierzigerjahren gekauft, ein Landsitz, der Platz für Kinder, Enkelkinder und viele Gäste bot. Damals war es nicht üblich gewesen, ein Ferienhaus auf Ingarö zu haben, das kam erst sehr viel später in Mode.

Ende der Siebziger war das Haus abgebrannt. Einbrecher hatten sich über Nacht einquartiert und offenes Feuer gemacht, um sich zu wärmen, und dabei war es passiert. Henrik war damals ein kleiner Junge, aber er konnte sich noch gut erinnern, wie bestürzt seine Großeltern gewesen waren. Sein Großvater hatte um das Haus getrauert wie um ein lebendiges Wesen.

Aber es wurde wieder aufgebaut, und man konnte sich fragen, ob es nicht viel besser so war. Das alte Haus aus den Dreißigern war nicht besonders praktisch gewesen. Nun baute man modernen Komfort und ein ordentliches Badezimmer ein. Außerdem wurde die Küche vergrößert, sodass Platz für eine Geschirrspülmaschine war, zur großen Freude seiner Oma.

Nur wenige Jahre später starben beide Großeltern und Henriks Vater erbte das Anwesen. Während all der Jahre, die sein Vater im Ausland stationiert war, verbrachten Monica und Henrik die Sommerferien auf Ingarö. Dort freundete er sich mit anderen Kindern an, zum Beispiel Johan Wrede, mit dem er Segelrennen austrug.

Hier auf Ingarö bekam er sein erstes Boot, eine kleine Optimisten-Jolle. Danach folgten eine Laser-Jolle und schließlich ein Kielboot, ein Flying Dutchman mit dunkelblauem Rumpf.

Am Ende seiner Teenagerjahre fuhr er ein Rennen mit einem Freund und dessen Vater, die ein Boot der 6er-Klasse segelten. Da war es um ihn geschehen. Er überredete seinen Vater, ihm das Geld für ein eigenes 6er zu geben, dann warb er Johan und ein paar andere Kameraden als Besatzung an. Danach ging es richtig los, mit einem sechsten Platz in der EM als größtem Erfolg.

Segeln war immer noch das Größte für ihn. Dieses Gefühl, wenn der Bug durchs Wasser schnitt und das Adrenalin durch die Adern jagte, war nicht zu toppen. Deshalb segelte er auch als Erwachsener weiter, trotz seines anstrengenden Berufs und Frau und Kindern, die seine Aufmerksamkeit forderten.

Bei dem Gedanken an Nora verdüsterte sich seine Laune. Er seufzte tief und schaltete in den ersten Gang, dann parkte er den Wagen auf dem Hof neben dem Audi seiner Eltern.

Gestern Abend war sie einfach unmöglich gewesen. Erst hatte sie stundenlang ein Gesicht gezogen, und dann, als die Jungs eingeschlafen waren, hatte sie losgelegt. In aufgebrachtem Ton hatte sie ihm alles Mögliche vorgeworfen, angefangen von Geldgier bis hin zu Rücksichtslosigkeit.

Er hatte sich wirklich bemüht, ruhig zu bleiben. Er hasste es, wenn Nora emotional wurde und das Weinen auf der Lauer lag. Es endete jedes Mal mit Tränen und bitteren Wortwechseln. Aber auf die Dauer konnte man unmöglich dazu schweigen, und schließlich war er heftig aufgebraust.

Ihm war unbegreiflich, wie sie ihre Loyalität zu Signe über das Wohl und Wehe ihrer eigenen Familie stellen konnte. Wenn sie die Brand'sche Villa verkauften, könnten sie den Jungs genau den gehobenen Wohnstandard bieten, der ihnen heute fehlte, und ihnen damit eine ganz andere Grundlage für ihr weiteres Leben mitgeben.

Nora verstand nicht, wie wichtig es für die Kinder war, in einer standesgemäßen Umgebung aufzuwachsen, wo sie die richtigen Kontakte knüpfen konnten. In der Kindheit wurde der Grundstein für das Erwachsenendasein gelegt, das war die Zeit, in der man Freundschaften fürs Leben schloss.

Wenn jemand wusste, wie wichtig das war, dann er. In seiner Kindheit und Jugend hatte er miterlebt, wie sein Vater sich in den diplomatischen Kreisen bewegte, in denen persönliche Beziehungen der Schlüssel zum Erfolg waren. Man musste mit der richtigen Sorte von Leuten verbrüdert und per Du sein, sonst wurde man karrieremäßig schnell übergangen. Das war es, was in der großen Welt zählte.

Hätte nicht ein Freund seines Vaters, der Professor am Krankenhaus von Danderyd war, ein gutes Wort für ihn eingelegt, hätte er sicher mindestens ein volles Jahr auf eine Festanstellung warten müssen. Seine Söhne sollten keine Chancen verpassen, nur weil sie weiterhin in diesem albernen kleinen Reihenhaus wohnen mussten.

Aber Nora war taub und blind für seine Argumente, wenn er versuchte, ihr das zu erklären.

»Wie egoistisch kann man eigentlich sein!«, hatte er ihr an den Kopf geworfen. »Kannst du nicht ein einziges Mal an jemand anders denken als dich selbst? Was bist du nur für eine Mutter!«

Sie hatten sich wie Streithähne am Küchentisch gegenübergestanden, jeder auf einer Seite, während die harten Worte hin und her flogen.

Ihr Gesicht war tränenüberströmt gewesen, aber er hatte trotzdem weitergemacht.

»Und wie du dich aufgeführt hast, als der Makler hier war. Ich habe mich geschämt! Dieses bockige Gesicht, das ewige Geseufze! Ein neutrales, anständiges Benehmen wäre ja wohl das Mindeste gewesen.«

Als sie schließlich zu Bett gingen, war er völlig erledigt. Er war sofort eingeschlafen, hatte aber unruhig und schlecht geträumt. Als er nach nur sechs Stunden aufwachte, beschloss er, die Insel zu verlassen. Er konnte ihre Ausbrüche nicht mehr ertragen. Wenn sie ein paar Tage getrennt waren, kam sie vielleicht wieder zur Besinnung.

Mit einem weiteren tiefen Seufzer stieg er aus dem Auto und ging zum Kofferraum. Darin hatte er eine kleine Tasche, in der sich das Nötigste für eine Übernachtung befand.

Noch ehe er das Haus erreicht hatte, stand seine Mutter schon in der Tür.

»Henrik, Liebling«, sagte sie und küsste ihn auf beide Wangen.

»Hallo, Mama.«

Mit der Tasche in der Hand betrat er das Haus.

»Kaffee ist gerade fertig. Setz dich. Hast du schon gegessen? Soll ich dir ein Brot machen?«

Sie schwirrte um ihn herum wie ein aufgeregter Kolibri. Der Mund stand nicht still und die Hände machten kleine fürsorgliche Gesten.

»Wie geht es dir, mein Junge. Wie schön, dass du gekommen bist, dann kann ich dich ordentlich verwöhnen. Manchmal verstehe ich Nora nicht, sie ist so«, sie suchte nach dem passenden Wort, »so irrational. Ja, genau das ist sie. Und egoistisch. Sie denkt nur an sich selbst.«

Henrik hatte seine Mutter am Morgen angerufen, um Bescheid zu sagen, dass er kommen würde. Er hatte kurz geschildert, was sich zwischen ihm und Nora abgespielt hatte, und Monica war ganz Ohr gewesen. Wie immer stand sie vorbehaltlos auf seiner Seite. Natürlich war er auf Ingarö willkommen, um sich ein paar Tage zu erholen.

Henrik ging ins Wohnzimmer und nahm auf dem gestreiften Ecksofa Platz. Ein gemütlicher Raum, das hatte er schon immer gefunden. Er lag hell und sonnig nach Südwesten, und außer dem großzügigen Sofa gab es noch zwei bequeme Sessel mit dazugehörenden Fußhockern.

Während seine Mutter in der Küche hantierte, griff er aus alter Gewohnheit nach der Fernbedienung, die auf dem Tisch lag, und schaltete den Videotext ein. Seine Mutter kam mit einem Tablett ins Zimmer.

»Könntest du das wohl ausmachen, Henrik«, sagte sie seufzend. »Dein Vater hat im Moment dauernd den Fernseher an, es kommt mir vor, als würde er ununterbrochen laufen.«

»Wo ist Papa denn?«, fragte Henrik, ohne den Blick von der Mattscheibe abzuwenden.

»Auf einen Sprung zu den Nachbarn gegangen. Er kommt sicher gleich. So lange können wir uns ja ein bisschen unterhalten.«

Seine Mutter stellte zwei Kaffeegedecke auf den Tisch und reichte ihm einen Teller mit einem Leberwurst- und einem Käsebrot.

»Hier bitte, ich will nur rasch den Streuselkuchen holen, bin gleich wieder da.«

Sie eilte in die Küche. Henrik biss ins Käsebrot und schaltete auf einen anderen Kanal. Als Monica zurückkam, machte er den Fernseher aus, um ihr gefällig zu sein.

»Nun erzähl doch mal, Junge«, sagte Monica Linde. Sie sah ihren Sohn zärtlich an und hielt ihm den Kuchenteller hin. »Was ist passiert?«

»Ich liebe dich«, flüsterte er verwundert.

Dass es so leicht war, diese Worte zu sagen.

Er hatte nicht gewusst, dass er sie noch aussprechen konnte, nach all den Jahren und all den Lügen. Aber plötzlich waren sie einfach da, ganz selbstverständlich, so als lebten sie ihr eigenes Leben.

Dankbarkeit erfüllte ihn.

So fühlte es sich an, zu lieben und geliebt zu werden. Wie hatte er das vergessen können?

Er betrachtete das Gesicht vor sich. Mit dem Handrücken strich er vorsichtig über die Wange und weiter den Hals hinab und über die Brust.

Dass Haut so weich sein und so gut duften konnte.

»Danke, dass es dich gibt«, flüsterte er. »Ich liebe dich so sehr. Was sollte ich nur ohne dich anfangen?«

»Ich liebe dich auch.«

Die vertraute Stimme war wie eine Liebkosung. Sie küssten sich, und das Verlangen flammte erneut auf. Breitete sich durch den ganzen Körper aus und machte ihn schwindlig vor Begierde.

»Ich lasse dich nicht mehr los«, sagte er heiser. »Nie mehr.«

Montag, vierte Woche

Kapitel 57

»Hallo, spreche ich mit Thomas Andersson?«

Die helle Frauenstimme am Telefon war kaum zu hören, sie zitterte und es dauerte einen Moment, bis Thomas begriff, wer dran war.

Diana Söder, Julianders Geliebte. Und Ingmar von Hahnes Mitarbeiterin in der Galerie am Strandvägen.

Thomas saß an seinem Schreibtisch. Es war kurz vor halb zehn vormittags. Der Himmel war grau und bedeckt und kündigte an, dass das kurze Hoch dabei war, sich zu verabschieden.

»Was kann ich für Sie tun? Sie klingen aufgeregt.«

»Ich will Ihnen etwas sagen, glaube ich …«

Am anderen Ende blieb es eine Weile still.

»Was möchten Sie mir denn sagen?« Thomas wartete geduldig darauf, dass sie weitersprach, und trank in der Zwischenzeit einen Schluck Wasser aus seinem Glas.

»Ich habe unangenehme Nachrichten bekommen. Mails mit schrecklichen Anschuldigungen.«

Thomas hörte, wie sie aufschluchzte.

»Was steht denn drin?«, fragte er vorsichtig.

»Da steht, dass ich …« Sie verstummte wieder, offenbar sammelte sie Mut. »Dass ich Oscar ermordet habe.«

»Können Sie das etwas näher erläutern?«, sagte Thomas mit sanfter Stimme, um sie nicht zu verschrecken.

»Da steht, dass ich eine Hure bin.«

Jetzt brach sie in Weinen aus. Sie konnte kaum mehr sprechen.

»Alle möglichen Gemeinheiten. Was ich Oscar angeblich angetan habe. Ich weiß nicht, was ich machen soll.«

»Wir würden uns diese Mails gerne mal ansehen. Könnten Sie sie mir schicken?«

»Die ich noch habe, ja. Die erste Mail habe ich gleich gelöscht. Aber dann kamen immer mehr. Mit denselben schrecklichen Anschuldigungen.«

Sie begann wieder zu weinen.

»Schicken Sie bitte alle, die Sie noch haben, an mich weiter, wir werden sie uns gleich ansehen. Und melden Sie sich sofort, wenn wieder eine kommt. Schaffen Sie das?«

»Ja«, kam es flüsternd. »Vielen Dank.«

Margit öffnete die erste Mail von Diana Söder und las die wenigen Zeilen.

Ich weiß, dass du Oscar umgebracht hast. Du hast ihn erschossen, weil er seine Frau nicht verlassen hat. Du bist eine Hure, eine verdammte dreckige Hure. Aber dafür wirst du bezahlen. Glaub bloß nicht, dass du davonkommst. Du wirst sehen. Geh zur Polizei und gestehe.

Die nächste Mail, die Margit auf den Bildschirm holte, unterschied sich kaum von der ersten.

Dreckige Schlampe, du sollst zur Polizei gehen und dein Verbrechen gestehen. Du wirst für seinen Tod büßen. Du bist eine verdammte Nutte, eine verlogene Ehebrecherin.

Die dritte enthielt noch mehr Beschimpfungen derselben Art, aber nichts Neues.

»Jemand hält Diana Söder für die Mörderin«, sagte Margit, nachdem sie alle Mails gelesen hatten.

»Fragt sich nur, wer das sein kann.«

»Seine Frau?«

»Sylvia Juliander?« Thomas überlegte. Ihm kam es weit hergeholt vor, dass die trauernde Witwe die Mails geschickt haben sollte. Aber wer wusste schon, zu was eine betrogene Ehefrau fähig war, wenn sich der erste Kummer gelegt hatte?

»Wir fragen sie.«

»Glaubst du, an den Vorwürfen ist was dran?«

»Schwer zu sagen«, erwiderte Thomas. »Wenn, dann hätte sie uns die Mails wohl kaum geschickt.«

»Nein, wahrscheinlich nicht. Und sie hat ein wasserdichtes Alibi. Sie war den ganzen Tag bei der Familie ihres Bruders.«

Margit sah wieder auf den Bildschirm.

»Eine ziemlich altmodische Wortwahl. Ehebrecherin, so etwas sagt doch heute keiner mehr. Ob das was zu bedeuten hat?«

»Weiß nicht. Könnte es jemand sein, der an Rache im biblischen Sinne denkt?«

»In dem Fall könnte Diana Söder in Gefahr sein«, sagte Margit.

Thomas nickte. »Wir werden ihr sagen, dass sie vorsichtig sein soll. Personenschutz werden wir kaum begründen können. Außerdem haben wir keine Leute dafür.«

Er sah nachdenklich auf den Bildschirm mit der letzten geöffneten Mail.

»Wir müssen so schnell wie möglich herausfinden, wer hinter dem Absender steckt«, sagte er.

»Schick sie an Carina. Sie ist meistens gut in solchen Sachen.«

Thomas brummte zustimmend.

»Soll ich Sylvia Juliander übernehmen, oder machst du das?«

»Ich rede mit ihr«, sagte Margit.

Kapitel 58

Martin Nyrén saß im Cockpit seiner Omega 36. Er war allein nach Stora Nassa gesegelt, einem kleinen Archipel nordöstlich von Sandhamn, am äußersten Rand des Schärengartens. Mühsam hatte er die schwarzen Schmierereien entfernt, so gut es ging. Die Schäden am Rumpf wollte er ausbessern lassen, wenn das Boot fürs Winterlager aufgeslipt wurde.

Er beabsichtigte, bis morgen zu bleiben. Dann musste er zurück zu einer eilig einberufenen Sitzung des Intendentkomitees. Der Eigner eines größeren Motorboots hatte sich beim Anlegen im Hafen von Lökholmen verschätzt und war gegen einen Steg gekracht. Der Schaden war beträchtlich, sie hatten mehrere Liegeplätze im Umfeld sperren müssen. Jetzt gab es eine Menge Dinge zu besprechen, von Versicherungsfragen bis zu Reparaturmaßnahmen.

Wie immer galt es, die Kosten möglichst gering zu halten. Der KSSS war kein wohlhabender Verein. Er trug sich selbst, aber viel mehr auch nicht. Die Mitgliedsbeiträge konnte man kaum erhöhen, die waren schon verhältnismäßig hoch.

Aber was blieb ihnen übrig? Der Steg musste repariert werden.

Er justierte die Schot, die das Großsegel regulierte, und nahm den Bug aus dem Wind, um keine Fahrt zu verlieren. Es war Zeit, sich einen Nachthafen zu suchen. Das Navigieren durch den Schärengarten von Stora Nassa war nicht einfach, hier gab es viele Untiefen und man konnte leicht auf Grund laufen. Er achtete sorgfältig darauf, in regelmäßigen Abständen das Echolot zu kontrollieren.

Nach einer Weile fand er eine abgelegene Bucht, in der er für sich allein bleiben würde. Nachdem er angelegt hatte, setzte er sich wieder ins Cockpit und machte ein Bier auf. Er genoss die erholsame Stille, die nur von einer einzelnen Heringsmöwe in der Ferne unterbrochen wurde. Vor ihm erstreckten sich die grauen Schären, so weit das Auge reichte, von Wind und Wetter zu weicher Perfektion geschliffen. Die Sonne stand als orangeroter Ball direkt über dem Horizont und verwandelte das dunkle Wasser in ein Flammenmeer. Es war unbeschreiblich schön und unfassbar still.

Wenn nur Indi jetzt hier wäre.

Was für eine wunderbare Nacht wir gestern hatten, dachte Martin. So zärtlich und liebevoll, und sie waren vollkommen glücklich miteinander gewesen.

Hinterher hatte er mit allen möglichen Argumenten versucht, Indi zu bewegen, ihn bei seiner Segeltour nach Nassa zu begleiten. Er hatte beinahe gebettelt. Er wusste selbst kaum, warum es ihm diesmal so wichtig gewesen war, aber er sehnte sich so sehr nach ein paar ungestörten Tagen miteinander. Einfach zusammen an Bord aufwachen, gemeinsam frühstücken und in den Tag hineinleben.

Aber er bekam nur die üblichen Antworten zu hören: Jemand könnte sie zusammen sehen. Es war zu riskant. Die Abwesenheit von mehreren Tagen erforderte gute Vorausplanung. Sie mussten an die Kinder denken.

Schließlich hatte er es aufgegeben. Er hatte geschwiegen und sich verabschiedet. Genau wie immer.

Wie er diese Heimlichtuerei und dieses Versteckspielen hasste. In ihrem Alter war das erniedrigend. So etwas machten Teenager, aber doch keine erwachsenen Menschen.

Trotzdem war er so hoffnungsvoll wie schon lange nicht mehr. Sie hatten zum ersten Mal über eine mögliche gemeinsame Zukunft gesprochen. Äußerst vorsichtig zwar, sie hatten das Thema nur leicht berührt, als sprächen sie über einen fernen Traum.

Aber es hatte ihm Hoffnung gemacht.

Er konnte das Versteckspiel noch eine ganze Weile fortsetzen, solange die Chance bestand, dass sie eines Tages zusammenleben durften.

Eine Gute-Nacht-SMS würde er sich auf jeden Fall erlauben. Lächelnd griff er zu seinem Handy, um die Nachricht zu schreiben.

Kapitel 59

Eigentlich sollte man Textnachrichten, die nicht für einen selbst bestimmt waren, nicht lesen. Jeder hatte ein Recht auf Privatsphäre. Die musste man respektieren, auch in einer Ehe.

Normalerweise hätte es sich gehört, das Handy, das vergessen auf dem Tisch in der Diele lag, ungestört dort liegen zu lassen. Die SMS, die gerade eingetroffen war, hätte ungeöffnet bleiben müssen, bis die Person, an die sie gerichtet war, nach Hause kam.

Wenn da nicht dieses kleine Signal gewesen wäre, das in der stillen Diele ertönte, als riefe es nach Aufmerksamkeit. Am Ende wurde die Versuchung übermächtig.

Ein einziger Knopfdruck und der Text erschien auf dem Display.

Was dort stand, brachte das Blut zum Kochen. Die Wut wuchs in der Brust und machte das Atmen fast unmöglich, und als die Beine wieder trugen, war es zu spät. Die Nachricht war gelesen und die Erkenntnis ließ sich nicht mehr löschen.

Abserviert, höhnte das Gehirn. Du hast ausgedient, bist nicht mehr gut genug. Was für eine Erniedrigung. Jemand anders ist besser als du. Du wirst sitzen gelassen. Alle werden über dich lachen. Dein Leben ist zerstört.

Es gab keinen Zweifel, was das bedeutete. Nur wenige Worte, aber genug, um einen Entschluss reifen zu lassen.

Danke für eine wunderbare Nacht. Ich kann es kaum erwarten, bis wir jede Nacht zusammen sein dürfen. Martin

Das war nicht hinnehmbar. Und es musste aufhören.

Dienstag, vierte Woche

Kapitel 60

Es nieselte, ein leichter Spätsommerregen, der überhaupt nicht unangenehm war. Aber man merkte, dass der Juli sich dem August zuneigte, die Abende waren jetzt schon kürzer. Wenn es dämmerte, wurde es kühler.

Das Haus in der Birkalidsgatan war leer und verlassen.

Es war in den Dreißigerjahren erbaut worden und Luftverschmutzung und Abgase hatten die ursprünglich helle Fassade dunkel gefärbt. Es hätte eine Renovierung vertragen, aber es war eines der wenigen Häuser in der Straße, das fast nur Läden und Büroräume beherbergte. Es gab keine Eigentümer, die ein Interesse gehabt hätten, den Wert ihrer Wohnungen durch eine teure Renovierung zu steigern.

Um diese Tageszeit hatten diejenigen, die nicht ohnehin im Urlaub waren, längst Feierabend gemacht, die Büros verlassen und waren nach Hause zu ihren Familien geeilt. Nicht ein einziges Fenster war erleuchtet.

Für den beabsichtigten Zweck war das Haus hervorragend geeignet.

Der Haustürschlüssel glitt mühelos ins Schloss. Eine schnelle Umdrehung, dann ging die Tür auf. Der Raum lag eine halbe Treppe höher, mit Fenstern zur Straße und einer perfekten Aussicht auf Birkalidsgatan 22B. Es würde kein Problem sein, aus dieser Entfernung zu schießen.

Die Schlüssel zum Lagerraum waren ebenso sauber gearbeitet wie der Haustürschlüssel, und auch das stabile Sicherheitsgitter aus schwarzem Gusseisen öffnete sich lautlos. Das dunkle, stille Lager bestand nur aus diesem einen großen Raum, ganz hinten rechts war eine Toilette zu erkennen und daneben eine kleine Teeküche mit einem runden Tisch und vier Stühlen. Es roch ungelüftet und gleichzeitig schwach nach Terpentin. Überall standen Bilder an die Wand gelehnt.

Es war zu riskant, die Deckenlampen einzuschalten, aber der Schein der Straßenlaternen genügte, um sich zu orientieren. Die kleine, unauffällige Taschenlampe half auch etwas, schräg gegen den Fußboden gerichtet, damit sie von der Straße aus nicht zu sehen war. Außerdem brannte eine starke Fassadenlampe über der Haustür von Nummer 22B. Sie tauchte den Eingang in helles Licht, damit jemand, der einen Türcode eingeben oder die Haustür aufschließen wollte, nicht im Dunkeln herumtasten musste.

Völlig ausreichend zum Zielen, mit anderen Worten. Völlig ausreichend zum Töten.

Die Einzelteile der Waffe lagen ordentlich verstaut in der grauen Segeltasche. Sie wogen fast nichts, höchstens ein paar Kilo. Es hatte nur wenige Minuten gedauert, das Gewehr zu zerlegen und zusammen mit der Munition in die Tasche zu packen, und es dauerte auch nur wenige Minuten, es wieder zusammenzusetzen. Die kleine Schachtel mit der Aufschrift .22 WMR lag ganz unten in der Tasche. Die messingfarbenen Patronen glänzten im Schein der Taschenlampe.

Eine merkwürdige Anziehungskraft ging von dem blanken Metall und der länglich-ovalen Form aus, die so perfekt auf ihren Zweck abgestimmt war. Dass etwas so Kleines eine solche Zerstörung in menschlichem Gewebe verursachen konnte, war wirklich merkwürdig.

Elf Patronen passten ins Magazin des Gewehrs. Geschmeidig glitt jede Patrone an ihren Platz, und dann war das Gewehr einsatzbereit.

Nun hieß es einfach warten.

Diesmal war keine Eile nötig. Beim ersten Mal hatte alles sekundenschnell gehen müssen. Die Zeit war knapp gewesen da draußen auf dem Meer, und das Risiko, entdeckt zu werden, viel, viel größer.

Jetzt ging es nur darum, Geduld zu haben. Irgendwann würde er in seine Wohnung zurückkehren. Wenn nicht heute, dann morgen.

Das Warten auf Martin Nyrén war alle Zeit der Welt wert.

Kapitel 61

Die abendliche Sitzung des Intendentkomitees war ungewöhnlich fruchtlos gewesen, dachte Martin Nyrén. Er seufzte bei dem Gedanken an seine Kollegen, die manchmal einfach unfähig schienen, Beschlüsse zu fassen. Die Diskussion hatte sich fast nur im Kreis gedreht. Mit dem einzigen Ergebnis, dass sie in einer Woche wieder zusammenkommen mussten, um eine endgültige Entscheidung über die Reparaturen auf Lökholmen zu treffen.

Einer der Kollegen hatte ihn von Saltsjöbaden bis Slussen mitgenommen, von dort nahm er die U-Bahn zurück zum Sankt Eriksplan. Außer ihm stieg niemand aus, er war ganz allein auf dem Bahnsteig. Aber es war ja auch schon fast dreiundzwanzig Uhr.

Obwohl er normalerweise die Rolltreppe hinauflief, denn ein bisschen Bewegung tat ja immer gut, blieb er nun auf der ersten Stufe stehen und ließ sich fahren.

Die komplizierte Beziehung zu Indi machte ihm zu schaffen. Manchmal war seine Sehnsucht geradezu übermächtig. Während der Tage auf See hatte er viel über ihre Situation nachgedacht. Sollte er mehr drängen, vielleicht sogar ein Ultimatum stellen?

Die Liebe zwischen ihnen war stark; sobald sie sich sahen, waren alle Probleme wie weggeblasen. Aber er hasste den Abschied, wenn die kurzen Stunden zu Ende waren. Hasste die Einsamkeit, die ihn anschließend überfiel.

Er wünschte sich so sehr, dass sie den Alltag zusammen erleben könnten, ein normales Leben mit all den kleinen Nichtigkeiten und Reibereien, wer die Wäsche machen und wer einkaufen sollte, ein Leben, in dem Licht in seiner Wohnung brannte, wenn er nach Hause kam.

Geduld, mahnte er sich selbst. Du musst Geduld haben.

Als er aus dem U-Bahnhof auf die Straße trat, holte er tief Luft. Was für eine Erleichterung, die kühle Nachtluft einzuatmen. In der City konnte es im Sommer sehr stickig sein. Er sehnte sich jetzt schon danach, wieder mit dem Segelboot hinauszufahren. Bei dem Gedanken an seine übel zugerichtete Omega überlief ihn ein Frösteln. Es konnte nur ein Dummejungenstreich gewesen sein. Was sollte sonst dahinterstecken?

Er musste den Schaden der Polizei melden, das verlangte schon die Versicherung. Aber sollte er den Rest auch angeben? Seinen Verdacht, dass jemand in seiner Wohnung gewesen war, ohne dass er es hätte beweisen können? Dass er sich auf der Straße beobachtet und verfolgt fühlte? Dass er insgeheim befürchtete, es könnten doch keine vandalierenden Jugendlichen gewesen sein, die sein Boot verwüstet hatten?

Er sah direkt vor sich, wie sie auf der Wache über seine Ängste lächeln würden. Und was konnten sie denn schon tun? Wohl kaum ihn und sein Boot rund um die Uhr bewachen.

Er sah sich besonders aufmerksam in der Dunkelheit um, beschleunigte seine Schritte und zog den dünnen, hellen Trenchcoat fester um den Körper. Seit Anbruch der Dunkelheit musste die Temperatur mindestens um sechs oder acht Grad gesunken sein.

Er zog sein Handy aus der Manteltasche und strich mit dem Daumen leicht über die kühle Metallschale. Sollte er Indi eine SMS schicken? Einen kleinen Gutenachtgruß?

Der Gedanke war verlockend. Warum eigentlich nicht?

Allein schon bei dem Gedanken wurde ihm leichter zumute. Irgendwie würde sich für sie schon alles zum Guten wenden, das spürte er.

Die einsame Gestalt im hellen Mantel war schon von Weitem zu sehen.

Die Straße lag leer und verlassen da, sogar mehrere Parkplätze waren noch frei, trotz der späten Abendstunde.

Das machte alles viel einfacher.

Es hätte zwar kein größeres Hindernis bedeutet, wenn er in Begleitung gewesen wäre. Nicht einmal der aufmerksamste Augenzeuge hätte die Kugel bemerkt, bevor es zu spät war. Aber so gab es ein Problem weniger zu bedenken. Unnötige Komplikationen mussten ja nicht sein.

Jetzt hieß es, sich zu konzentrieren. Jeder Handgriff war genau geplant: das kleine Lüftungsfenster öffnen, den Gewehrlauf einen Zentimeter hindurchstecken, kontrollieren, dass der Winkel perfekt stimmte. Auf Schussgelegenheit warten.

Durch das Zielfernrohr war Martin Nyrén deutlich zu erkennen.

Er ging ziemlich langsam. Es sah aus, als würde er über etwas nachdenken, denn er schien seine Umgebung gar nicht wahrzunehmen, sah kaum nach rechts oder links.

Er hielt ein Mobiltelefon in der Hand, telefonierte aber nicht. Als er den Hauseingang erreichte, blieb er einen Moment stehen und sah auf die Uhr. Dann beugte er sich leicht nach vorn, um den Türcode einzugeben.

Diese kleine Bewegung war alles, was nötig war.

Der Körper befand sich in einer perfekten Position. Es war, als hätte er sich freiwillig mitten ins Fadenkreuz des Zielfernrohrs gestellt. Ein leichter Druck des Fingers am Abzug, und der Schuss löste sich wie von selbst. Er war kaum zu hören, der Schalldämpfer war ebenso effektiv wie beim ersten Mal.

Die Kugel traf Martin Nyrén direkt in die Schläfe.

Es war ein perfekter Schuss mit einem hübschen kleinen Eintrittsloch. Blut spritzte auf, dann war es vorbei.

Er stand noch eine Sekunde ganz still, es war, als wollten seine Finger von selbst den Code eintippen, um dem unbekannten Angreifer zu entfliehen. Dann gaben seine Beine nach und er kippte gegen die Haustür. Glitt langsam am Glas herunter und sank auf den Boden. Eine einzige graziöse Bewegung, es sah aus, als hätte er sie lange trainiert.

Man konnte fast meinen, er schliefe.

Wie leicht es doch war, einen Menschen zu töten. Einfach so.

Beim ersten Mal war es unbedingt nötig gewesen, das Problem hätte sich nicht anders lösen lassen. Als alle Alternativen gegeneinander abgewogen waren, stand fest, dass Oscar sterben musste.

Und nun musste auch Martin verschwinden. Bevor die Dinge aus dem Ruder liefen.

Plötzlich fiel das Atmen leichter. Ein Gefühl des Friedens kehrte ein. Das hier war besser, als in seiner Wohnung herumzuschnüffeln, besser, als ihm durch die Stadt zu folgen oder das Gefühl der Erniedrigung durch das Verwüsten seines Bootes zu betäuben.

Die Ordnung war wiederhergestellt. Martin Nyrén hatte sich alles selbst zuzuschreiben. Sein Tod war die gerechte Konsequenz eines Verhaltens, das nicht tolerierbar war.

Keinen Tag länger. Nicht eine einzige Minute.

Kapitel 62

Der Anruf kam um 23.55 Uhr, kurz bevor der Dienstag in den Mittwoch überging.

Die Anruferin war hysterisch und der Koordinator der Rettungsleitstelle hatte anfangs Mühe, sie zu verstehen. Es brauchte mehrere Anläufe, bis sie sich so weit beruhigt hatte, dass sie sagen konnte, was passiert war.

Ein lebloser Mann lag vor der Haustür in der Birkalidsgatan 22B. Er hatte Blut im Gesicht. Sie hatte ihn gefunden, als sie vom Flughafen Arlanda heimkam. Sie war Flugbegleiterin von Beruf.

Der Koordinator gab die Meldung über Funk an alle Polizeistreifen im Stadtgebiet von Stockholm weiter, und zufällig befand sich ein Streifenwagen ganz in der Nähe, in der Fleminggatan auf der anderen Seite der Sankt Eriksbron. Außerdem schickte er einen Rettungswagen zu der angegebenen Adresse. Die Frau hatte zwar gesagt, der Mann sei tot, aber der Koordinator wollte kein Risiko eingehen. Als Letztes alarmierte er die kriminaltechnische Bereitschaft der Stockholmer Polizei.

Die Besatzung des Streifenwagens erreichte den Einsatzort und stellte fest, dass die Flugbegleiterin die Situation völlig korrekt eingeschätzt hatte.

Der Mann auf der Treppe zum Haus Birkalidsgatan 22B war tatsächlich tot. Ursache war höchstwahrscheinlich das Loch in der Schläfe. Außerdem fanden sich Blut und Hirnsubstanz an den Milchglasscheiben der Haustür.

Die Flugbegleiterin saß auf dem Bürgersteig. Sie stand sichtbar unter Schock. An ihrer Uniform war etwas Blut.

Als der jüngere Polizist, ein Mann in den Dreißigern, mit ihr zu reden versuchte, brach sie in Tränen aus. Fürsorglich half er ihr in den Aufzug und brachte sie hinauf in ihre Wohnung. Hoffentlich beruhigte sie sich bald wieder, damit man sie vernehmen konnte.

Kriminaltechniker Conny Malmsten vom Tatorterkennungsdienst

der Polizei Stockholm traf unmittelbar nach dem Rettungswagen ein. Die Streifenwagenbesatzung hatte den Tatort bereits abgesperrt. Man konnte sich fragen, welchen Nutzen eine solche Absperrung tatsächlich hatte, aber so war die Vorschrift. Bevor nicht alle Spuren gesichert waren, mussten so viele Personen wie möglich ferngehalten werden, um eine Kontaminierung des Tatorts zu verhindern.

Auch Conny Malmsten musste nicht lange über die Todesursache nachdenken.

»Vermutlich wurde er hier erschossen«, sagte einer der Uniformierten, als Malmsten sich an die Arbeit machte.

»Sieht so aus.« Er studierte die Szene, die sich ihm bot.

Das Blut an der Wange des Mannes war geronnen und die Spritzer von Körperflüssigkeit und Gewebesubstanz zeigten an, dass dies der primäre Tatort war.

Mit routinierten Handgriffen nahm er die Digitalkamera aus dem Einsatzkoffer. Die Fotos würden später bei den Ermittlungen herangezogen werden, zum einen, um den Handlungsverlauf zu belegen, und zum anderen als Beweismaterial. Während er fotografierte, machte er sich ein Bild davon, was passiert war.

Soweit er sehen konnte, gab es keine Pulverspuren auf der Haut. Das deutete darauf hin, dass der Schuss aus größerer Entfernung abgegeben worden war. Was wiederum die Wahrscheinlichkeit verringerte, dass der Täter Spuren am Tatort hinterlassen hatte.

Als er mit dem Fotografieren fertig war, legte er die Kamera in den schwarzen Einsatzkoffer zurück. Er nahm es immer sehr genau damit, die verschiedenen Werkzeuge ordentlich zu verstauen. Jedes Ding an seinen Platz. Nichts konnte ihn mehr ärgern, als wenn irgendwas nicht dort lag, wo es hingehörte. Das konnte ihm den ganzen Tag versauen.

Conny Malmsten stieg vorsichtig über die Leiche und öffnete langsam die Haustür. Sie ging nach innen auf, er brauchte den Toten also nicht zu bewegen.

Er sah sich im Treppenhaus um, konnte aber nichts entdecken. Er ging wieder nach draußen und achtete auch diesmal darauf, die Position des Opfers nicht zu verändern.

Auf der Treppenstufe neben dem Toten sah er ein Mobiltelefon. Er sammelte es auf und stellte fest, dass es zerstört war. Die gesamte Unterschale hatte sich gelöst und aus dem Inneren waren kleine

Teile herausgefallen. Er zog einen Plastikbeutel hervor und verstaute alles darin. Falls es möglich war, das Handy wieder zum Leben zu erwecken, waren seine Kollegen sicher sehr interessiert daran, herauszufinden, wen der Ermordete angerufen hatte.

Mit Plastikhandschuhen an den Händen untersuchte er vorsichtig den Schädel, um zu sehen, wo die Kugel eingetreten war. Dann nahm er ein paar Wattestäbchen und begann, DNA-Material zu sammeln.

Es würde eine lange Nacht werden.

Kapitel 63

Halb acht morgens. Im Besprechungsraum herrschte gedrückte Stimmung.

»Was wissen wir?«, sagte der Alte, der gar nicht gut aussah. Immer wieder griff er zu der Rolle Toilettenpapier auf dem Tisch, wickelte ein Stück ab und schnäuzte sich.

»Was wissen wir über den Vorfall?«, wiederholte er, trank einen Schluck Kaffee aus seinem Becher und blickte in die Runde.

Die Nachricht von dem Todesfall der letzten Nacht hatte sie hart getroffen. Die Ermittlung musste zweifellos intensiviert werden. Sie waren noch viel zu weit von einer Aufklärung entfernt.

Die Nachrichtenagentur TT hatte sich schon gemeldet, und der Polizeipressesprecher hatte, milde ausgedrückt, alle Hände voll zu tun. Der Mord an Nyrén war *die* Topmeldung in den Fernseh- und Rundfunknachrichten.

Noch ein Vorstandsmitglied des KSSS, das umgebracht worden war.

Thomas kniff die Augen zusammen und versuchte, sich zu konzentrieren. Er war seit fünf Uhr früh auf den Beinen. Da hatte Hans Rosensjöö ihn angerufen, um ihm zu sagen, dass man Martin Nyrén tot vor seiner Haustür in Birkastan gefunden hatte.

Rosensjöö war seinerseits von Nyréns Bruder angerufen worden, der sofort einen Zusammenhang mit dem Mord an Juliander sah, als die Polizei ihn informierte.

Thomas hatte sich eilig angezogen und war zur Polizeistation gerast. Hier hatte er eine arbeitsreiche Stunde damit verbracht, herauszufinden, was in der Nacht vorgefallen war. Er hatte mit dem Tatorterkennungsdienst gesprochen und eine Beschreibung der Funde vom Tatort erhalten. Conny Malmsten, der als erster Kriminaltechniker vor Ort gewesen war, hatte ihm seine Schlussfolgerungen mitgeteilt.

»Das Opfer heißt Martin Nyrén«, sagte Thomas und sah seine Kollegen an. »Er war dreiundfünfzig und alleinstehend. Wohnte in einer Dreizimmer-Eigentumswohnung in Birkastan und war Verwaltungsbeamter, genauer Abteilungsdirektor im Kammarkollegiet. Von Hause aus Jurist, saß seit etlichen Jahren im Vorstand des KSSS, als Vorsitzender des Intendentkomitees.«

»Was ist das?«, fragte Erik.

Thomas blickte auf seinen Notizblock.

»Das ist ein Komitee, das sich um den Unterhalt und die Verwaltung der Liegenschaften kümmert. Also um die ganzen praktischen Sachen wie Instandhaltung der Bootsstege und Gebäude des KSSS.«

»Was ist passiert?«, fragte Margit.

Thomas hielt eins der Fotos hoch, die Malmsten vom Tatort gemacht hatte. Die Kollegen von der Kriminaltechnik hatten es ihm gemailt. Darauf war die Lage des Körpers gut zu erkennen. Der eingesunkene Rücken, die gespreizten Beine, der Kopf unterhalb der blutbefleckten Glasscheibe.

»Sieht fast aus, als ob er schläft«, sagte Kalle.

»Er saß also mit Juliander im Vorstand und war ebenfalls Jurist«, sagte der Alte und putzte sich schon wieder die Nase. »Gibt es noch andere Verbindungen zwischen ihnen?«

»Das weiß ich nicht«, antwortete Thomas. »Das müssen wir herausfinden.«

»Und die Tatwaffe?«

»Er wurde erschossen. Die Kugel ging direkt ins Gehirn. Er war auf der Stelle tot.«

»Also ähnlich wie Juliander«, sagte der Alte müde.

»Haben sie schon mit der Obduktion angefangen?«, fragte Margit.

»Sie ist für heute Morgen angesetzt. Ich habe vorhin mit Sachsen gesprochen, er stellt alles andere zurück. Er sagt, wir sollen gegen Mittag vorbeikommen, dann weiß er schon mehr.«

»Sonst noch was?«, fragte der Alte.

»Conny Malmsten meint, dass Nyrén aus größerer Entfernung erschossen wurde«, erwiderte Thomas. »Es gab keine Pulverspuren und das Eintrittsloch war klein.«

»Also ein Gewehr?«

»Wahrscheinlich. Wir müssen die ballistische Untersuchung abwarten, bevor wir mit Sicherheit sagen können, ob es dieselbe Waffe war wie bei Juliander.«

»Sonst war nichts am Tatort? Keine verirrten Kugeln, Patronenhülsen oder so?«

»Nein.«

Juliander war mit Teilmantelmunition erschossen worden, die Kugel war im Körper stecken geblieben. Bei Nyrén hatte der Täter vermutlich ein Vollmantelgeschoss benutzt, das auf der anderen Seite des Kopfes wieder ausgetreten war.

Stille senkte sich über den Raum. Die Ähnlichkeit mit dem ersten Mord lag auf der Hand.

»Wie groß ist die Wahrscheinlichkeit, dass zwei verschiedene Mörder sich ihre jeweilige Zielperson aus demselben Vereinsvorstand aussuchen und dann auch noch auf die gleiche Weise vorgehen?«, sagte Margit bedächtig und stützte das Kinn auf die Hand.

»Sehr gering vermutlich«, brummte der Alte.

»Was heißt das?«

»Dass ein Verrückter herumläuft, der etwas gegen diesen Segelklub hat«, antwortete Thomas. »Oder zumindest gegen die Mitglieder seines Vorstands.«

»Der KSSS ist also die offensichtlichste Verbindung«, spann Margit den Faden weiter. »Da müssen wir ansetzen.«

»Wir müssen prüfen, ob wir nicht Personenschutz für einen oder mehrere der Funktionäre brauchen.« Der Alte wandte sich an Margit. »Du und Thomas, ihr kümmert euch darum.«

Margit musterte seine rot geschwollene Nase und die tränenden Augen.

»Und du gehörst ins Bett«, sagte sie frei heraus.

Der Alte winkte unwirsch ab.

»Wir müssen noch mal mit Julianders Witwe reden«, sagte Thomas. »Vielleicht weiß sie etwas über eine Verbindung zwischen den beiden Opfern. Und wir sollten uns so schnell wie möglich einen Überblick über Nyréns Privatleben verschaffen.«

»Die ganze Sache wirft auch ein neues Licht auf Holger Alsing«, sagte Margit. »Wir müssen prüfen, ob er die ganze Zeit auf Mallorca war. Wenn dem so ist, können wir ihn vermutlich von der Liste der Verdächtigen streichen. Zumindest, wenn sich herausstellen sollte, dass die Kugeln aus demselben Gewehr abgefeuert wurden.«

»Mit anderen Worten, alles zurück auf Anfang«, sagte der Alte. Er schnäuzte sich noch einmal und erhob sich müde, um als Nächstes zu der eilig einberufenen Pressekonferenz zu gehen.

»Du solltest dich lieber ins Bett legen«, sagte Margit.

Kapitel 64

Ingmar von Hahne setzte das Schnurlostelefon langsam zurück in die Basisstation auf dem Nachttisch.

Seine Frau kam aus dem Bad und sah ihn fragend an.

»Wer war das? So früh am Morgen!«

»Jemand hat Martin Nyrén erschossen«, sagte Ingmar von Hahne tonlos. Seine weit aufgerissenen Augen waren starr vor Schock, er war kreideweiß im Gesicht.

»Was sagst du da?« Isabelle blieb wie angewurzelt in der Tür stehen.

»Martin Nyrén ist ermordet worden.«

»Martin ist tot?!«

»Ja«, erwiderte Ingmar von Hahne. »Das war Hans. Jemand hat Martin gestern am späten Abend vor seiner Haustür erschossen. Er muss sofort tot gewesen sein. Großer Gott.«

Er starrte das Telefon an, als könne er die Nachricht nicht glauben, die es ihm eben überbracht hatte. Er war so bleich, als würde er gleich ohnmächtig.

Isabelle schien es ausnahmsweise einmal die Sprache verschlagen zu haben. Stille erfüllte das Schlafzimmer. Ingmar saß immer noch wie gelähmt auf der Bettkante und atmete kurz und stoßweise.

»Wir müssen die Polizei anrufen!«, sagte Isabelle schließlich und zog entschlossen den Gürtel ihres Morgenrocks zu.

»Warum?«, kam es heiser von Ingmar.

»Du brauchst Personenschutz«, erwiderte sie. »Wenn da draußen ein Verrückter herumläuft und ein Vorstandsmitglied nach dem anderen abknallt, könntest du der Nächste sein.«

Ingmar war unfähig zu antworten.

»Es ist nicht mehr lange hin, bis du zum Vorsitzenden gewählt wirst. Hast du das vergessen?«, fügte sie hinzu.

Er verbarg das Gesicht in den Händen. Dann ließ er sich aufs Bett zurückfallen.

Isabelle verließ das Schlafzimmer und Ingmar starrte mit leerem Blick an die Decke.

Was hatte es für einen Sinn, die Polizei anzurufen? Was hatte irgendwas für einen Sinn?

Kapitel 65

Alles zurück auf Anfang, hatte der Alte gesagt.

Als Thomas hinter dem roten Backsteingebäude der Rechtsmedizin parkte, fielen ihm die Worte unwillkürlich wieder ein.

Wieder mussten sie eine Weile warten, ehe Sachsen hinter der Riffelglastür erschien. Er sah müde aus und wirkte erschöpft. Auch er war im Morgengrauen aus dem Schlaf geholt worden.

Sie folgten ihm durch die langen Korridore zu den Obduktionssälen. Sachsen öffnete die Tür und ging als Erster hinein.

Auf einer Stahlpritsche lag ein Körper unter einem Laken. Sachsen schlug das Tuch zurück, damit sie den toten Martin Nyrén betrachten konnten. Man hatte ihn nach der Obduktion wieder zugenäht, und es war kaum zu glauben, dass er vor Kurzem noch mit weit offenem Brustkorb dagelegen hatte.

Er sah jünger aus als dreiundfünfzig, dachte Thomas.

Das Haar war natürlich angegraut, aber noch relativ voll, im Unterschied zu vielen anderen Männern in seinem Alter. Der Gesichtsausdruck war friedvoll. Er hatte wohl gar nicht mitbekommen, dass sein Leben gerade zu Ende ging.

Thomas umrundete die Pritsche, um sich den toten Nyrén genauer anzusehen.

Der Körper wies keine besonderen Merkmale auf. Er war passabel in Form gewesen, eine Idee übergewichtig, aber nicht schlimm. Der Blinddarm war ihm entfernt worden, eine seit Langem verblasste Narbe rechts vom Nabel verriet den Eingriff.

»Was kannst du uns sagen?«, fragte Margit.

Sachsen zog seine Brille aus der Brusttasche und überflog das Obduktionsprotokoll, um seine Erinnerung aufzufrischen.

»Mal sehen«, sagte er und blätterte um. »Wie ich schon am Telefon sagte, trat der Tod mit sofortiger Wirkung ein. Die Kugel durchschlug die Schläfe, ging durch den rechten Stirnlappen und blieb in der rechten Gehirnhälfte stecken. Auf ihrem Weg hat sie genug Hirnsubstanz zerstört, um das Opfer schnell und effektiv zu töten.«

»Kannst du etwas über den Winkel sagen?« Margit beugte sich vor, um das Einschussloch zu studieren. Es war nur einen knappen Zentimeter groß und sah sauber und ordentlich aus. Fast wie ein chirurgischer Schnitt.

»Offenbar ist er schräg von oben erschossen worden. Die Kugel hat das Gehirn in Abwärtsrichtung durchdrungen. Das spricht dafür, dass der Schütze höher gestanden hat als das Opfer.«

»Wie viel höher?«, fragte Thomas.

»Schwer zu sagen. Etwas.«

»Und der Abstand zwischen Täter und Opfer? Was meinst du?« Thomas dachte daran, dass der Schuss auf Juliander aus einer Entfernung von fünfzig bis hundert Metern abgefeuert worden war.

»Der war schon ganz ordentlich. Es gibt keine Pulverrückstände, also dürfte es sich um etliche Meter gehandelt haben. Irgendwas zwischen zwanzig und achtzig. Ich möchte mich da nicht festlegen.«

»Wie sieht's mit der Kugel aus?«

Sachsen drehte sich um und nahm ein kleines Ding aus einer Metallschale. Er hielt es ihnen hin, damit sie es begutachten konnten.

»Ist der ersten verdächtig ähnlich«, sagte Margit.

»Ja. Dieselbe Pilzform, dieselbe Art Metall.«

»Wann geht sie zur Analyse?«

»Heute Nachmittag.«

»Und wann kriegen wir Bescheid?«

»Das musst du Linköping fragen. Du kannst ja beantragen, dass sie euch vorziehen«, sagte er, ehe Margit den Mund öffnen konnte. »Das hattest du doch sowieso vor, oder?«

»Was hältst du davon, wenn wir gleich mal in die Birkalidsgatan fahren«, sagte Thomas, als sie wieder in den Wagen gestiegen waren. »Ich würde mir gern den Tatort ansehen, auch wenn der inzwischen aufgeräumt ist. Zu ärgerlich, dass sie uns heute Nacht nicht angerufen haben.«

Margit zuckte mit den Schultern.

»Woher sollte die Leitstelle denn wissen, dass dieser Mord mit dem anderen zusammenhängt. Du erwartest doch nicht, dass sie Gedanken lesen können. Der Diensthabende hat den Polizeibezirk alarmiert, in dem der Mord passiert ist. Er hat sich nur an die Vorschriften gehalten.«

Thomas ließ sich von der Logik in Margits Erklärung nicht beirren.

»Wenn ich den Alten richtig verstanden habe, übernehmen wir die Ermittlung. Das heißt doch, dass jetzt keiner mehr einen Zusammenhang bezweifelt.«

Er drehte den Zündschlüssel um.

»Es ist ja nicht weit. Wir brauchen nur über die Solnabron zu fahren.«

Gut fünf Minuten später parkte Thomas den Wagen in einer Querstraße der Rörstrandsgatan, rund hundert Meter von der Stelle entfernt, wo Martin Nyrén ums Leben gekommen war.

Als sie ausstiegen, fiel ihm auf, was für eine ruhige Gegend das war. Auf den Straßen fuhren nur wenige Autos, und eine Unmenge von kleinen Läden und Cafés säumten die Bürgersteige. Es war die reinste Kleinstadtidylle, mitten in der Großstadt.

Vor dem Haus Birkalidsgatan 22B waren schwache Blutflecke auf der Treppe zu erkennen. Jemand hatte versucht, die Glasscheibe der Haustür zu putzen, aber man konnte immer noch sehen, dass etwas an der Scheibe heruntergelaufen war.

Thomas zog Malmstens Tatortfoto hervor. Trotz der Dunkelheit war die Aufnahme erstaunlich scharf. Es war kein Problem, Nyréns Gesicht zu erkennen. Es wirkte friedvoll, so als läge er aufgebahrt in der Leichenhalle.

»Stell dich in den Eingang«, sagt Thomas, »dann versuchen wir zu rekonstruieren, wie es abgelaufen sein könnte. Er war auf dem Heimweg, das wissen wir. Da er vor dem Haus erschossen wurde, wollte er vermutlich gerade die Eingangstür öffnen. Aber weiter ist er nicht gekommen.«

Margit drehte sich zu der Zifferntastatur um, die ungefähr in Schulterhöhe an der Wand befestigt war, und beugte sich leicht nach vorn.

»So? Wenn er dabei war, den Haustürcode einzugeben, und der Schuss ihn in die rechte Schläfe traf, müsste er ungefähr so dagestanden haben, oder?«

Thomas musterte ihre Körperhaltung und nickte.

»Sachsen hat gesagt, dass Nyrén aus mindestens zwanzig Metern Entfernung erschossen wurde, wahrscheinlich mehr. Und außerdem schräg von oben.«

Er ging rückwärts über die Straße, bis er mit dem Rücken am gegenüberliegenden Haus stand. Der Abstand konnte hinkommen, ungefähr zwanzig Meter, aber er stand immer noch auf einer Höhe mit Margit.

Thomas drehte sich um. Das Gebäude wirkte eine Idee heruntergekommen.

Margit überquerte die Straße und blieb neben Thomas stehen.

»Denkst du dasselbe wie ich?« Sie sah zu der Haustür auf der anderen Straßenseite hinüber. »Vielleicht hat der Täter von hier aus geschossen. Zum Beispiel von einem der Fenster da.«

Sie schirmte die Augen mit einer Hand ab und zeigte auf eine Reihe Fenster im Hochparterre. Dann beugte sie sich vor und studierte die Schilder neben dem Eingang.

»Sieht aus, als ob in diesem Haus lauter Geschäftsräume sind. Ich kann keine Namen von Personen entdecken, nur Firmen.«

Thomas schaute ihr über die Schulter, um ebenfalls einen Blick auf die Schilder zu werfen. Plötzlich zuckte er zusammen.

STRANDVÄGENS KONSTHANDEL stand auf einer der Metalltafeln, die fein säuberlich in einer senkrechten Reihe montiert waren.

Sofort hatte er wieder die geschwungene Schrift an der Eingangstür zu Ingmar von Hahnes Galerie vor Augen. Ingmar von Hahne, Vorstandsmitglied des KSSS und der Chef von Diana Söder, Julianders letzter Geliebten.

Das konnte kein Zufall sein.

Vermutlich befanden sich hier die Lagerräume der Galerie. Und jemand hatte sich im Lager versteckt, um Martin Nyrén zu erschießen.

Vielleicht von Hahne selbst? Wenn ja, warum?

»Komm«, sagte er zu Margit. »Wir gehen zuerst hoch in Nyréns Wohnung. Anschließend besorgen wir uns einen Durchsuchungsbeschluss für das Lager.«

Thomas öffnete die massive Eichentür und stieg über eine Morgenzeitung, die auf der Fußmatte lag. In der Wohnung roch es frisch geputzt. Er nickte kurz einem der Kriminaltechniker zu, die noch mit der Spurensicherung beschäftigt waren.

»Wie läuft's?«

Der Mann blickte von seiner Arbeit auf.

»Geht so. Hier ist es viel zu aufgeräumt für meinen Geschmack. Wahrscheinlich war erst vor Kurzem eine Reinigungskraft hier. Leider ist es so sauber, wie es nur sein kann.«

»Habt ihr Fingerabdrücke gefunden?«

»Bisher nicht. Aber ich bin ja noch nicht fertig.« Der Mann lächelte selbstsicher, überzeugt von seiner eigenen Tüchtigkeit.

Die geräumige Dreizimmerwohnung zeugte von einem Bewohner, der großen Wert auf sein Zuhause legte. Die Einrichtung war teuer, aber nicht protzig. Alle Zimmer waren gemütlich und aufgeräumt. An den Wänden hingen Bilder in kräftigen Farben und vor den Fenstern im Wohnzimmer standen schöne weiße Orchideen in einheitlichen Töpfen. Alles sah sehr gepflegt aus.

Weit entfernt von einer typischen Junggesellenwohnung, dachte Thomas und sah sein eigenes sparsam möbliertes Zweizimmerappartement vor sich – ein Dach über dem Kopf, mehr nicht.

Sie gingen durch die Wohnung und ließen sich viel Zeit, während sie versuchten, sich ein Bild vom toten Wohnungseigentümer zu machen.

Thomas hob den Telefonhörer ab und wählte versuchsweise die Nummer des automatischen Anrufbeantworters von Telia. Aber die Telefongesellschaft hatte weder neue noch alte Anrufe gespeichert.

Im Schlafzimmer herrschte die gleiche perfekte Ordnung wie in der restlichen Wohnung. Die Einrichtung war in nüchternen Farben gehalten. Auf dem Nachttisch stapelten sich mehrere Bücher, aber Thomas kannte keinen der Verfasser.

Auf einem Schreibtisch sah er ein par ausgestöpselte Datenkabel, ein Zeichen, dass die Techniker Nyréns Computer bereits mitgenommen hatten. Mit etwas Glück waren sie schon dabei, den Inhalt der Festplatte zu untersuchen.

Auch die Küche war auffallend sauber und ordentlich. Ein großer Gasherd beherrschte den Raum. Margit öffnete den Kühlschrank.

»Nicht gerade ein bescheidenes Junggesellenleben«, sagte sie und zeigte hinein.

Die Fächer waren wirklich gut gefüllt, stellte Thomas fest. Er sah französischen Käse, mehrere Tafeln Schokolade und ein großes Stück Parmesan neben einer Packung griechischer Oliven. In einem Weinfach lagen zwei Flaschen Champagner.

»Meinst du, dass er Besuch erwartet hat?«, fragte Margit. »Oder war das sein Standardvorrat?«

»Tja, ich wüsste auch gern, wer das alles trinken sollte«, erwiderte Thomas.

Sie gingen ins Badezimmer. Es war maskulin eingerichtet, mit grauem Mosaik an den Wänden.

»Thomas«, sagte Margit. »Er war doch Single, oder?«

»Ja.«

»Und warum stehen dann zwei Zahnbürsten im Glas?«

Kapitel 66

»Können Sie uns sagen, wo Sie am Dienstagabend waren?«, fragte Thomas.

Ingmar von Hahne sah schrecklich aus. Hohläugig und ausgezehrt. Der Kontrast zu seinem sonnengebräunten, sommerfrischen Auftritt vier Wochen zuvor auf Sandhamn hätte nicht größer sein können.

»Ich war zu Hause. In der Wohnung.«

»Kann das jemand bezeugen?«

»Nein.« Die Antwort kam zögernd. »Ich war allein. Zumindest bis Mitternacht. Da kam meine Frau nach Hause, und kurz darauf meine Tochter Emma. Marcus, mein Sohn, ist noch draußen auf dem Land.«

»Kannten Sie Martin Nyrén?«, fragte Thomas.

Ingmar von Hahne nickte wortlos. Thomas zeigte auf das Bandgerät und bat ihn, laut und vernehmlich zu antworten.

»Ja, ich kannte ihn.«

»Können Sie beschreiben, welcher Art Ihre Bekanntschaft war?«

Es blieb eine Weile still.

»Wir kannten uns durch den KSSS«, sagte Ingmar von Hahne schließlich. »Er war Vorsitzender des Intendentkomitees und ich bin Schriftführer des Vorstands.«

»Wie haben Sie von seinem Tod erfahren?«

»Hans Rosensjöö rief mich heute Morgen an und erzählte, was passiert war. Er sagte, dass jemand Martin ermordet hat.« Ingmar von Hahne blickte Thomas und Margit resigniert an. »Was ist das für ein Verrückter, der da draußen rumläuft?«

»Martin Nyrén wurde vor seiner Haustür in Birkastan gefunden. Wir glauben, dass der Täter sich in dem Gebäude direkt gegenüber befunden hat«, sagte Margit, die Thomas bisher die Vernehmung überlassen hatte. »Kennen Sie die Gegend?«

Ingmar von Hahnes Blick irrte nervös umher. An seiner Stirn pochte eine Ader.

»Haben Sie meine Frage verstanden?«, hakte Margit schließlich nach.

Der gequälte Mann vor ihr nickte stumm, und Thomas erinnerte ihn noch einmal daran, dass er vernehmlich antworten musste.

»Ja, ich kenne die Gegend sehr gut. Ich habe mein Lager dort.«

»Lager?« Thomas ließ ihn absichtlich zappeln.

»Einen Lagerraum, in dem ich einen Teil der Bilder aufbewahre, für die in meiner Galerie am Strandvägen kein Platz ist.«

»Und dieses Lager befindet sich in der Nähe?«

»Genau gegenüber dem Haus, in dem Martin wohnte.«

»Tatsächlich wissen wir das bereits«, sagte Thomas. »Wir waren heute Nachmittag in Ihrem Lagerraum, nachdem wir einen Durchsuchungsbeschluss erwirkt hatten.«

Als er das hörte, wurde Ingmar von Hahne noch blasser.

»Wollen Sie wissen, was wir dort gefunden haben?«, fuhr Thomas fort.

»Ja«, kam es flüsternd.

»Wir haben Schmauchspuren gefunden. Am Rahmen des Fensters, von dem man die beste Aussicht auf Martin Nyréns Haustür hat. Aber das kann ja Zufall sein. Was glauben Sie?«

»Ich glaube gar nichts«, antwortete Ingmar von Hahne gequält. Er begrub das Gesicht in den Händen und schwieg.

»Ich frage Sie deshalb noch einmal: Wo waren Sie am Dienstagabend?«

»Ich war zu Hause, genau wie ich vorhin gesagt habe.«

Margit schaltete sich ein.

»Haben Sie eine Erklärung, warum wir Schmauchspuren in Ihrem Lagerraum gefunden haben?«

»Jemand muss eingebrochen sein.«

»Die Tür war nicht beschädigt.«

»Aber das ist die einzige Möglichkeit.«

Der Mann auf der anderen Seite des Tisches sah aus, als wäre er einer Ohnmacht nahe. Als befände er sich in einem Albtraum und wünschte sich nichts sehnlicher, als endlich aufzuwachen.

»Sie können doch nicht im Ernst glauben, dass ich etwas mit dem Mord an Martin zu tun habe.«

»Wer hat Zugang zu Ihren Lagerschlüsseln?«, fuhr Margit unbeirrt fort.

Ingmar von Hahne sah unsicher aus.

»Ich natürlich. Und Diana, sie arbeitet auch in der Galerie. Außerdem haben wir manchmal eine Aushilfe, eine junge Kunststudentin. Ich kenne ihre Eltern.«

Thomas musterte Ingmar von Hahne einen Moment, bevor er die nächste Frage stellte.

»Mit Diana meinen Sie Diana Söder?«

»Richtig. Woher wissen Sie das?«

Thomas antwortete nicht, sondern reagierte mit einer Gegenfrage.

»Seit wann wussten Sie, dass Diana Söder ein Verhältnis mit Oscar Juliander hatte?«

Ingmar von Hahne zuckte zusammen.

»Das habe ich in der Zeitung gelesen.«

»Die beiden haben sich vorletztes Jahr auf einer Weihnachtsparty kennengelernt«, sagte Margit. »Sie hatten offenbar seit achtzehn Monaten eine Affäre. Und Sie wollen nichts davon gewusst haben?«

Ingmar von Hahne sank auf seinem Stuhl zusammen.

»Oscar war verrückt nach Frauen, das war kein Geheimnis. Aber ich wusste nicht, dass sie mit Oscar zusammen war, das habe ich erst neulich erfahren.«

Er griff nach dem Glas Wasser, das vor ihm stand, und trank einen Schluck. Seine Hand zitterte.

Thomas beobachtete ihn.

Ingmar von Hahne sah nicht gesund aus. Und er sah aus, als hätte er sich wahllos irgendwelche Sachen angezogen. Der früher so gut gekleidete Kunsthändler war nicht wiederzuerkennen.

»Glauben Sie, dass Diana Söder fähig gewesen wäre, Oscar Juliander aus Eifersucht zu töten?«

»Auf gar keinen Fall.« Die Antwort kam schnell und ohne Zögern. »Ich kann mir nicht vorstellen, dass Diana in der Lage wäre, überhaupt jemanden zu töten. Sie ist der weichherzigste Mensch, den man sich vorstellen kann, alleinerziehende Mutter eines kleinen Jungen. Ich glaube, sie weiß nicht einmal, wie man eine Schusswaffe hält.«

»Wissen Sie, ob sie Martin Nyrén kannte?«, fragte Margit.

»Keine Ahnung. Vielleicht hat sie ihn mal auf einer unserer Weihnachtspartys getroffen, genau wie Oscar.«

Thomas wechselte das Thema. »Ist Ihnen bekannt, ob zwischen Oscar Juliander und Martin Nyrén etwas vor sich ging?«

»Etwas vor sich ging? Wie meinen Sie das?«

»Haben sie gemeinsame Geschäfte gemacht?«, verdeutlichte er. »Hatten sie gesellschaftlichen Umgang miteinander? Fällt Ihnen irgendwas ein, was erklären könnte, warum beide jetzt tot sind?«

»Das Einzige, was mir als gemeinsamer Nenner einfällt, ist der KSSS. Das ist der einzige Berührungspunkt zwischen den beiden, von dem ich weiß.«

»Wie standen Sie zu Martin Nyrén? Gab es Streit oder vielleicht einen unterschwelligen Konflikt?«

Ingmar von Hahne sah aus, als wollte er jeden Moment in Tränen ausbrechen.

»Ich?«, sagte er mit zitternder Stimme. »Ich habe Martin sehr gemocht. Oscar auch.«

Ein Gedanke zuckte Thomas durch den Kopf. Ingmar von Hahne hatte auffällig betont, ja geradezu als Tugend hingestellt, wie wenig er nach dem Posten als Vorsitzender des KSSS strebte. Konnte es sein, dass genau das Gegenteil zutraf? War es vielleicht nur eine Fassade, hinter der er sich versteckte? Ehrsucht konnte eine starke Triebkraft sein, nicht zuletzt in den feinen Kreisen, in denen von Hahne sich bewegte.

Es hörte sich zwar an, als würde Ingmar von Hahne die Wahrheit sagen. Aber vielleicht war seine Erschütterung gespielt. Thomas wusste aus Erfahrung, wie geschickt manche Menschen im Lügen waren, deshalb beschloss er, den Mann zu provozieren.

»Wie lange versuchen Sie schon, Vorsitzender des KSSS zu werden?«

Ingmar von Hahne schien überrascht.

»Wie meinen Sie das?«

»Genauso, wie ich es sage. Wir suchen nach möglichen Motiven für zwei Morde. Übertriebener Ehrgeiz könnte ein solches Motiv sein. Das ist nicht ungewöhnlich.«

Thomas fixierte ihn mit dem Blick.

»Wären Sie bereit, für diesen Posten zu töten?«

Ingmar von Hahne richtete sich auf, als versuchte er, sich zu sammeln. Dann starrte er Thomas mit einem Ausdruck an, der an Abscheu erinnerte.

»Sind Sie verrückt geworden?« Die Empörung war seiner Stimme deutlich anzumerken. »Ich habe diese Position niemals angestrebt, das kann ich Ihnen versichern. Dass ich zum Vorsitzenden vorgeschlagen wurde, hat nichts mit den Todesfällen zu tun. Es ist bizarr, so etwas zu denken. Bizarr.«

Ingmar von Hahne kniff die Lippen zu einem dünnen Strich zusammen. Die früher so jungenhafte Erscheinung war wie weggeblasen.

»Der Posten des Vorsitzenden ist weiß Gott das Letzte, wonach ich strebe«, sagte er und klang, als säße ihm das Weinen im Hals. »Mein ganzes Leben lang habe ich mich bemüht, das zu tun, was man von mir erwartet. Wenn Sie glauben, ich wäre bereit gewesen, Oscar für eine solche Aufgabe zu erschießen, dann sind Sie wirklich verrückt.«

Er blickte sich im Raum um, als suchte er nach Unterstützung. Dann wandte er sich an Margit, die er offensichtlich für die Sympathischere der beiden hielt.

»Alle, die mich kennen, werden Ihnen versichern, dass ich keiner Fliege etwas zuleide tun kann.« Auf seinem Gesicht erschien ein bettelnder Ausdruck. »Kann ich jetzt gehen?«

Sie waren dabei, ihre Eindrücke des heutigen Tages zusammenzutragen. Inzwischen war es halb sieben, früher Abend. Vor dem Fenster hörte man eine Amsel unbekümmert ihr Lied zwitschern.

Margit hatte sich auf den Besucherstuhl gegenüber von Thomas gesetzt. In ihren müden Augen spiegelten sich seine eigenen.

Sie hatten alle möglichen Sicherheitsvorkehrungen getroffen. Jeder, der eine leitende Funktion im KSSS hatte, war mit einem Alarmgerät und einer Notrufnummer versorgt worden. Die Vorstandsmitglieder hatten strenge Instruktionen erhalten, vorsichtig zu sein – sich nicht in unbekannten Gegenden aufzuhalten, nicht nach Einbruch der Dunkelheit allein irgendwohin zu gehen, ihre Umgebung wachsam im Auge zu behalten.

Der Alte hatte viele empörte Anrufe bekommen, alle mit demselben Thema: War das alles, was der Rechtsstaat unternahm, um seine Bürger zu schützen?

Die Leute fürchteten um ihr Leben, verstand er das nicht?

Am Ende hatte die schlimme Sommererkältung ihn umgehauen. Vermutlich würde er mehrere Tage lang das Bett hüten müssen. Ob es nur die Bazillen waren oder ob der Ansturm dazu beigetragen hatte, war nicht zu ermitteln. Aber sogar der Alte sah schließlich ein, dass er zu krank war, um im Dienst zu bleiben.

Thomas wusste, dass nicht genug Polizisten verfügbar waren, um zwei Dutzend Leute rund um die Uhr vor einem unbekannten Täter zu schützen. Ein derartiger Einsatz war einfach illusorisch. Aber das minderte natürlich nicht den Zorn, der ihnen entgegenschlug.

Die Medien heizten ihnen auch kräftig ein. Wahrscheinlich würde es nicht mehr lange dauern, bis die Landeskripo sich einschaltete.

Einige der bekannteren Unternehmer im Vorstand des KSSS hatten die Sache selbst in die Hand genommen. Diskret hatten ihre Firmen Personenschützer für die Chefs angeheuert.

Obwohl Thomas aus Prinzip derartige Privatlösungen missbilligte, sah er ein, dass es etwas von dem Druck wegnahm, der auf ihnen als Polizei lastete. Noch ein weiterer Mord an einem Vorstandsmitglied wäre verheerend. Die jetzige Situation war schon schlimm genug.

Diana Söder war eine gute Stunde nach Ingmar von Hahne auf der Polizeistation erschienen, völlig überrascht, dass man sie vorgeladen hatte. Als Thomas ihr erklärte, dass sie eine der Personen war, die Zugang zu dem Lagerraum hatten, von dem aus Martin Nyrén erschossen worden war, machte das die Sache nicht besser.

Thomas verschränkte die Hände hinter dem Kopf und streckte sich.

»Wir haben zwei Leute, die behaupten, nichts mit den Todesschüssen zu tun zu haben. Diana Söder sagt, dass sie noch nie in ihrem Leben eine Waffe in der Hand gehabt hat. Und dass sie Martin Nyrén außerdem nie begegnet ist. Ingmar von Hahne streitet rundweg alles ab.«

»Sie hat ziemlich heftig auf deine Frage reagiert, ob sie Juliander erschossen hat.« Margit runzelte die Augenbrauen. »Glaubst du, dass sie aufrichtig ist?«

»Schwer zu sagen. Aber ich bezweifle nicht, dass sie ihn geliebt hat, und sie hat unbestreitbar ein wasserdichtes Alibi für den Mord an Juliander. Das hat dieser von Hahne auch. Außerdem hat Söder uns ja freiwillig von diesen anonymen Mails erzählt.«

»Das kann auch ein Trick gewesen sein.«

»Möglich, aber ich glaube nicht, dass sie so clever ist. Sie könnte natürlich auch jemanden angeheuert haben. Einen bezahlten Handlanger, der ihr geholfen hat. So was kommt vor.«

»Schon«, erwiderte Margit zögernd, »aber nicht sehr oft. Und die Frage ist, was sie davon gehabt hätte, ihren Liebhaber umzubringen.«

»Vielleicht wollte er mit ihr Schluss machen. Vielleicht war sie eifersüchtig. Vielleicht wollte sie verhindern, dass er sie sitzen lässt.«

»Möglich. Aber ist das wahrscheinlich? Und warum hätte sie dann auch Nyrén töten sollen?« Margit verschränkte die Arme über der Brust und lehnte sich zurück. »Wie passt er ins Bild?«

»Der Einzige, der nach unserem jetzigen Wissensstand einen Nutzen von Julianders Tod hat, ist dieser von Hahne.«

»Wegen des Postens als Vorsitzender des Segelklubs? Glaubst du das wirklich?«

Thomas zuckte mit den Schultern.

»Der Schuss wurde aus seinem Lagerraum abgefeuert. Vergiss das nicht.«

»Das kann Zufall sein. Der Raum liegt zweifellos günstig. Aber warum sollte er Nyrén loswerden wollen? Mal angenommen, dass von Hahne der Mörder ist.«

»Das weiß ich nicht. Nyrén ist ihm vielleicht auf die Schliche gekommen und hat gedroht, die Sache an die große Glocke zu hängen.«

Margits Blick war skeptisch. »Das Einzige, was wir bis jetzt haben, sind lose Vermutungen. Mehr nicht.«

»Ich weiß.« Thomas klang müde. »Hast du übrigens Sylvia Juliander erreicht?«

»Ja. Sie hatte keine Ahnung, ob ihr Mann und Martin Nyrén irgendwelche Gemeinsamkeiten außerhalb des KSSS hatten. Da war nichts zu holen.«

»Da also auch nicht.« Thomas unterdrückte ein Seufzen.

Wann hatte er seine Kinder verloren?

Als sie geboren wurden, hatte ihn ein Gefühl erfüllt wie nie zuvor. Diese winzig kleinen Finger, die nach seinen eigenen griffen. Die flaumigen Haare, so zart, dass man sie kaum sah. Die Augen, die ihn blicklos anblinzelten.

Das Glücksgefühl überraschte ihn. Die erste Schwangerschaft seiner Frau hatte ihn nicht sonderlich interessiert. Es war, als ginge ihn die ganze Sache nichts an. Noch etwas, das passierte, weil es irgendwie dazugehörte, und nicht, weil er sich besonders danach gesehnt hätte. Er fühlte sich kaum gefragt, geschweige denn beteiligt.

Er hatte getan, was man von ihm erwartete, nicht mehr und nicht weniger.

Aber als er dann im Krankenhaus stand und in das kleine Bett hinunterschaute, in dem sein Sohn lag, verstand er nicht, wie er ohne ihn hatte leben können.

Danach verbrachte er einen Großteil seiner Freizeit mit seinen Kindern im Kinderzimmer. Er konnte stundenlang auf dem Fußboden zwischen Bauklötzen und Teddys sitzen, die kleinen Bäuche kitzeln, bis die Kinder vor Lachen kreischten, und ihnen Märchen vorlesen, bis die Augenlider zufielen und die Arme, die den Teddy umklammerten, langsam schlaff wurden.

Die Veränderung kam leise herbeigeschlichen. Sie begannen Dinge zu sagen, die wie ein Echo der Gedanken seiner Frau klangen. Ihre Ansichten wurden ihm fremd und ihre Werturteile waren weit von seinen eigenen entfernt.

Seine Tochter suchte nicht mehr seine Nähe. Stattdessen zog sie es vor, mit ihrer Mutter einkaufen zu gehen. Sie hörte auf, mit ihm zu reden, und stand stundenlang vor dem Spiegel.

Sein Sohn, der Erstgeborene, wurde ein Snob, der mit Klischees um sich warf und sich mit Freunden umgab, deren Ausdrucksweise er kaum verstand.

Die Geschwister schlossen sich zusammen und bildeten eine

Gemeinschaft, in der er weder besonders willkommen noch gefragt war.

Mit der Zeit hatte er sich in seinem eigenen Haus mehr und mehr überflüssig gefühlt. Immer öfter machte er abends Überstunden und vermied es, früh nach Hause zu kommen.

Die Mutter seiner Kinder herrschte souverän über die Familie, und sein eigener Lebensraum schrumpfte immer mehr zusammen.

Wann hatte er die Kinder verloren?

Donnerstag, vierte Woche

Kapitel 67

Nora hielt es nicht mehr aus.

Henrik hatte am Montagmorgen angerufen und kurz mitgeteilt, dass er die ganze Woche arbeiten musste. Er würde am Freitagabend zurück nach Sandhamn kommen. Dann konnten sie sich aussprechen.

Die letzten Tage hatte sie funktioniert wie auf Autopilot. Hatte Essen für die Jungs gemacht, war zum Strand gegangen, hatte sofort Eis gekauft, wenn Adam und Simon nur ein bisschen bettelten. Sie hatte nicht die Nerven, auch noch mit ihnen zu streiten. Erziehen konnte sie die Kinder auch ein andermal.

Schließlich hatte sie es im ganzen Körper gespürt: Sie musste weg von der Insel. Sie würde noch verrückt werden, wenn sie weiter durch die Gegend lief und so tat, als wäre alles in Ordnung.

Am Mittwochabend hatte sie ihre Mutter gefragt, ob die Jungs für ein paar Tage bei ihnen bleiben konnten. Als Grund gab sie an, sie müsse in die Stadt und arbeiten. Wie üblich war das kein Problem.

Noras Mutter hatte sie bekümmert angesehen, war aber so taktvoll gewesen, keine Fragen zu stellen. Das war ihr sicher schwergefallen, aber Nora war dankbar, dass ihre Mutter sich gerade jetzt nicht einmischte. Falls Susanne gefragt hätte, was zwischen ihr und Henrik vorgefallen war, hätte Nora vermutlich angefangen zu weinen.

Und was hätte das genützt?

Nora nahm eine der Vormittagsfähren nach Stavsnäs und stieg in den Bus 433, der bis Slussen fuhr. Trotz der kurvigen Strecke schlief sie sofort ein, kaum dass sie sich hingesetzt hatte, und wachte erst an der Endstation auf. Dort verließ sie den Bus und folgte dem Strom der Leute in die U-Bahn.

Überrascht bemerkte sie, wie heruntergekommen es hier aussah. Slussen war eine der ersten U-Bahn-Stationen gewesen, die in Stockholm gebaut wurden, und das merkte man. Die gefliesten Wände waren schmutzig und es roch schwach nach altem Urin. Nora rümpfte unwillkürlich die Nase und beeilte sich, auf den Bahnsteig zu kommen. Sie war erleichtert, als wenig später der Zug einfuhr und sie einsteigen konnte.

Auf dem Sitz lag ein vergessenes Exemplar der Gratiszeitung *Metro*. Aus alter Gewohnheit blätterte sie zerstreut darin. Sie blieb bei einem Artikel über das Stockholmer Amtsgericht und die langen Bearbeitungszeiten hängen. Es konnte Jahre dauern, bis ein Fall von Misshandlung vor den Richter kam. In der Zwischenzeit vergaßen die Zeugen, was sie gesehen hatten, und das Opfer war so eingeschüchtert, dass es schwieg. Nichts Ungewöhnliches für eine Institution, die seit vielen Jahren chronisch unterbesetzt war. Aber es genügte, um die Menschen wütend zu machen und ihren Glauben an das Justizsystem zu untergraben.

Und mit aller Berechtigung. Es war ein Unding, die Menschen so lange darauf warten zu lassen, dass ihnen Gerechtigkeit widerfuhr. Was nützte es, die Polizeikräfte aufzustocken, wenn es niemanden gab, der sich um die Ergebnisse ihres Einsatzes kümmerte, dachte Nora.

Sie erinnerte sich nur zu gut an ihre Zeit als Gerichtsreferendarin in Visby. Schon damals hatte es an Geld gefehlt. Wie es jetzt um die Finanzlage stand, konnte sie sich kaum vorstellen. Aber bestimmt nicht besser, davon war sie überzeugt.

Nora ließ die Zeitung auf den Schoß sinken. Amtsgericht Stockholm. Wenn das kein Zeichen war.

Sie hatte den vagen Plan gehabt, einen Spaziergang durch die City zu machen und dann in irgendein Freibad zu gehen und ein bisschen zu schwimmen. Alles nur, um eine Weile allein zu sein und nicht nachdenken zu müssen.

Jetzt hatte sie eine andere Idee.

Die U-Bahn fuhr gerade in die Station T-Centralen ein. Rasch griff Nora nach ihrem Rucksack und stieg aus. Sie fuhr mit der Rolltreppe zur untersten Ebene, wo die Bahnen der blauen Linie hielten.

Sie hatte Glück. Sie war gerade unten angekommen, als eine Bahn einfuhr. Sie stieg ein und war nach wenigen Minuten an der Station Rådhus.

Als sie aus dem U-Bahnhof an die Oberfläche kam, türmte sich ein riesiges Backsteingebäude vor ihr auf: das Amtshaus, auch bekannt als Stockholms Amtsgericht.

Ein imposantes Gemäuer, in dem unzählige Prozesse der verschiedensten Art stattgefunden hatten. Hier war Clark Olofsson nach dem Geiseldrama vom Norrmalmstorg zu einer Gefängnisstrafe verurteilt worden. Der sogenannte Lasermann, einer der am schwersten zu fangenden Mörder der schwedischen Geschichte, hatte in diesen Sälen sein lebenslänglich bekommen. Und hier hatte ein uneiniges Gericht unter dem enormen Interesse der Öffentlichkeit Christer Pettersson für den Mord an Olof Palme verurteilt.

Aber es war auch ein Gebäude, das andere Behörden beherbergte. Zum Beispiel die Aufsichtsbehörde, die eine Menge Kontrollaufgaben zu erfüllen hatte. Wie etwa die Überwachung der Insolvenzverwalter. Hierher wurde die Vermögensübersicht jedes Konkurs gegangenen Unternehmens geschickt, ebenso der Verwaltungsbericht und der Rechenschaftsbericht über die Schritte, die im Namen des insolventen Betriebs unternommen wurden. Er wurde alle sechs Monate durch den Halbjahresbericht aktualisiert, der ebenfalls an die Aufsichtsbehörde ging.

Das meiste von dem, womit Juliander in den letzten Jahren beschäftigt gewesen war, würde sich also im Archiv dieser Behörde wiederfinden, dachte Nora. Zwar nicht in dem schönen alten Amtshaus, aber im Klamparen, wie der große Neubau aus den Neunzigerjahren genannt wurde, der an der Ecke Scheelegatan und Fleminggatan stand.

Nora hatte die Liste über Julianders Insolvenzfälle, die sie von Thomas bekommen hatte, am Morgen aus einem Impuls heraus in ihren Rucksack gesteckt, als sie aus Sandhamn weggefahren war. Sie hatte ein schlechtes Gewissen, dass sie sich noch nicht um die Liste gekümmert hatte, und vorgehabt, auf der Fähre einen Blick darauf zu werfen.

Sie konnte sicher ein paar Stunden erübrigen, um sich durch die Akten zu kämpfen, die der verstorbene Anwalt an die Aufsichtsbehörde geschickt hatte. In ihrem Beruf als Justiziarin einer Bank hatte sie schon jede Menge Vermögensaufstellungen und Verwaltungsberichte gelesen, derartige Dokumente waren ihr nicht fremd.

Um ehrlich zu sein, sehnte sie sich nach einer Möglichkeit, den Kopf mit etwas anderem zu füllen als mit Gedanken an Henrik und den Verkauf der Brand'schen Villa. Auf Sandhamn hatte sie immer und immer wieder über die Situation gegrübelt. Es war das Erste, woran sie beim Aufwachen dachte, und das Letzte, bevor sie einschlief.

Sich in Julianders Geschäfte zu vertiefen, würde eine willkommene Abwechslung sein. Alles war ihr recht, wenn es nur half, ihre Eheprobleme zu vergessen.

Und Thomas würde ihren Einsatz bestimmt sehr schätzen. Das war das Mindeste, was sie tun konnte, nachdem sie sich am Wochenende an seiner Schulter ausgeheult hatte. Er war ihr bester Freund, da verstand es sich von selbst, dass sie einen Nachmittag für ihn opferte.

Sie schob ihren Rucksack auf den Schultern zurecht und begann, in Richtung Fleminggatan zu gehen.

Kapitel 68

Nora öffnete eine der großen Bronzetüren des Klamparen und ging zur Rezeption.

Das Gerichtsgebäude nahm fast den ganzen Straßenblock ein, aber der Zugang war überraschend unscheinbar: ein parallel zur Straße verlaufender überdachter Gang, der zum Portal führte.

Innen erwartete den Besucher eine luftige Halle, die von einer großen spiralförmigen Treppe in warmen Holztönen dominiert wurde.

Nora erklärte ihr Anliegen dem jungen Pförtner, der in einer schmucken Uniformjacke hinter einer Glasscheibe saß. Er hatte halblange Haare und einen spärlichen Oberlippenbart, der ihm etwas Kindliches verlieh. Jedenfalls sah er kaum so aus, als könnte er die Behörde vor jemandem schützen, der sich gewaltsam Zutritt verschaffen wollte.

Der junge Mann hinter dem schusssicheren Glas war vollauf damit beschäftigt, auf seinem Computer eine Patience zu legen. Nora erkannte eine Reihe weißer Spielkarten vor grünem Hintergrund auf dem Bildschirm. Ein angebissenes Wurstbrot lag neben der Tastatur, und daneben stand auch eine Tasse Kaffee.

»Da müssen Sie in Abteilung sechs«, sagte der Pförtner und lächelte sie an. »Das ist eine Treppe höher, in der fünften Etage.«

»Wo bin ich denn jetzt?«, sagte Nora verwundert.

»Das hier ist die vierte Etage«, erwiderte der Mann freundlich. »Mehrere Etagen sind hier unter der Erde. Deshalb befinden Sie sich jetzt in der vierten. Sie können den Aufzug nehmen oder einfach die Treppe hinaufgehen.« Er zeigte auf die geschwungene Treppe. »Ich werde Sie oben anmelden«, fuhr er fort, »dann müssen Sie nicht vor der Tür warten. Die ist nämlich zu.«

Er lächelte wieder und sein kleiner Schnäuzer wippte. Nora verkniff sich ein Lachen. Der Junge meinte es gut, auch wenn er wirklich albern aussah.

Sie bedankte sich, ging die Treppe hinauf und kam an eine Glastür mit der Aufschrift ABTEILUNG 6. Durch das Glas konnte sie sehen, wie jemand näher kam, und kurz darauf wurde die Tür von einer Frau um die sechzig geöffnet.

»Eva-Britt Svensson«, sagte sie und streckte Nora die Hand entgegen. »Ich bin die Gerichtssekretärin.«

Sie trug einen roten Faltenrock und eine weiße Bluse. Das kurze graue Haar war sorgfältig frisiert und lockte sich über den Ohren. Ihre runde Brille erinnerte an eine Eule. Sie sah wirklich aus wie eine typische Gerichtssekretärin, und Nora hätte schwören können, dass im Amtsgericht von Visby genauso ein Exemplar gearbeitet hatte.

Nora stellte sich vor und erklärte, dass sie Einsicht in die Akten verschiedener Insolvenzverfahren brauche. Sie zog die Liste aus dem Rucksack und übergab sie der Sekretärin.

Eva-Britt Svensson überflog die Aufstellung und runzelte die Stirn. Dann sah sie Nora streng an.

»Das wollen Sie wirklich alles durchsehen? An einem Tag? Ich glaube kaum, dass das gehen wird.«

Nora nickte und versuchte, beruhigend zu lächeln.

»Sie werden verstehen, dass ich Ihnen nicht alle Akten auf einmal vorlegen kann«, fuhr Eva-Britt Svensson fort. »Einige sind schon seit einer ganzen Weile geschlossen. Ich muss runter ins Archiv, um sie herauszusuchen. Bis ich die alle gefunden habe … Das kann dauern.« Sie seufzte tief.

Nora tat, als hätte sie den Wink nicht verstanden. Sie zog den Hausausweis ihrer Bank hervor und hielt ihn der Sekretärin unter die Nase.

»Das sind dringende Fälle, die wir uns ansehen müssen. Deshalb bin ich extra hergekommen. Tut mir leid wegen der zusätzlichen Arbeit, die wir Ihnen machen, aber es ist sehr wichtig für uns.«

Sie gab sich alle Mühe, seriös zu klingen. Insgeheim hoffte sie, dass niemand auf die Idee kam, bei der Bank nachzufragen, ob das alles seine Richtigkeit hatte.

Gemäß Öffentlichkeitsprinzip hatte zwar jeder Bürger das Recht, Einblick in die nicht geheimen Akten zu nehmen, die von den Behörden verwahrt wurden, aber es konnte nicht schaden, durchblicken zu lassen, dass sie einen wirklichen Grund dafür hatte. Sie wusste genau, wie die Beamten über die Allgemeinheit dachten, die ihre Grundrechte wahrnehmen wollte. Ganz zu schweigen von den Journalisten, die regelmäßig aus Gründen des öffentlichen Interesses die Herausgabe von Akten forderten.

Eva-Britt Svensson warf einen Blick auf Noras ID-Karte und gab auf.

»Na ja«, sagte sie in versöhnlicherem Ton. »Dann versuchen wir mal, Ihnen zu helfen, so gut wir können.«

Nora schenkte ihr ein dankbares Lächeln.

»Kann ich mich irgendwo hinsetzen?«, fragte sie und blickte sich um. Neben dem Empfangstresen stand ein Schreibtisch, der vermutlich für Besucher gedacht war.

»Eigentlich ist das nicht erlaubt, aber da es sich um so viel Material handelt, denke ich doch, dass Sie es hier drinnen durchsehen können.« Eva-Britt Svensson zeigte auf einen Nebenraum, der nicht besetzt war. »Wir bekommen nächsten Monat einen neuen Gerichtsreferendar, deshalb wird das Zimmer im Moment nicht benutzt.«

Nora lächelte freundlich, stellte den Rucksack auf den Boden und hängte ihre Jacke über den Stuhl.

»Das erinnert mich an meine eigene Referendarzeit in Visby«, sagte sie in dem Versuch, die Frau milde zu stimmen.

Mit dem gewünschten Resultat.

»Dann kennen Sie sich ja aus. Womit soll ich anfangen?«, fragte Eva-Britt entgegenkommend. Aber noch ehe Nora antworten konnte, hatte sie schon selbst einen Entschluss gefasst.

»Ich denke, ich bringe Ihnen die beiden jüngsten Vorgänge zuerst, die sind noch hier in der Abteilung. Es wird eine Weile dauern, bis ich die älteren aus dem Archiv geholt habe. Ich kann Ihnen nicht mehr als zwei Fälle zur Zeit herausgeben, aber das wissen Sie ja sicher.«

»Wie lange würde es dauern, die Akten zu kopieren?«, fragte Nora vorsichtig, um die Geduld der Frau nicht übermäßig zu strapazieren.

»Das kommt darauf an, wie viel Sie brauchen. Sie müssten sich aber selbst an den Kopierer stellen, wir haben leider keine Leute, um Ihnen zu helfen.«

Sie lächelte Nora an und verschwand.

Nora setzte sich an den Schreibtisch im freien Büro und holte Stift und Notizblock aus dem Rucksack. Das Fenster ging auf den Klarabergskanal hinaus, und beim Blick auf das üppige Grün an seinen Ufern musste sie unwillkürlich an zu Hause denken.

Was hoffte sie hier eigentlich zu finden?

Vielleicht war die ganze Aktion reine Zeitverschwendung. Aber versuchen wollte sie es. Unbedingt.

Freitag, vierte Woche

Kapitel 69

Nora saß im 433er-Bus nach Stavsnäs. Sie hatte den restlichen Donnerstag und den Freitagvormittag im Amtsgericht verbracht. Erst nachdem sie alle Insolvenzfälle durchgesehen hatte, die auf Thomas' Liste standen, hatte sie die Abteilung 6 verlassen.

Die ganzen Akten durchzulesen war, vorsichtig ausgedrückt, monoton. Die Verwaltungsberichte waren alle nach einem bestimmten Schema verfasst, ebenso die Halbjahresberichte.

Nach einer Weile hatte sie Pause gemacht, war in einen nahe gelegenen Supermarkt gegangen und hatte sich etwas zu essen und zu trinken gekauft. Ein Sandwich in Klarsichtfolie und ein Mineralwasser mit Himbeergeschmack mussten als Mittagessen reichen. Dazu nahm sie eine Tafel dunkle Schokolade ohne Zucker als kleine Zwischenmahlzeit mit.

Die trockenen Texte ließen ihre Augen tränen und sie musste sich zusammenreißen, um nicht ständig zu gähnen. Trotzdem konnte sie nicht aufhören zu lesen. Es war, als geisterte etwas zwischen den Zeilen herum, was sie nicht richtig zu fassen bekam, wie ein Schmetterling, der sich im letzten Moment doch nicht fangen ließ. Also arbeitete sie sich weiter durch die langweiligen Akten und las einen Bericht nach dem anderen. Zum Trost belohnte sie sich nach jedem Schriftstück mit einem Stückchen Schokolade.

So verging Stunde um Stunde und der Stapel der durchgelesenen Akten wuchs. Da war nichts, was vom Normalen abwich oder sie stutzig machte. Trotzdem war sie überzeugt, dass da etwas sein musste, was sie nur noch nicht entdeckt hatte. Sie hatte es im Gefühl.

Die Nacht hatte sie in der Stadtwohnung ihrer Eltern und nicht in ihrem eigenen Haus verbracht, um Henrik nicht zu begegnen. Vorher war sie ins Kino gegangen, hatte sich eine schwedische Komödie angesehen und einen Riesenbecher Popcorn gegessen. Anschließend war ihr schlecht gewesen. Sie hatte noch den ganzen Abend den Geschmack des fettigen Popcorns im Mund gehabt.

In der Nacht hatte sie unruhig geschlafen und seltsames Zeug von

Henrik geträumt. Im Traum saß er im Krankenhaus in seinem Büro, umringt von hübschen Krankenschwestern, während sie vergeblich versuchte, seine Aufmerksamkeit zu erregen.

Als sie aufwachte, saß ihr das Weinen in der Kehle, ihre Glieder waren schwer und sie fühlte sich überhaupt nicht ausgeruht. Sie zwang sich zu einer Tasse Tee und knabberte ein paar Skorpor, die sie in einer Dose fand. Der Kühlschrank war natürlich leer, aber das machte nichts. Sie hatte sowieso keinen Hunger.

Dann fuhr sie wieder zur Abteilung 6. Eva-Britt Svensson hatte offenbar ein weiches Herz, denn sie half ihr schließlich doch beim Kopieren, damit Nora irgendwann fertig wurde. Am Ende hatte Nora zwei Tragetaschen randvoll mit Papieren beisammen.

Jetzt standen die Taschen zu ihren Füßen im warmen Bus. Er war nur knapp halb voll, Nora hatte kein Problem gehabt, ganz hinten eine Bank für sich allein zu finden.

Sie fuhren von der Autobahn ab und am Golfklub Wermdö vorbei. Das sanfte Schaukeln des Busses machte Nora müde, und ehe sie wusste, wie ihr geschah, war sie mit der Wange am Fenster eingeschlafen.

Kapitel 70

Margit hatte zwei Becher Kaffee geholt und sich missmutig neben Thomas niedergelassen. Müde hielt sie ihm einen Plastikbecher hin und trank den anderen mit einem Zug halb aus. Thomas nahm ihr den Becher ab, obwohl er normalerweise keinen Automatenkaffee trank.

Es war Freitagnachmittag, und sie hatten schon seit Stunden alle Möglichkeiten hin und her gewälzt.

Sie hatten Martin Nyréns Angehörige vernommen, waren an seinem Arbeitsplatz gewesen und hatten mit seinen Kollegen gesprochen. Trotzdem traten sie auf der Stelle.

Ermittlungen festgefahren, lautete die heutige Schlagzeile der Boulevardpresse. Ein groß aufgemachter Artikel beschrieb eingehend, wie die Polizei mit ihrer Suche nach dem Täter gescheitert war. Eine Reihe sogenannter Experten kommentierte den Ermittlungsstand und die Arbeit der Polizei und wusste alles besser.

Margit zog eine Tüte Himbeerbonbons aus der Tasche.

»Willst du?«

Thomas schüttelte abwehrend den Kopf. Ihm ging es nicht so gut.

»Möchte mal wissen, wie lange es noch dauert, bis sie die Liste der Gespräche fertig haben, die Nyrén von seinem Handy aus geführt hat«, sagte Margit. »Wenn die Montag nicht hier ist, fahre ich zur Telefongesellschaft und hole sie persönlich ab.«

»Kalle sagt, dass es wahrscheinlich ein paar Tage länger als üblich dauert. Bei denen ist auch Urlaubszeit.«

»So ein verdammtes Pech, dass sein Handy kaputtgegangen ist. Sonst wäre es ein Leichtes gewesen, alle Nummern und SMS sicherzustellen.«

»Die Techniker meinten, sie könnten es reparieren.«

»Ja, aber das dauert mindestens eine Woche, wenn nicht zwei.«

Thomas warf Margit einen bekümmerten Blick zu. Sie brauchten einen Durchbruch bei den Ermittlungen, und zwar sofort.

»Was ist mit Nyréns Computer? Hast du was gehört, ob sie ihn schon geknackt haben?«

»Sie wollten sich melden, wenn sie so weit sind.«

»Das kann doch wohl nicht so schwer sein.«

Margit rutschte auf dem hellen Schreibtischstuhl ein Stück tiefer. Eine rosa Büroklammer auf dem Tisch musste als Blitzableiter herhalten. Zerstreut bog Margit sie auf und zu, bis sie zerbrach.

»Wie es aussieht, hat Carina nichts über Juliander und Nyrén herausgefunden«, fuhr sie fort. »Anscheinend gibt es zwischen ihnen keine geschäftlichen Verbindungen. Nyrén hat im Kammarkollegiet gearbeitet, die haben nichts mit Insolvenzen zu tun.«

»Sie waren beide Juristen. Vielleicht haben sie zusammen studiert? Sie waren fast gleichaltrig.«

»Kalle hat doch solche Sachen überprüft. Bisher ist nichts aus der Vergangenheit aufgetaucht, was uns weiterhilft.«

Margit schwieg eine Weile.

»Hältst du es für möglich, dass Nyrén was mit Julianders Frau hatte?«, sagte sie schließlich. »Sie hätte sicher ein bisschen Trost vertragen können, wenn ihr Mann sich anderweitig amüsiert.«

»Aber dafür hätte Juliander doch nicht erst umgebracht werden müssen.«

»Nein, wohl nicht.« Margit rutschte noch tiefer. »Die Mails an Diana Söder könnten trotzdem von Sylvia Juliander sein. Laut Carina sind sie von verschiedenen Internetcafés in der Stadt abgeschickt worden.«

»Das sagt gar nichts. Das Personal erinnert sich an keine bestimmte Person. Die Mails kann jeder geschickt haben.«

»Irgendwas haben wir übersehen«, seufzte Margit. »Aber was?«

Ihr Handy piepste kurz und sie klickte die SMS auf.

»Von den Ballistikern. Die Überprüfung von Ingmar von Hahnes Gewehren ist abgeschlossen«, sagte sie. »Die Probeschüsse haben ergeben, dass die Kugel, die Oscar Juliander getötet hat, aus keiner seiner Waffen stammt.«

»Er hatte ja auch kein Marlin-Gewehr, so überraschend ist das also nicht.«

»Aber Probe schießen mussten sie trotzdem.«

Thomas warf einen Blick aus dem Fenster. Es sah ganz danach aus, als würde das Wetter zum Wochenende trübe werden. Es war bewölkt und nicht besonders warm.

»Man kann sich ja Waffen auch ohne Waffenschein besorgen«,

sagte er. »Denk an den Lasermann. Der ist nach Liège gefahren, hat seine Waffe auf der Straße gekauft und ist unbehelligt wieder nach Schweden eingereist. In den baltischen Staaten geht das auch. Was glaubst du, wie hoch das Risiko ist, dass sie dich in Trelleborg oder wo auch immer schnappen? Nicht mal ein halbes Prozent.«

Margit widersprach nicht.

An der Grenze wurden jedes Jahr nur wenige Waffen beschlagnahmt. Alle Ressourcen wurden darauf verwandt, den Drogen- und Alkoholschmuggel zu bekämpfen. Unerlaubte Waffeneinfuhr stand beim Zoll nicht sehr weit oben auf der Prioritätenliste.

»Jemand, der noch zwei funktionierende Gehirnzellen besitzt, würde doch nie mit einer Waffe morden, die auf seinen Namen registriert ist«, fuhr Thomas fort. »Die Spur wäre viel zu offensichtlich. Ingmar von Hahne wäre kaum so dumm, sein eigenes Jagdgewehr zu benutzen. Aber schießen kann er, das wissen wir.«

»Du hast dich wirklich an ihm festgebissen, nicht?«

»Der Mann verheimlicht uns was, da bin ich mir sicher.«

Irgendetwas war an diesem von Hahne, was Thomas nicht richtig einordnen konnte, und das ließ ihm keine Ruhe.

»Wenn er es nicht war, wer dann?«

»Wir haben nichts gegen ihn in der Hand. Das sind alles nur vage Verdächtigungen. Tut mir leid.«

»Ich weiß.« Thomas ließ seine Schultern sinken. In seinem Kopf hämmerte es und seine Glieder schmerzten.

»Was ist los mit dir?«, fragte Margit. »Du siehst schlecht aus.«

»Mir geht's auch nicht so gut.« Er schüttelte sich, aber das machte die Sache nicht besser. Er spürte, wie seine Nase mit jeder Minute mehr zuschwoll.

»Soll ich dir was sagen? Der Alte hat dich angesteckt. Du gehörst ins Bett. Du hilfst niemandem damit, wenn du ernsthaft krank wirst. Geh nach Hause!«

Thomas sah auf die Uhr. Gleich halb sechs. Widerwillig sah er ein, dass sie recht hatte. Er fühlte sich elend.

Samstag, vierte Woche

Kapitel 71

»Hole-in-one«, rief Simon. Er warf seinen Golfschläger in den Sand und führte vor Begeisterung einen Indianertanz auf.

Nora musste unwillkürlich lächeln, als sie sah, wie sehr er sich freute. Seine Augen strahlten und er machte ein V-Zeichen mit seinen kleinen Fingern.

»Hast du gesehen, Mama, hast du gesehen?«, rief er.

Adam, der seinen Ball erst nach sechs Schlägen eingelocht hatte, war nicht ganz so begeistert. Er sah seinen kleinen Bruder überheblich an und tat so, als machte es ihm nichts aus.

Nora und die Jungs waren zur Minigolfanlage gegangen, die im Hafen zwischen Seglerrestaurant und Poolgelände im Schatten einiger hoher Kiefern lag. Sie hatte zwölf Bahnen und war bei den Familien mit Kindern auf der Insel sehr beliebt.

Es war ein Wagnis, Adam dorthin mitzunehmen. Er hasste nichts so sehr, wie zu verlieren, und wenn die Wut mit ihm durchging, verdarb er auch allen anderen das Spiel. Dann war er manchmal den ganzen Tag lang bockig.

Aber heute Morgen hatten beide gequengelt, dass sie hierher wollten. Adam hatte fest versprochen, brav zu sein, und schließlich hatte Nora nachgegeben und war mit den Jungs zum Minigolf gegangen.

Sie musste sich sowieso etwas einfallen lassen, um die Kinder zu beschäftigen, nicht zuletzt, weil Henrik nicht wie versprochen am Wochenende nach Hause gekommen war. Er hatte nur eine kurze Nachricht auf dem Anrufbeantworter hinterlassen, dass er mit Johan Wrede zum Segeln an die Westküste fahren würde. Aussprechen könnten sie sich auch später noch.

Seiner Stimme war anzuhören, dass er immer noch sauer war. Der harte Tonfall war nicht misszuverstehen, nicht mal auf Band. Als Nora versucht hatte, ihn zurückzurufen, war sein Handy abgeschaltet.

Dass sie sich an diesem Wochenende nicht sehen würden, hatte gemischte Gefühle in ihr ausgelöst. Einerseits war sie erleichtert, dass ihr die Konfrontation erspart blieb. Andererseits ärgerte sie sich darüber, dass er sie und die Jungs sich selbst überließ.

Wie bequem für ihn, dachte sie, als sie mit dem Telefon in der Hand dastand. Er verließ sich einfach darauf, dass sie sich um die Kinder kümmerte, wenn er nicht auftauchte. Ein kurzer Telefonanruf, und schon war er weg. Sollte seine Frau doch dafür sorgen, dass es der Familie gut ging.

Sein Gesicht hätte sie sehen mögen, wenn sie nach einem knappen Bescheid auf seiner Mailbox einfach ein ganzes Wochenende weg-bliebe. Besonders in einer Situation wie dieser, bei der schon Ärger in der Luft lag, wenn sie einander nur sahen.

Warum war es ihre Aufgabe, gute Miene zum bösen Spiel zu machen, damit Adam und Simon nichts merkten? Warum musste sie sich eine Ausrede für Henriks Abwesenheit ausdenken?

Manchmal wünschte Nora, sie könnte sich auch auf diese Art eine Auszeit von der Familie nehmen: Ich bin weg, nach mir die Sintflut.

Aber sie könnte sich nie so verhalten, das wusste sie. Wenn sie Adam und Simon merken ließe, wie aufgebracht sie wirklich war, wären es die Jungs, die den Preis dafür zu zahlen hätten, und nicht sie selbst. Damit würde sie nur erreichen, dass das Grundvertrauen ihrer Söhne ins Wanken geriet, und das machte die Situation auch nicht besser. Also musste sie die Zähne zusammenbeißen und so tun, als wäre alles in bester Ordnung.

Sie wünschte sich nur, dass Henrik eines Tages gezwungen sein würde, den Kindern Rede und Antwort zu stehen, anstatt sich einfach aus dem Staub zu machen, wenn es ihm passte.

Ein leises »Kacke« von Adam holte Nora aus ihren Grübeleien. Sie schickte ihrem wütenden Sohn einen strengen Blick, um ihn an sein Versprechen zu erinnern, sich zu beherrschen.

Adam presste die Lippen zusammen und sah zu Boden, und nach einer Weile entspannte sich sein magerer Körper und er ließ die Schultern sinken. Mit gerunzelter Stirn ging er langsam zum Abschlagplatz und machte sich bereit.

Zum Glück brauchte er nur zwei Schläge, dann hatte auch er den Ball versenkt. Für diesmal war die Krise abgewendet. Nora konnte aufatmen.

Während sie darauf wartete, dass die Jungs ihre Schläge auf der nächsten Bahn machten, einer schwierigen Variante mit Hindernis und Berg, wanderten ihre Gedanken zu den Dokumenten, die sie aus dem Amtsgericht mitgenommen hatte.

Sobald die Jungs am Freitagabend zu Bett gegangen waren, hatte sie sich mit einer Tasse Tee auf die Veranda gesetzt und die Fotokopien aus den Tragetaschen hervorgeholt. Dann hatte sie alle Papiere noch einmal langsam durchgeblättert.

Aber sie hatte immer noch nichts Ungewöhnliches finden können. Alles schien in Ordnung zu sein.

»Mama, du bist dran!«, rief Simon und holte sie aus ihren Gedanken.

Nora erhob sich von der Bank. Es war zwar nur eine Minigolfbahn, aber es war gar nicht so leicht, richtig zu treffen. Sie konzentrierte sich und versuchte, den Ball so gerade wie möglich durch die winzige Öffnung im Hindernis zu schicken.

Der erste Versuch ging völlig daneben. Beim zweiten Versuch sprang der Ball aus der Bahn, dafür gab es einen Strafschlag. Adam beobachtete vergnügt, wie sie sich abmühte, während Simon sie mit aufmunternden Zurufen anzufeuern versuchte. Es gab keinen Zweifel, welcher der beiden Jungs mit Wettkampfinstinkt geboren worden war. Es endete damit, dass sie all ihre Schläge verbrauchte, ohne den Ball durch die Öffnung zu bekommen. Sie notierte ihr Scheitern im Spielprotokoll und tröstete sich damit, dass man schließlich nicht in allem der Beste sein konnte.

Selbstverständlich schaffte Adam es, den Ball mit nur vier Schlägen ins Loch zu befördern. Nora hatte nichts dagegen. Ihr war es hundert Mal lieber, wenn er sich freute, als auf seine Kosten Triumphe zu feiern.

Sie setzte sich wieder auf die Bank und wartete, bis sie an der Reihe war. Die Gedanken wanderten zurück zu den Insolvenzfällen.

Die verschiedenen Akten von Julianders Konkursfirmen waren chronologisch geordnet gewesen. Gab es vielleicht noch eine andere Art, sie einzuteilen? Eine, bei der neue Muster entstanden?

Sie beschloss, die Insolvenzen jeweils einmal nach Branchen und nach Bearbeitungsdauer zu sortieren. Vielleicht konnte sie auf diese Weise eine Struktur erkennen, die sie bisher nicht gesehen hatte.

Heute Abend, wenn die Jungs eingeschlafen waren, würde sie das Material ein letztes Mal durchgehen. Wenn sie dann immer noch nichts fand, konnte sie es auch nicht ändern. Aber sie hatte auf jeden Fall ihr Bestes getan, um Thomas zu helfen.

Sonntag, vierte Woche

Kapitel 72

Nora betrachtete den Tisch im Wohnzimmer, der mit den Kopien aus dem Amtsgericht übersät war. Am Abend zuvor hatte sie aus den Akten verschiedene Stapel gebildet. Einige davon lagen auf dem Sofa, weil auf dem Tisch kein Platz mehr war. Sie hatte wie geplant die Papierhaufen neu sortiert, konnte aber immer noch kein Muster erkennen.

Sie seufzte und streckte sich nach ihrer Teetasse aus. Es gab nichts zu entdecken. Sie konnte das ganze Projekt ebenso gut fallen lassen.

Das Wetter war grau und trübe. Es nieselte und war ungemütlich. Die Jungs saßen in ihrem Zimmer und waren ganz versunken in ein Computerspiel. Sie hatten überhaupt keine Lust gehabt, nach draußen zu gehen, trotz Noras Ermahnungen.

Sie stellte die Teetasse ab und ging langsam um den Tisch herum. Betrachtete die Dokumente. Versuchte etwas zu sehen, was sie bisher nicht gesehen hatte.

Die Jungs kamen die Treppe herunter und wollten etwas essen. Ob sie sich Zimtschnecken nehmen dürften? Nora ging in die Küche, holte ein paar Zimtschnecken aus dem Schrank und goss Orangensaft in zwei Gläser. Die Brüder stellten sich neben sie und passten auf, dass sie genau die gleiche Menge bekamen.

Adam war in diesem Sommer wirklich gewachsen, stellte Nora mit einem Stich von Wehmut fest. Er war einen Kopf größer als Simon und reichte ihr schon bis an die Brust. Viel zu bald würde er ein pickliger Teenager sein, der ganz andere Sachen im Kopf hatte als Mama.

Während die Jungs ihre Saftgläser miteinander verglichen, fiel Nora plötzlich ein, dass sie die Konkursfirmen nicht nach Verlusthöhe verglichen hatte. Sie hatte überhaupt nicht über den Umfang der jeweiligen Insolvenzen nachgedacht. Nicht einmal gestern Abend, als sie wirklich versucht hatte, in ganz anderen Bahnen zu denken.

Mit strenger Mutterstimme ermahnte sie ihre Söhne, am Tisch sitzen zu bleiben, während sie aßen. Dann ging sie rasch ins Wohnzimmer zurück, ganz gefangen von ihrer neuen Idee.

Es dauerte fast eine Stunde, alle Akten umzusortieren.

Als sie fertig war, lagen sie in absteigender Reihenfolge. Adam und Simon hatten längst ihre Schnecken aufgegessen und waren zu ihrem Computerspiel zurückgekehrt. Die leeren Gläser standen in der Küche und überall lagen Krümel.

Nora kümmerte sich nicht darum. Stattdessen betrachtete sie zufrieden die neuen Stapel, die vor ihr lagen. Der Unterschied war auffallend.

Die erste Gruppe bestand aus Unternehmen, bei denen es um Verluste in Höhe von hundert Millionen Kronen oder mehr ging. Es war eine bunte Mischung aus IT-Firmen, Reiseveranstaltern und anderen größeren Unternehmen.

Die nächste Kategorie umfasste die Größenordnung sechzig bis siebzig Millionen. Hierin befand sich die Mehrheit der Konkurse, die Juliander verwaltet hatte. Da war alles Mögliche darunter, von Bauunternehmen bis zu Consultingfirmen. Viele waren in Familienbesitz oder gehörten einer Handvoll Eigentümern, die den Betrieb gegründet hatten.

Als Letztes kam eine Reihe von Insolvenzen, deren Verluste nicht mehr als zwanzig bis dreißig Millionen betrugen. Das waren Unternehmen aus verschiedenen Branchen. Darunter eine Zeitarbeitsfirma, die pleitegegangen war, als die Konjunktur zurückging. Ein paar andere waren kleinere Firmen aus der IT-Branche.

Und dann war da noch eine einzelne Insolvenz, eine Zahnarztpraxis, die einen Umsatz von lediglich gut vier Millionen pro Jahr erzielt hatte. Erstaunlich wenig, um jemanden wie Juliander mit der Abwicklung zu beauftragen.

Warum hatte er einen so unbedeutenden Auftrag angenommen, wo er als renommierter Insolvenzverwalter doch ganz andere Fälle hätte haben können?

Nora setzte sich auf einen freien Stuhl und nahm sich die Akte vor.

Die Praxis hieß Olof Martinsson Tandläkarpraktik AB.

Laut Verwaltungsbericht hatte sie dem Zahnarzt Olof Martinsson allein gehört. Eine Zahnarzthelferin und eine Zahnpflegerin waren angestellt gewesen. Schnell überschlug Nora im Kopf, dass der Umsatz hätte ausreichen müssen, um die Miete der Praxisräume, die Ausrüstung und die Gehälter von drei Personen zu decken.

Warum hatte der Betrieb Konkurs angemeldet? Zahnärzte gingen normalerweise nicht pleite. Außerdem war es eine etablierte Praxis gewesen, die seit vielen Jahren gut lief. So schnell konnte man doch nicht alle Patienten verlieren?

Nora studierte den Verwaltungsbericht und sah, dass Martinsson seine Praxis hoch beliehen hatte. Am Ende konnte er Zinsen und Tilgung nicht mehr aufbringen und musste schließen.

Wofür hatte er so viel Geld gebraucht? Und wohin war das verschwunden?

Als Nora die Aufstellung der Gläubiger durchging, sah sie, dass die größte Forderung von ihrer eigenen Bank kam. Gemessen am Umsatz der Praxis war das Darlehen außerdem ungewöhnlich hoch. Die Bank bewilligte normalerweise nicht so hohe Kredite bei dieser Art von Einkünften.

Nora runzelte die Stirn.

Irgendwas stimmte da nicht. Morgen würde sie die Kreditabteilung der Bank anrufen und ein paar Fragen stellen. Vielleicht konnte man ihr dort erklären, wie das alles zusammenhing.

Montag, fünfte Woche

Kapitel 73

Thomas' kräftiges Niesen hallte durch den Korridor. Er hatte sich gezwungen, am Vormittag zu Hause zu bleiben, aber dann hielt er es nicht länger aus. Er musste zum Dienst.

Er hatte keine Zeit, krank zu sein. Ein Mörder lief frei herum.

»Was machst du denn hier?«, waren Margits erste Worte, als er in ihr Büro kam. »Du siehst erbärmlich aus.«

Unmöglich zu sagen, ob ein Hauch Mitleid in ihrer Stimme lag oder ob es nur eine nüchterne Feststellung war.

Thomas blickte sie aus tränenden Augen an.

»Ich habe kein Fieber mehr. Glaub ich.«

»Bleib mir bloß vom Leib. Ich habe keine Lust, krank zu werden.«

Thomas nieste wieder.

»Wie weit sind wir?«, fragte er und sank auf ihren Besucherstuhl.

Margits mütterliches Herz siegte. »Soll ich dir was holen? Möchtest du einen Tee?«

Thomas lächelte matt. »Gern, danke.«

Als Margit mit zwei Bechern in den Händen zurückkam, sah sie ihn mit einer Mischung aus Zuneigung und Resignation an.

»Musstest du wirklich herkommen?«

»Können wir bitte das Thema wechseln? Sag mir lieber, was es Neues gibt.«

»Die Ballistik hat vorhin angerufen. Sie sind mit der Analyse der Kugel aus Nyréns Kopf fertig.«

Thomas blickte sie gespannt an. Margit nickte, als wollte sie seine Gedanken bestätigen.

»Sie stammt definitiv aus demselben Gewehr, mit dem Oscar Juliander erschossen wurde. Ein Marlin. Rechtsdrehend. Mit zwanzig Rillen«, sagte sie.

Ihnen beiden war klar, was das bedeutete, aber Thomas sagte es zuerst.

»Dann haben wir es also mit einem Doppelmörder zu tun«, sagte er heiser.

»Sieht so aus.«

Thomas versuchte, seine Gedanken zu ordnen. Was ihm nicht leichtfiel, es war, als hätte er Watte im Kopf.

»Die gemeinsame Verbindung ist offensichtlich«, sagte Margit. »Irgendwer hat ein sehr böses Auge auf Leute geworfen, die im Vorstand des KSSS sitzen. Wenn wir uns bei Ingmar von Hahne irren, könnte er das nächste Ziel sein.«

Thomas nickte gequält. Er hatte auch schon daran gedacht, dass Ingmar von Hahne im Moment nicht nur der Hauptverdächtige war, sondern auch das nächste Opfer sein könnte.

»Was hatte Linköping sonst noch zu berichten?«

»Nicht viel. Aber diese Bäcklund war dran, die ist immer so umständlich. Bis die Frau mal auf den Punkt gekommen ist, war der halbe Vormittag rum.«

Thomas lächelte, das kam ihm bekannt vor.

»Ich habe übrigens vorhin mit Eva Timell gesprochen, wegen einer eventuellen Verbindung zwischen Juliander und Nyrén«, fuhr Margit fort.

»Und was sagt sie?«

»Sie kann sich nicht erinnern, dass die beiden geschäftlich miteinander zu tun gehabt hätten. Abgesehen von den allgemeinen Rundschreiben des KSSS gibt es keine Mailkorrespondenz zwischen ihnen.«

»Was ist mit Nyréns Computer?«

»Immer noch keine Nachricht, die IT-Forensik hat bisher nichts von sich hören lassen.«

»Sollten wir denen nicht ein bisschen Druck machen?«

»Doch. Ich rufe da nachher mal an.«

Thomas trank dankbar von seinem Tee. Er fror immer noch am ganzen Körper und hatte schreckliche Kopfschmerzen.

»Ich finde wirklich, du solltest nach Hause gehen. Du siehst schlimm aus.« Margits Tonfall ließ wenig Raum für Widerspruch.

Thomas kapitulierte.

»Okay.«

Kapitel 74

»Nein, wir haben uns noch nicht entschieden«, sagte Nora.

Es war das fünfte Mal seit der Besichtigung, dass der hartnäckige Makler anrief.

»Was meinen Sie denn, wann Sie eine Entscheidung treffen werden?«, fragte Severin bekümmert. »Ich will ja nicht drängen, aber es wäre gut, langsam mal zum Schuss zu kommen, wenn Sie verstehen, was ich meine.«

Nora verstand genau, was er meinte.

Er wollte, dass sie sich zum Verkauf des Hauses entschlossen, damit er eine dicke Provision einstreichen und sich dem nächsten Objekt widmen konnte.

Aber das war nun nicht ihr Problem. Sie holte tief Luft und versuchte, sich so deutlich wie möglich auszudrücken, ohne unverschämt zu werden.

»Das kann ich Ihnen leider nicht sagen. Dieses Haus bedeutet mir viel. Für mich ist es wichtig, dass es in gute Hände kommt.« Nora hörte selbst, wie vage das klang, aber ihr fiel im Moment nichts Besseres ein.

»Natürlich«, entgegnete Svante Severin. »Es ist nicht immer leicht, zu einem Entschluss zu kommen. Sie müssen sich die Sache natürlich gut überlegen. Aber ich kann Ihnen versichern, dass diese Interessenten überaus seriös sind. Sie möchten das Haus als den Kulturschatz bewahren, der es ist.«

Ein Klischee nach dem anderen kam aus dem Mund des Maklers und floss wie Sirup durch die Telefonleitung.

Glaubt er wirklich daran, oder ist er einfach nur jung und naiv?, dachte Nora und erinnerte sich an die schreckliche Frau, die durch die Villa gegangen war und Signes Möbel betrachtet hatte, als wären sie etwas, was die Katze angeschleppt hatte.

Unter großer Kraftanstrengung zwang sie sich dazu, höflich zu bleiben.

»Ich denke, es ist am besten, wenn wir Sie anrufen, sobald wir uns entschieden haben, dann brauchen Sie nicht noch mehr Zeit zu verschwenden. Das kann noch eine Weile dauern.«

Plötzlich tat ihr der junge Makler beinahe leid. Sie konnte ja verstehen, dass es ein Riesenerfolg für ihn wäre, wenn er dieses Geschäft unter Dach und Fach bringen könnte.

»Ach, das macht nichts«, sagte Severin. »Ich kann gerne wieder anrufen. Aber heute wollte ich Ihnen und Ihrem Mann etwas besonders Erfreuliches mitteilen.«

»So?«, sagte Nora abwartend.

»Die Interessenten haben mich nämlich gebeten, Ihnen auszurichten, dass sie bereit wären, ihr Angebot zu erhöhen.«

»Zu erhöhen?«

»Richtig. Sie könnten sich vorstellen, noch eine Million draufzulegen. Die einzige Bedingung ist, dass Sie sich bis spätestens Samstag entscheiden.«

Die Gedanken schwirrten durch Noras Kopf.

Bis spätestens Samstag. Das letzte Urlaubswochenende. Die aufgeschobene Aussprache mit Henrik. Die gespannte Stimmung zwischen ihnen.

»Eine Million?«, echote Nora.

Severin hatte die Summe genannt, als spräche er über Monopoly-Geld. Eine Million mehr für die Schlossallee. Gehe nicht über Los. Ist doch nur ein Spiel.

Das war unheimlich viel Geld.

»Interessant, oder?«, fuhr der Makler fort. »So etwas habe ich auch noch nicht erlebt. Aber so ist das, wenn man ein einzigartiges Objekt besitzt. Ein solches Angebot kann man doch nicht ausschlagen!«

Nicht?, dachte Nora trotzig. Du ahnst ja nicht, was ich alles ausschlagen kann. Aber wenn man es tut, was passiert dann? Was kostet eine kaputte Ehe? Kann man sich mit der richtigen Ereigniskarte ein bisschen Glück kaufen?

»Haben Sie mit meinem Mann darüber gesprochen?«

»Nein, sollte ich?«

»Nein, nein«, erwiderte Nora hastig. »Überhaupt nicht. Wir müssen das sowieso in der Familie besprechen. Ich dachte nur.« Sie holte tief Luft. »Ich rufe Sie in ein paar Tagen an.«

»Warten Sie nur nicht zu lange. Das Angebot gilt bis Samstag, wie gesagt. Besser ein Spatz in der Hand ...«

Severin beendete den Satz nicht, aber das war auch nicht nötig. Nora hatte klar und deutlich verstanden, was er meinte.

Sie stellte das Telefon in die Ladeschale. Aber dann nahm sie es wieder hoch. Sie wollte ja noch die Kreditabteilung anrufen.

Rasch wählte sie die Nummer der Bank. Als die Zentrale sich meldete, bat sie darum, mit der KK verbunden zu werden. Das war das interne Kürzel für die Kreditabteilung, die zwei Etagen unter ihrer eigenen Abteilung saß, wenn sie sich recht erinnerte.

Nach dem dritten Klingelsignal meldete sich eine helle Frauenstimme.

Nora erklärte, wer sie war und was sie wissen wollte. Sie gab die Organisationsnummer der Zahnarztpraxis durch und wartete. Nach einigen Minuten erhielt sie die Auskunft, dass der Gesamtvorgang ins Zentralarchiv geschickt worden war. Aber die Frau am Telefon war gerne bereit, dem Kollegen Niklas Larsson auszurichten, dass er Nora zurückrufen solle. Er hatte den Fall bearbeitet und würde ihr sicher weiterhelfen können.

Nora bedankte sich für die Hilfe und hinterließ ihre Handynummer, unter der Larsson sie erreichen konnte.

Anschließend blieb sie noch eine Weile mit der aufgeschlagenen Akte auf dem Schoß sitzen und dachte nach. Zweifellos stimmte hier irgendwas nicht.

Warum hatte Juliander einen so unbedeutenden Konkurs übernommen?

Dienstag, fünfte Woche

Kapitel 75

Als Thomas am Dienstag erwachte, war fast der halbe Tag vergangen. Aber er fühlte sich wesentlich besser. Die Nase lief nicht mehr und die Kopfschmerzen waren weg. Sein Körper fühlte sich langsam wieder normal an. Ein Blick auf die Armbanduhr machte ihm klar, dass er fast fünfzehn Stunden geschlafen hatte.

Es war eine richtige Sommergrippe, die er sich da eingefangen hatte. Genau wie der Alte.

Da er zum ersten Mal seit mehreren Tagen wieder Appetit hatte, frühstückte er ausgiebig: zwei Tassen Kaffee, einen großen Teller Müsli mit Dickmilch und mehrere Scheiben Toast. Dann nahm er eine lange, heiße Dusche und zog sich an.

Es war schon nach zwei, als er endlich fertig war. Aber jetzt fühlte er sich wieder fit. Es juckte ihn in den Fingern, sich in die Ermittlungen zu stürzen. Er nahm seine Autoschlüssel und ging hinaus, um nach Nacka zu fahren.

Der Anruf aus der Kreditabteilung kam erst Dienstag nach dem Mittagessen, und zu dem Zeitpunkt hatte Nora die ganze Sache fast schon wieder vergessen. Das Wetter war deutlich besser geworden, und so hatte sie sich mit den Jungs nach Fläskberget aufgemacht, um ein paar Stunden zu baden.

Die Jungs konnten sich nichts Schöneres vorstellen, als mit einem langen Anlauf vom Schwimmsteg ins Wasser zu springen. Das konnten sie immer und immer wieder machen, ohne müde zu werden. Nora erinnerte sich schwach, dass sie das als Kind auch geliebt hatte, aber inzwischen war sie richtig wasserscheu und vermied es nach Möglichkeit, mit dem Kopf unter Wasser zu kommen.

Am Strand von Fläskberget hatte sie andere Mütter getroffen, die in der Nähe wohnten. Während sie ein waches Auge auf die spielenden Kinder hielten, redeten sie über dieses und jenes, und Nora merkte, wie sie sich im Kreis der Nachbarfamilien entspannte, die sich alle schon viele Jahre kannten. Es war schön, mal eine Weile nur so zu plaudern. Der jüngste Mord an einem Vorstandsmitglied des KSSS war natürlich in aller Munde. Da jedoch keiner den Mann näher gekannt hatte, blieb es bei Spekulationen.

Aber unheimlich war es schon. Die Todesfälle bedrückten alle. Es war so unwirklich und doch real.

Nora und die Jungs waren gerade wieder zu Hause angekommen, als ihr Handy klingelte. An der Nummer auf dem Display sah sie, dass es jemand von der Bank war. Mit dem Telefon in der Hand ging sie auf die Veranda und setzte sich in einen der Korbsessel.

Eine höfliche Stimme stellte sich als Niklas Larsson vor. Er hatte ihre Anfrage erhalten und sich den Vorgang aus dem Zentralarchiv kommen lassen, um ihr weiterhelfen zu können. Er lag vor ihm auf dem Schreibtisch.

Um ihm nicht erklären zu müssen, wofür sie die Information brauchte, kam Nora direkt zur Sache.

»Ich habe mir die Kreditaufstellung angesehen und mich gefragt, ob das sein kann. Es sieht so aus, als wären dem Insolvenzschuldner deutlich höhere Kredite bewilligt worden als üblich.« Sie gab sich Mühe, so zu klingen, als ginge es um eine reine Routinesache.

»Das ist korrekt. Eine traurige Geschichte. Wissen Sie Näheres über Olof Martinsson?«

»Nein«, gab Nora zu. »Nicht viel.« Sie zog einen Hocker heran und legte ihre Füße darauf.

»Er war Zahnarzt, aber auch Biochemiker. Und zwar ein sehr innovativer. Haben Sie schon mal von der Brånemark-Methode gehört?«

Nora dachte nach. Hatte nicht eine Sekretärin in ihrer Abteilung vor einer Weile davon gesprochen, dass ihre Mutter unter Zahnausfall litt? In dem Zusammenhang war der Name Brånemark gefallen.

»Wenig. Bitte erzählen Sie mir mehr.«

»Das ist eine Methode, um künstliche Zähne im Kiefer zu verankern. Sie wurde in den Sechzigerjahren von einem schwedischen Professor erfunden. Martinsson versuchte, eine bessere Variante zu entwickeln, hatte jedoch kein Glück. Er investierte sein ganzes Vermögen in das Vorhaben, war absolut überzeugt davon. Beinahe fanatisch, könnte man sagen.«

»Hat er deswegen mehr Geld bekommen, als er sollte?«

»Ja und nein. Zwar haben wir die Kredite bewilligt, obwohl seine Sicherheiten nicht ganz ausreichten, aber schließlich lief seine Zahnarztpraxis schon seit Jahren sehr gut und an der Höhe der Einkünfte war nichts auszusetzen. Das hat sicher dazu beigetragen, das Kreditkomitee zu überzeugen.«

»Aber auf lange Sicht reichte das nicht?«

»Nein. Er musste immer mehr Geld aufnehmen, um seine Forschungen weiterführen zu können, und irgendwann war Schluss. Er verpfändete sein Haus und seinen ganzen Besitz, aber es genügte trotzdem nicht.«

»Was passierte dann?«

»Wenn ich mich recht erinnere, gelang es ihm nicht, weiteres Geld aufzutreiben. Er war enttäuscht und verbittert und vernachlässigte seine Praxis. Immer mehr Patienten blieben aus, und da konnte er die Kredite, die er bereits hatte, nicht mehr bedienen. Eins kam zum anderen, und irgendwann meldete die Zahnarztpraxis Insolvenz an.«

»Was macht er jetzt?«

»Er bekam einen Herzinfarkt und starb, ziemlich genau zu dem Zeitpunkt, als das Insolvenzverfahren eröffnet wurde. Das hat er wohl nicht verkraftet. Tragisch. Es ist nicht leicht, in Schweden Erfinder zu sein.«

»Und wir haben unser ganzes Geld verloren, nehme ich an«, sagte Nora.

Sie lehnte sich im Korbsessel zurück. Ein dumpfer Kopfschmerz machte sich langsam bemerkbar, aber sie versuchte, ihn zu ignorieren. Zu viel Sonne heute. Sie musste einen Schluck Wasser trinken.

Niklas Larsson lachte verlegen.

»Tja, jedenfalls das meiste. Aus der Insolvenzmasse war nicht viel zu holen. Wir mussten unsere Forderungen abschreiben.«

Nora bedankte sich für die Information und beendete das Gespräch.

Sie beschloss, sich höchstens noch eine Stunde ihren eigenen Nachforschungen zu widmen, dann musste es genug sein. Sie war schließlich keine Polizistin, die dafür bezahlt wurde.

Sie setzte sich an ihren Rechner und suchte im Internet nach »Brånemark«.

Kurzgefasst bestand die Methode darin, dass kleine Schrauben aus Titan, sogenannte Zahnimplantate, im Kieferknochen verankert wurden. Wenn die Schraube fest in den Knochen eingewachsen war, wurde ein künstlicher Zahn darauf befestigt. Auf die Art konnten die

Patienten neue Zähne statt eines herausnehmbaren Gebisses bekommen. Die Methode war patentiert und wurde weltweit eingesetzt.

Als Nächstes gab sie die Suchbegriffe »Olof Martinsson + Zahnarzt« ein. Einer der ersten Treffer war ein Nachruf in einer Zahnärztezeitung. Sie klickte darauf und las den Artikel mit wachsendem Interesse.

Olof Martinsson wurde als hoch qualifizierter, ganz in seinem Beruf aufgehender Einzelgänger beschrieben, der nur um Haaresbreite von einem bahnbrechenden Erfolg entfernt gewesen war. Seine Forschungen hatten zu einem Patent über den sogenannten *growth factor* geführt, der eine bedeutende Verbesserung der Brånemark-Methode darstellte. Wenn man jede Titanschraube mit einer Proteinschicht überzog, wurde der Heilungsprozess beschleunigt und gleichzeitig die Wahrscheinlichkeit, dass die Schraube fest einwuchs, signifikant erhöht. Im weiteren Verlauf, spekulierte der Verfasser, hätte Martinssons Entdeckung auch in anderen Zusammenhängen Verwendung finden können, zum Beispiel, um Blutgefäße nach Operationen schneller heilen zu lassen oder um Wundränder miteinander zu verkleben.

Wenn die Methode bis zur Vollendung weiterentwickelt worden wäre.

Doch der Verstorbene hatte keine Möglichkeit gehabt, die klinischen Studien abzuschließen, die für eine wissenschaftliche Anerkennung unverzichtbar waren. Diese wiederum war Voraussetzung für eine weltweite Anmeldung des Patents.

Aus dem Artikel ging hervor, dass Martinsson an den finanziellen Problemen zerbrochen war. Da er weder Frau noch Kinder hatte, war er ganz in seiner Forschung aufgegangen. Als ihm die genommen wurde, brach es ihm buchstäblich das Herz.

Aus dem Nachruf sprachen Trauer und Bitterkeit. Der Verfasser war offenbar der Meinung, dass Martinsson nicht die Anerkennung erhalten hatte, die ihm gebührte.

Nora blickte nachdenklich auf den Bildschirm. So viele Jahre Arbeit für nichts und wieder nichts. Martinsson hatte kurz vor dem Durchbruch gestanden, als seine Praxis, der er die Erfindung überschrieben hatte, Konkurs ging.

Was war aus dem Patent geworden?

Sie streckte sich nach dem Stapel Dokumente und blätterte darin.

Die Vermögensübersicht enthielt eine Aufstellung über Passiva und Aktiva. Dort wurde ein Patent erwähnt, dessen Wert auf höchstens einhunderttausend Kronen veranschlagt war. Das musste dasselbe sein, für das Martinsson seinen gesamten Besitz verpfändet hatte.

Im Halbjahresbericht, den Juliander sechs Monate später eingereicht hatte, fand sie einige Zeilen zum Patent. Da stand, dass es wenige Monate nach Insolvenzeröffnung für einhunderttausend schwedische Kronen, knapp vierzehntausend US-Dollar, an ein amerikanisches Unternehmen verkauft worden war.

Einhunderttausend Kronen. Genau die Summe, auf die es geschätzt worden war. Ein kleiner Betrag für so viele Jahre Forschung und für Investitionen in Millionenhöhe. Und für ein ganzes Lebenswerk.

Andererseits viel Geld für eine Erfindung, die keinen weiteren Wert hatte, dachte Nora. Sie fragte sich, wer wohl der Käufer war. Das stand da nicht. Es musste aber aus Julianders eigener Akte hervorgehen.

Mit ihrem neu erworbenen Wissen im Hinterkopf las sie weiter. Als sie zum Insolvenzbeschluss des Amtsgerichts kam, stolperte sie über etwas, das ihr vorher nicht aufgefallen war.

Das Amtsgericht hatte Juliander auf Antrag eines Gläubigers eingesetzt, dessen Forderung eine relativ geringe Höhe hatte. Ein amerikanisches Unternehmen, Nora kam der Name irgendwie bekannt vor. General Mind Incorporated. War das nicht ein großer börsennotierter Konzern in der Biomedizin?

Ein ausländisches Unternehmen hatte sich also dafür stark gemacht, dass Juliander als Insolvenzverwalter eingesetzt wurde. Ein bekannter Anwalt, der normalerweise viel größere Konkurse als diesen hier betreute.

Warum?

Und wer war die amerikanische Firma, die das Patent gekauft hatte? Konnte das auch General Mind sein?

Da waren langsam ein bisschen zu viele Fragen offen. Höchste Zeit, Thomas anzurufen und ihm zu berichten, was sie die letzten Tage herausgefunden hatte. Er konnte die Anwaltskanzlei Kalling sicher leicht dazu veranlassen, die gesamten Unterlagen über das Insolvenzverfahren Martinsson herauszugeben.

Das war bestimmt eine höchst interessante Lektüre.

Kapitel 76

Sie hatten sich in eines der Besprechungszimmer gesetzt, um ihre Ruhe zu haben.

Diesmal hatte Margit nicht mit Thomas geschimpft, als er im Büro auftauchte. Ihm war anzusehen, dass die Erkältung nachgelassen hatte, auch wenn er ab und zu noch nieste. Er hatte wieder eine bessere Gesichtsfarbe und sah auch nicht mehr so mitgenommen aus.

Während Thomas seine Sommergrippe auskurierte, hatte Margit die letzten Vernehmungen in Nyréns Bekanntenkreis durchgeführt.

Die Ähnlichkeit der Aussagen mit denen von Julianders Angehörigen und Freunden war auffallend: Niemand wusste von irgendwelchen Feinden, Nyrén war ein geschätzter Kollege und Freund gewesen. Der Schock und die Verwirrung saßen tief.

»Kein klares Motiv, mit anderen Worten. Keine Feinde oder andere Widersacher.«

»Irgendwas, das ein neues Licht auf die beiden Zahnbürsten in Nyréns Badezimmer wirft?«

Margit schüttelte den Kopf. »Keine Freundin, soweit man weiß. Er scheint ein überzeugter Junggeselle gewesen zu sein. Vielleicht war die zweite Zahnbürste für zufällige Übernachtungsgäste gedacht?«

Thomas berichtete von seinem Telefonat mit Nora, die ihn angerufen hatte, als er auf dem Weg zur Polizeistation war. Er hatte seine Zusammenfassung gerade beendet, als Carina den Kopf zur Tür hereinsteckte. Sie hielt einige Papiere in der Hand und sah ganz aufgeregt aus.

»Lest das mal«, sagte sie und reichte die Papiere herein.

»Was ist das?«, fragte Margit und erhob sich halb, um ihr die Blätter abzunehmen.

»Ausdrucke aus dem Internet. Ich habe ein bisschen herumgesurft und nach dem Namen gesucht, den Thomas mir vorhin genannt hat, General Mind Incorporated. Seht euch an, was ich gefunden habe.«

Sie lächelte erwartungsvoll.

»Das ist ihre Pressemitteilung vom vergangenen Winter. Da steht, dass sie eine neue, revolutionäre Methode gefunden haben, um Zahnimplantate einzusetzen. Eine Methode, bei der die Schrauben sich so fest mit dem Knochen verbinden, wie es bisher noch kein anderer geschafft hat.«

Thomas beugte sich vor und begann zu lesen.

Der Text war auf Englisch und wimmelte von Superlativen, wahrscheinlich in der Absicht, sowohl den Aktienmarkt als auch die Öffentlichkeit zu beeindrucken. Thomas' Schulenglisch war nicht besser oder schlechter als das der meisten Leute und er hatte keine Probleme, den Inhalt zu verstehen.

Das Unternehmen brüstete sich stolz mit seiner neuen, innovativen Technik, die auf einem EU-Patent beruhte. Es versprach, damit alle Konkurrenten abzuhängen, die sich gegenwärtig auf dem Markt befanden. Keine andere Methode sei in der Lage, eine ebenso rasche Wundheilung und effektive Knochenverankerung zu gewährleisten.

Thomas machte eine schnelle Überschlagsrechnung. Es gab wahrscheinlich Hunderttausende, wenn nicht Millionen älterer Menschen in den USA und Europa, die ihre Zähne verloren und Implantate brauchten. Und die bereit waren, einen hohen Preis an denjenigen zu zahlen, der ihnen das ermöglichte.

Die amerikanische Firma stand im Begriff, Unsummen mit einer neuen, bisher nicht genutzten Methode zu verdienen. Einer Methode, die auf einem europäischen Patent basierte.

Schweden lag in Europa.

»Wie groß ist die Wahrscheinlichkeit, dass es außer Martinssons Patent in dieser Branche noch eins mit ähnlichem Inhalt gibt?«

»Das diese Firma in den letzten zwölf Monaten an sich gebracht und weiterentwickelt hat?«, ergänzte Margit.

»Vermutlich winzig«, beantwortete Thomas seine Frage selbst.

Aber wenn das Patent so wertvoll war, warum hatten sie es dann so billig aus der Insolvenzmasse herauskaufen können?, dachte er. Wenn General Minds denn der Käufer war.

»Weißt du was?«, sagte Margit und erhob sich. »Wir werden Eva Timell einen weiteren Besuch abstatten.«

Es waren deutlich mehr Menschen auf dem Norrmalmstorg unterwegs als bei Margits und Thomas' erstem Besuch in der Anwaltskanzlei.

Vor vier Wochen war Hochsommer gewesen und auf dem Platz hatte ein angenehm gemütliches Treiben geherrscht. Touristen waren mit Eiswaffeln in der Hand spazieren gegangen und der eine oder andere Schlipsträger hatte das Jackett lässig über die Schulter geworfen und sich mit aufgekrempelten Hemdsärmeln gezeigt.

Jetzt saßen zwar immer noch Urlauber in den Straßencafés auf dem Platz, aber es lag ein anderes Tempo in der Luft. Die Urlaubszeit neigte sich dem Ende zu und die Büros in der Innenstadt füllten sich langsam wieder.

Eine deutliche Mahnung, dass schon viel zu viel Zeit vergangen war, ohne dass sie den Täter erwischt hatten.

Thomas war sich sehr wohl bewusst, dass die ersten zweiundsiebzig Stunden nach einem Verbrechen als kritische Zeitspanne galten. Wie man einen Zeitraum von mehr als vier Wochen bezeichnen sollte, daran wagte er kaum zu denken. Nicht mehr lange, dann würde auch er den Glauben daran verlieren, dass sie den Schuldigen jemals ermittelten.

Ein Mann im dunklen Anzug betrat vor ihnen das Haus, in dem die Kanzlei Kalling ihre Büros hatte, und sie folgten ihm in den Aufzug. An der Rezeption mussten sie einige Minuten warten, bis Eva Timell erschien.

Sie sah müde und erschöpft aus, ihre Wangen waren eingefallen. Man sah ihr deutlich an, dass sie immer noch erschüttert über den Tod ihres Chefs war.

Sie folgten ihr in einen kleinen Konferenzraum, in dem ein Tablett mit Getränken und Gebäck bereitstand, obwohl sie unangemeldet kamen. Vielleicht war das Standard in Anwaltskanzleien, dachte Thomas. Auch die gute dunkle Schokolade war wieder in reichlichen Mengen vorhanden. Margit nahm sich gleich ein Stück.

Eva Timell machte sich daran, Kaffee zu servieren. Sie schien nicht gewillt, von sich aus eine Unterhaltung zu beginnen. Es herrschte kompaktes Schweigen.

An diesem Tag trug sie eine schwarze Bluse und einen engen schwarzen Rock, dazu hochhackige Pumps und einen schmalen Ledergürtel. Um ihren Hals lag eine kurze Kette mit einem kleinen goldenen Herzen. Es wirkte fast kindlich, verglichen mit der übrigen strengen Aufmachung. Beinahe so, als versuchte sie zu zeigen, dass unter der schroffen Schale ein weicher Kern schlummerte.

»Wir würden Sie gern etwas fragen«, begann Thomas, nachdem er eine Tasse Kaffee von Eva Timell entgegengenommen hatte.

»Ja?« Ihre Stimme klang leise. Die schmalen Finger strichen nervös über den Rock.

»Es betrifft einen Insolvenzfall, den Ihr Chef vor ungefähr zwei Jahren bearbeitet hat. Eine Zahnarztpraxis, die Konkurs anmelden musste.«

Eva Timell sah ihn verwundert an.

»Wie hieß die Firma, sagten Sie?«

»Olof Martinsson Tandläkarpraktik AB. Sie gehörte einem Zahnarzt, der zugleich Biochemiker war.«

Julianders Assistentin wirkte immer noch erstaunt, so als ob der Name ihr nichts sagte.

»Aha?«, machte sie und führte die Kaffeetasse zum Mund.

»Wie es aussieht, ist es Martinsson gelungen, eine neue Methode zu entwickeln, mit der Zahnimplantate schneller in den Kieferknochen einwachsen als üblich.«

»Tut mir leid, aber ich verstehe nicht ganz, was das mit Oscar zu tun hat?«

»Das Patent über die Methode gehörte zur Insolvenzmasse. Und Ihr Chef hat das Patent verkauft, als er Insolvenzverwalter für diese Zahnarztpraxis war.«

»Das gehört zu den Aufgaben eines Insolvenzverwalters«, wandte Eva Timell ein. »Er soll das betreffende Unternehmen ja abwickeln. Tut mir leid, aber ich kann Ihnen nicht ganz folgen.«

»Ich will versuchen, es deutlicher auszudrücken«, sagte Thomas. »Wir wüssten gern, an wen das Patent verkauft wurde.«

Er sah Eva Timell forschend an.

Niemand hatte so eng mit Oscar Juliander zusammengearbeitet wie sie. Wenn jemand ihre Fragen beantworten konnte, dann die Frau in der eleganten schwarzen Aufmachung.

»Ich weiß nicht«, begann Eva Timell zögernd. »Eine Zahnarztpraxis. Das klingt nach einem kleinen Betrieb. Oscar hat normalerweise keine so kleinen Insolvenzen angenommen.«

»Das ist uns bekannt«, sagte Thomas. »Deshalb sind wir hier. Wir würden gern einen Blick in die Firmenunterlagen werfen. Die sind doch sicher hier in der Kanzlei?«

»Das nehme ich an, aber ich muss nachsehen. Wir archivieren unsere Akten bei einer Firma mit Depots in Dalarna. Wissen Sie, ob das Insolvenzverfahren abgeschlossen ist?«

Thomas überlegte. Hatte Nora etwas davon gesagt? Er konnte sich nicht erinnern.

»Wieso?«

»In dem Fall ist die Akte vermutlich nicht hier. Aber wenn das Verfahren noch läuft, sind die Unterlagen garantiert im Haus. Wenn Sie so lange warten wollen, sehe ich gleich mal nach.«

Sie verschwand aus der Tür und schloss sie leise hinter sich. Fast zehn Minuten vergingen, bis sie mit drei dicken Aktenordnern im Arm zurückkam. Sie legte sie vor Thomas und Margit auf den blanken Mahagonitisch.

Olof Martinsson Tandläkarpraktik AB, stand fein säuberlich auf den Ordnerrücken.

»Da sind noch welche«, sagte sie, »aber ich konnte nicht mehr tragen. Dies sind auf jeden Fall die ersten drei.«

Tatsächlich waren die Ordner durchnummeriert, mit römischen Ziffern: I, II, III.

»Da sind natürlich auch noch eine Menge Buchhaltungsunterlagen, aber ich glaube, die bewahrt der Buchprüfer bei sich auf. Normalerweise haben wir die nicht hier.«

Margit zog den ersten Ordner zu sich heran und blätterte darin. Er enthielt verschiedene Dokumente, die Martinssons Konkursmasse betrafen.

»In welchem Ordner würde man einen Vertrag finden?«, fragte Thomas.

Eva Timell griff zum dritten Ordner und schlug ihn auf. Er enthielt ein Inhaltsverzeichnis. Sie deutete auf Registertab Nummer vier.

»Hier sind die Verträge, die im Namen der insolventen Firma abgeschlossen wurden. Ist es das, was Sie suchen?«

Thomas nickte.

Langsam blätterte er durch die Dokumente. Das vorletzte war ein Vertrag in englischer Sprache. Er umfasste nur wenige Seiten, die aber sehr eng und mit einer sehr kleinen Schrift bedruckt waren.

Assignment of Patent Rights stand ganz oben auf der ersten Seite. Auf der letzten Seite hatte Oscar Juliander unterschrieben.

Bingo!

Soweit Thomas beurteilen konnte, hatte er soeben den Vertrag gefunden, mit dem die Patentrechte an Martinssons Erfindung verkauft worden waren.

»Schau mal hier«, sagte er zu Margit und drehte den Ordner, damit sie es auch lesen konnte.

»Da steht General Mind als Käufer«, stellte sie fest.

»Nora hatte also recht.« Thomas schickte seiner Jugendfreundin in Gedanken eine Umarmung.

Vor ihnen lag der Patentvertrag mit den Amerikanern. Wohlformuliert und vermutlich juristisch unangreifbar.

Thomas durchsuchte den Text, bis er den Paragrafen gefunden hatte, der die Kaufsumme regelte. Einhunderttausend schwedische Kronen. Nicht mehr und nicht weniger. Der Betrag war als Zahl und in Worten ausgeschrieben.

Einhunderttausend Kronen, genau wie Nora gesagt hatte. Das konnte kein Zufall sein, dafür passten die Puzzleteile zu gut zusammen.

»War dieser Betrag alles, was gezahlt wurde?«, fragte Thomas.

»Davon gehe ich aus«, sagte Eva Timell, »wenn es so im Vertrag steht.«

»Juliander hat also Martinssons Lebenswerk verschleudert«, sagte Margit.

»Bewusst?« Thomas betrachtete den Vertrag und ließ die Frage in der Luft schweben.

»Kann das Zufall gewesen sein, was meinst du?«

»Nicht, wenn er unter der Hand für sich selbst mehr kassiert hat.«

»Das müssen wir herausfinden.«

Thomas bemerkte, dass Eva Timell aufmerksam zuhörte. Diese Diskussion war wohl kaum für ihre Ohren geeignet. Das sollten sie besser besprechen, wenn sie hier fertig waren.

»Ich fürchte, wir müssen diesen Ordner mitnehmen«, sagte er. »Ich hoffe, es macht Ihnen keine Umstände.«

»Ist das wirklich nötig?«

»Leider. Aber machen Sie sich keine Sorgen, ich verspreche Ihnen, dass Sie ihn wiederbekommen.«

Seine Versicherung schien Eva Timell nicht sehr zu beruhigen, aber sie protestierte nicht weiter.

»Falls Sie noch mehr Informationen über General Mind Incorporated finden, sagen Sie uns bitte sofort Bescheid«, sagte Thomas. »Das ist sehr wichtig.«

Mit einem Nicken bestätigte Eva Timell, dass sie das tun würde. Sie lächelte unsicher.

»Ich habe vorher noch nie von dieser Firma gehört. Aber selbstverständlich werde ich die Augen offen halten.«

Mittwoch, fünfte Woche

Kapitel 77

Sie hatten sich zur Morgenbesprechung im großen Konferenzraum versammelt. Die Luft war stickig und abgestanden. Der Alte war auch wieder da, sah aber nicht besonders gesund aus. Seine Augen waren gerötet und er atmete schwer.

Erik nieste geräuschvoll. Noch jemand, den der Bazillus erwischt hatte.

Margit gab einen kurzen Überblick über die Informationen, die sie in den letzten Tagen zusammengetragen hatten und die ihr bisheriges Bild von Martin Nyrén bestätigten: ein liebenswürdiger, zurückgezogen lebender Mann, der bei Kollegen und Freunden gleichermaßen beliebt war. Mehrere Arbeitskollegen hatten erwähnt, wie sehr er darauf bedacht gewesen war, seine Integrität zu wahren. Er hatte selten über sein Privatleben gesprochen, aber ganz für das Segeln und den KSSS gelebt. Er hatte sogar ein Bild seiner Omega 36 auf dem Schreibtisch gehabt.

»Eine Sache ist interessant«, sagte Margit. »Einer seiner Kollegen gab an, dass Nyréns Boot vor ein paar Wochen verwüstet worden ist.«

»Inwiefern?«, fragte der Alte.

»Es wurde über und über mit Farbe besprüht. Darüber hat er sich furchtbar aufgeregt. Das könnte natürlich ein Dummejungenstreich gewesen sein, aber mein Instinkt sagt mir, dass es keiner war.«

»Dann sollten wir das genauer untersuchen. Hat er Anzeige erstattet?«

»Ja. Kalle wollte sich darum kümmern.«

»Was ist bei der Spurensicherung herausgekommen?«, fuhr der Alte fort. »Hat man in Nyréns Wohnung was gefunden?«

»Nicht viel«, sagte Erik. »Es war eine ungewöhnlich saubere Wohnung. Leider. Die paar Fingerabdrücke, die von den Kollegen sichergestellt werden konnten, wurden zum Erkennungsdienst geschickt, aber ohne Ergebnis.«

»Nyréns Computer?«

»Immer noch nicht geknackt. Man sollte nicht für möglich halten, dass ein Abteilungsdirektor sich mit so etwas auskennt, aber er hat ein paar handfeste Sicherheitssperren eingebaut. Wir haben auch seinen Rechner im Büro untersucht, aber auf dem war nur dienstliches Zeug. Nichts Privates.«

»Er hat ja bei einer Behörde gearbeitet, von daher ist es sehr wahrscheinlich, dass seine privaten Mails auf seinem eigenen Computer liegen«, warf Thomas ein. »Er wollte wohl verhindern, dass sie als Dienstangelegenheit eingestuft werden.«

»Ein Bürokrat, der seine Daten schützt«, sagte Margit. »So ein Pech.«

Thomas ergriff wieder das Wort. Er beschrieb ihren Besuch in der Kanzlei Kalling und erklärte die Zusammenhänge um das Patent.

»Wir glauben«, fasste er zusammen, »dass Juliander für den Verkauf des Patents an General Mind Incorporated Bestechungsgeld kassiert hat. Mit aller Wahrscheinlichkeit ausbezahlt in Liechtenstein.«

»Das ist also die Erklärung für die Kreditkarte und die Nebeneinnahmen«, rief Carina aus. »Ein heimliches Schwarzgeldkonto!«

»Aber würde ein so großer Konzern das Risiko eingehen, Bestechungsgeld zu zahlen?«, warf Erik ein und nieste wieder.

Carina rückte unauffällig ein Stück von ihm ab.

»Das ist nicht so ungewöhnlich«, sagte Thomas. »Viele Waffenproduzenten machen das regelmäßig, nur dass es dann natürlich Provision heißt.« Er malte mit den Fingern Anführungszeichen in die Luft.

»Denkt an Bofors in Indien«, sagte Margit.

»Es würde mich nicht wundern, wenn General Mind bereits vorher versucht hätte, das Patent zu kaufen«, sagte Thomas und dachte an Noras Beschreibung des Erfinders. »Aber der fanatische Zahnarzt hat sich vermutlich geweigert, ihnen sein Schoßkind zu überlassen. Und als der Konkurs vor der Tür stand, haben sie ihre Chance erkannt. Sie brauchten nur noch einen skrupellosen Insolvenzverwalter zu finden, der bereit war, gemeinsame Sache mit ihnen zu machen.«

»Ganz schön clever«, sagte Margit. »Aber bei dem Potenzial lagen wahrscheinlich viele Millionen im Jackpot. Gewinnsucht ist ein starkes Motiv.«

»Denkt an Håkan Lans«, mischte der Alte sich überraschend ein.

»Wer ist das?«, fragte Carina.

»Der Mann, der eine frühe Version der Computermaus erfand. Er ist ein technisches Genie. Hat auch das Satellitenüberwachungssystem erfunden.«

»Und was ist mit ihm?«

»Lans wurde von einigen amerikanischen IT-Firmen um bestimmte Patentrechte betrogen. Er hat jahrelang deswegen prozessiert, aber ohne Erfolg.«

»So frisst der Kapitalismus seine Kinder«, sagte Margit philosophisch.

»Man wird ihnen vermutlich nichts anhaben können«, sagte Thomas. »Wir haben den Vertrag gelesen, er scheint völlig in Ordnung zu sein. Ich habe zwar nicht Jura studiert, aber der ist sicher wasserdicht.«

Der Alte nickte zustimmend.

»Da Juliander tot ist, können wir niemanden wegen Bestechung belangen«, sagte Margit. »Und Zeugen dafür gibt es auch nicht. Glaubt ihr, dass sie ihn umgebracht haben? Um ihn für immer zum Schweigen zu bringen?«

»In dem Fall hätten sie das wohl gleich gemacht, nachdem ihnen das Patent übertragen wurde«, widersprach Thomas. »Aber warum sollten sie überhaupt so etwas tun? Mit dem Bestechungsgeld haben sie sich Julianders Schweigen doch sowieso erkauft.«

»Auf jeden Fall dürfte es außerordentlich schwer sein, einem ausländischen Konzern wie General Mind die Bestechung eines schwedischen Rechtsanwalts nachzuweisen«, konstatierte der Alte. »Wir haben keine konkreten Beweise, nur unsere eigenen Spekulationen.«

»Das bringt mich echt auf die Palme«, schimpfte Margit. »Dass Juliander damit so leicht durchkommen soll.«

Der Alte lächelte andeutungsweise.

»Der Mann ist tot, vergiss das nicht.«

Thomas nickte. Ob Juliander damit durchkam oder nicht, war zu diesem Zeitpunkt völlig unwichtig. Zwei Meter unter der Erde spielte das keine Rolle mehr.

Margit sah trotzdem wütend aus. Auf ihrer Stirn zeigte sich eine steile Falte.

Aber das Thema war ausgeschöpft.

Die Tür ging auf und Kalle kam mit einem Stapel Blätter in der Hand herein. Er wirkte aufgeregt.

»Tut mir leid, dass ich zu spät komme«, sagte er. »Wir haben endlich die Telefonliste. Mit tausend Entschuldigungen von Telia, dass sie so lange dafür gebraucht haben. Aber jetzt wissen wir, mit wem Martin Nyrén in den letzten Monaten telefoniert hat.«

Er breitete die Ausdrucke auf dem Tisch aus und blätterte darin.

»Das hier sind die Nummern, die Nyrén angerufen hat oder von denen er angerufen wurde.«

Sie beugten sich über den Tisch und studierten die Listen.

Martin Nyrén war auch ein fleißiger SMS-Schreiber gewesen und hatte viele Textnachrichten von seinem Handy aus verschickt.

»Wissen wir, wer die Empfänger sind?«, fragte Thomas.

Kalle nickte und zeigte auf eine andere Liste.

»Hier haben wir die Namen, die zu den Nummern gehören.« Er lächelte erwartungsvoll.

Thomas verstand sofort, wieso. Ganz oben auf der Liste stand ein Teilnehmer mit einem sehr bekannten Namen.

Ingmar von Hahne.

»Wir laden ihn noch mal vor«, sagte der Alte.

Thomas und Margit waren bereits aufgestanden.

»Wir sind schon unterwegs.«

Kapitel 78

»Bin ich verhaftet?«

Ingmar von Hahnes abrupte Frage überraschte Thomas. Irgendwie hatte er nicht damit gerechnet, dass der Mann das Gespräch von sich aus eröffnen würde. Aber unter den gegebenen Umständen war das vielleicht kein Wunder.

»Nein, wir haben nur noch ein paar abschließende Fragen.«

»Dann möchte ich einen Anwalt dabeihaben.«

Margit und Thomas wechselten einen Blick. Wenn sie auf einen Rechtsbeistand warten mussten, bedeutete das Zeitverzögerung und gewisse Einschränkungen im Gesprächsverlauf.

»Denken Sie an einen bestimmten?«, konterte Thomas.

Ingmar von Hahne sah unsicher aus. So als hätte er mit mehr Widerstand gerechnet.

»Kann ich mir einen aussuchen?«

»Selbstverständlich.« Thomas' Gesichtsausdruck blieb neutral.

Der Mann auf der anderen Seite des Tisches zog sein Handy hervor und wählte eine Nummer. Nach einer guten Minute schaltete er es aus.

»Da nimmt keiner ab.«

»Es ist Ihre Entscheidung, ob wir warten sollen oder nicht«, sagte Margit.

Ingmar von Hahne machte ein unschlüssiges Gesicht. Er blickte auf die Uhr.

»Haben Sie es eilig?«, fragte Thomas.

»Nein. Doch. In einer Stunde habe ich eine Besprechung.«

»Wie gesagt, es ist Ihre Entscheidung«, wiederholte Margit.

»Na ja, dann stellen Sie schon Ihre Fragen.«

Ingmar von Hahne war wesentlich gefasster als beim letzten Mal. Sein Haar war wieder sorgfältig gekämmt und er trug eine dunkelblaue Klubjacke mit einer KSSS-Nadel am rechten Revers. Der Siegelring am linken kleinen Finger zeugte von seiner Abstammung.

Thomas vermutete, dass die Panik von neulich instinktiv einer aristokratischen Überheblichkeit gewichen war, um sich vor den aufdringlichen Fragen der Polizei zu schützen. Trotzdem ärgerte er sich über von Hahnes elegante Erscheinung. Ihr könnt mir gar nichts, schien seine Haltung auszudrücken. Solche wie ich kommen immer zurecht, ganz egal, was du versuchst. Ich bin was Besseres als du.

Er wurde von einer heftigen Lust gepackt, die vornehme Fassade des Kunsthändlers zu demolieren.

»Warum hat Martin Nyrén Ihnen regelmäßig SMS geschickt?«

»Wir saßen zusammen im Vorstand des KSSS. Ich bin, wie Sie wissen, der Schriftführer.«

»Das waren sehr viele Mitteilungen.«

»Es ging auch um viele Dinge.« Die Antwort kam wie aus der Pistole geschossen.

»Schicken Sie allen Vorständen Textnachrichten aufs Handy?«

»Wenn es nötig ist, ja.«

»Haben Sie mit Oscar Juliander auch auf diese Art kommuniziert?«

»Wenn es nötig war.«

»Wie oft?«

»Ab und an.«

»Hätten Sie etwas dagegen, uns die Nachrichten zu zeigen, die Sie empfangen oder verschickt haben?«

Ingmar von Hahne zögerte einen Moment.

»Die sind leider gelöscht. Ich hebe so etwas nicht auf.«

»Waren Sie jemals bei Martin Nyrén in der Wohnung?«

»Ja.«

»Wann?«

»Ich habe ihm Unterlagen gebracht, die mit dem Verein zu tun hatten. Weiß nicht mehr genau, wann das war.«

»Und sonst?«

»Ich war ein paar Mal auf einen Drink bei ihm.«

»Aber Ihr Lagerraum liegt genau gegenüber. Haben Sie nicht manchmal einen Kaffee zusammen getrunken?«, warf Margit ein.

»Möglich.«

Es war, als versteckte von Hahne sich hinter einer Maske aus Einsilbigkeit, dachte Thomas. Er antwortete so kurz wie möglich.

Vermied es, sich in lange Erklärungen zu verstricken, die einander widersprechen konnten.

Er war auf der Hut, das merkte man.

»Sie verstehen sicher, dass Sie sich in einer schwierigen Lage befinden«, sagte Thomas. »Martin Nyrén wurde aus Ihrem Lager erschossen. Und aus der Gesprächsaufstellung geht hervor, dass Sie regelmäßigen Kontakt hatten.«

»Ich habe nichts mit dem Mord an Martin zu tun.«

Ingmar von Hahnes Stimme klang gepresst. Aber er war noch genauso beherrscht wie am Anfang und Thomas musste gegen den Impuls ankämpfen, den Mann zu packen und kräftig zu schütteln.

Margit blickte von Hahne prüfend an. Dann probierte sie eine andere Taktik.

»Haben Sie eine eigene Theorie, warum Martin Nyrén und Oscar Juliander ermordet wurden?«

»Nein.«

»Aber Sie haben sich doch sicher Gedanken darüber gemacht?«

»Nein.«

»Hatten Sie sich gestritten?«

»Nein.«

»Es gab also keine Konflikte zwischen Ihnen und Martin Nyrén?«

»Nein.«

»Sind Sie sicher?«

»Ja, wenn ich es doch sage.«

Ein kleiner Muskel zuckte an seiner Schläfe und verriet, dass von Hahnes Gelassenheit Risse bekam.

»Sie könnten der Nächste sein«, sagte Margit. »Wenn Sie uns nicht helfen.«

»Daran habe ich auch schon gedacht.«

»Haben Sie keine Angst?«

Ingmar von Hahne blickte seine Befrager an, und in seinen Augen lag ein Ausdruck, den Thomas nicht einordnen konnte. Resignation, oder vielleicht Überdruss. So als fände er die Fragen eher ermüdend als bedrohlich und hätte es satt, noch länger darauf zu antworten.

»Wären Sie damit einverstanden, uns Ihre Fingerabdrücke zu überlassen?«, fragte Thomas.

»Muss ich?«

»Wir glauben, dass es wichtig für die Ermittlungen sein könnte.«

Stille breitete sich aus.
Schließlich öffnete Ingmar von Hahne den Mund.
»Ich möchte nun doch mit meinem Anwalt sprechen, bevor ich weitere Fragen beantworte.«

Kapitel 79

Nora nahm den Schlüssel zu Signes Haus aus dem Schlüsselschrank und ging mit entschlossenen Schritten zur Brand'schen Villa hinüber.

Als sie den schönen Rosenbusch sah, der einen Großteil der Südwand bedeckte, hätte sie fast angefangen zu weinen. Signe hatte ihre Rosen gehegt und gepflegt, als wären sie lebendige Wesen. Nora konnte sich noch so viel Mühe geben, aber sie hatte nicht annähernd so einen grünen Daumen wie Signe. Wenn sie nicht Hilfe von Sandhamns Rosenexperten bekommen hätte, einem der führenden Rosenkenner Schwedens, wäre das prächtige Klettergewächs wohl eingegangen.

Sie schloss die Haustür auf und ging auf die alte Veranda, die zum Meer hinaus lag. Dort setzte sie sich in einen der abgenutzten Rattansessel und zog die Beine unter den Po. Ein Moped fuhr auf der Straße vorbei, sie hörte das Knattern durch die Sprossenfenster und lächelte über das vertraute Geräusch.

Wie es wohl wäre, hier zu wohnen?

Nora schloss die Augen und versuchte, es sich vorzustellen. Die Jungs könnten jeder ein eigenes Zimmer im Obergeschoss bekommen. Das Bad würde erst mal so bleiben, wie es war, obwohl es wirklich renoviert werden musste. Die Küche war zwar altmodisch, aber nicht abgewohnt. Ein neuer Anstrich und ein moderner Herd würden Wunder wirken. Vielleicht konnten sie sich auch noch eine Geschirrspülmaschine leisten.

Die schönen Möbel im Esszimmer würde sie nicht auswechseln, auch nicht die Rattan-Sitzgruppe auf der Veranda. Signes zarte weiße Spitzengardinen konnten ebenfalls hängen bleiben. Aber aus dem Salon nebenan könnten sie ein Fernsehzimmer machen. Und die kleine Gästetoilette würde sie neu tapezieren, das schaffte sie auch allein. Mit kleingeblümten Tapeten in einem hellgelben Farbton, der an eine Sommerwiese erinnerte.

Nicht gerade eine Luxusrenovierung, aber zweckmäßig.

Sie öffnete die Augen und ließ den Blick zum Meer wandern, über dem eine graue Wolkenwand lag.

Aus den Augenwinkeln sah sie, wie einer der Nachbarn seine Topfgeranien goss.

Wie oft hatte sie hier gesessen und mit Signe geplaudert, während die treue Kajsa zu ihren Füßen auf dem Flickenteppich lag. All die vielen Tassen Kaffee, die sie aus Signes dunkelbraunen Höganäs-Bechern getrunken hatten.

Was Signe an diesem letzten Abend wohl gedacht hatte?, fragte Nora sich wehmütig. War sie voller Reue gewesen oder nur fest entschlossen, ein Ende zu machen? Als könnte sie ihre Taten büßen, indem sie sich das Leben nahm.

Nora hätte nie gedacht, wie sehr sie Signe vermissen würde. Aber als sie nach Sandhamn zurückkam und vor dem stillen, leeren Haus stand, hatte der Verlust ihr fast den Atem geraubt.

Es war unfassbar, dass sie die Frau, die seit ihrer Kindheit immer in ihrer Nähe gewesen war, nie mehr wiedersehen sollte. Ihre Tante Signe, die ihr zugehört und sie getröstet hatte, ganz gleich, ob es um ein zerrissenes Optimisten-Segel ging oder um eine zerbrochene Teenagerliebe.

Tante Signe, die winzige hellblaue Babysöckchen für Adam und Simon gestrickt und später Sommer für Sommer Himbeernester für die Jungs gebacken hatte.

Noras Augen füllten sich mit Tränen, als sie daran dachte, wie fürsorglich Signe sogar dann noch gewesen war, als sie an der Schwelle ihres eigenen Todes stand. Und wie wichtig es deshalb war, ihren letzten Wunsch zu respektieren.

Verwundert erkannte Nora, dass die Entscheidung gefallen war.

Warum war er nicht einfach gegangen?

Er hatte sich die Frage schon oft gestellt. Immer wieder alle denkbaren Konsequenzen durchdacht.

Die Kinder, am Ende ging es immer um die Kinder.

Obwohl ihre Mutter ihn so geschickt außen vor hielt, hatte er es nicht fertiggebracht, die Kinder zu verlassen. Sie einer Scheidung auszusetzen, mit allem, was das an Demütigungen und Gerede, abschätzigen Blicken und mitleidigem Getue von Freunden und Bekannten bedeutet hätte.

Zugegeben, er war kein idealer Ehemann gewesen. Wirklich nicht. Im Laufe der Jahre hatte er immer wieder Affären gehabt. Aber er war diskret gewesen, immer diskret.

Vermutlich hatte seine Frau es genauso gemacht.

Zumindest würde es ihn nicht wundern. So selten, wie sie miteinander schliefen, konnte es durchaus sein, dass sie sich anderweitig vergnügte. Diskret natürlich, sie auch. Sogar sie hielt sich an die Anstandsregeln.

Ehrlich gesagt interessierten ihn ihre Seitensprünge nicht.

Mit seiner letzten Liebe war alles anders geworden. Sie hatte etwas in ihm geweckt, von dem er geglaubt hatte, es wäre schon lange tot und begraben. Plötzlich hatte er sich wieder jung und lebendig gefühlt, voller Kraft und Enthusiasmus.

Das Leben war so spannend gewesen wie seit vielen Jahren nicht mehr. Er war morgens aufgewacht und sein Körper hatte vor Erwartung gekribbelt. Und zum ersten Mal hatte er ernsthaft an Scheidung gedacht. Hatte begonnen, auf eine andere Art Leben zu hoffen.

Vielleicht hätte es auch für ihn eine zweite Chance gegeben?

Donnerstag, fünfte Woche

Kapitel 80

Die Lagebesprechung sollte nur kurz sein, es war schon nach fünf und die Müdigkeit im Raum nicht zu übersehen.

Sie hatten eine hektische Woche hinter sich und waren doch weit von einem Ergebnis entfernt. Zwei Morde und kein Mörder. Die Situation war, gelinde gesagt, angespannt.

Der Alte räusperte sich und Stille breitete sich aus. Eine mutlose Stille, die keine spontanen Einfälle begünstigte.

Thomas spielte mit seinem Stift herum, unfähig, sich zu konzentrieren. Martin Nyrén, schrieb er immer wieder. Oscar Juliander. General Mind. Rasch war der ganze Block vollgekritzelt.

»Was machen wir mit von Hahne?«, sagte der Alte.

Margit stieß einen tiefen Seufzer aus.

»Mit dem, was wir haben, kommen wir nicht an ihn heran«, sagte sie. »Er ist jetzt viel kaltblütiger. Freiwillig sagt er gar nichts.«

»Indizien?«

»Wir haben die Gesprächsliste von der Telefongesellschaft. Aber er hat eine annehmbare Erklärung für die Menge der Anrufe und SMS. Der einzige Lichtblick ist, dass wir morgen wahrscheinlich Nyréns Computer hierher bekommen. Vielleicht finden wir da etwas.«

»Sein Handy war nicht zu reparieren?«

»Leider nein. Es hat ordentlich was abbekommen, als es auf die Straße fiel. Das ist hinüber.«

Thomas holte scharf Luft. So einfach, und so schwer zu sehen. Er schrieb es noch einmal hin.

Der Alte warf ihm einen ärgerlichen Blick zu.

»Bist du zu beschäftigt, um zuzuhören?«, fuhr er ihn an. »Oder sollte es möglich sein, dass auch du dich an der Besprechung beteiligst?«

Thomas blickte auf.

»Er ist ein Anagramm.«

»Was?«, sagte der Alte.

Margit stutzte. »Was meinst du?«

»Der Bootsname ist ein Anagramm. Er hat einfach die Buchstaben umgestellt. Falls ihr noch gezweifelt haben solltet, ob das Geld dafür von dem amerikanischen Unternehmen stammt, könnt ihr jetzt damit aufhören.« Thomas fing an zu lachen.

»Jetzt mal raus mit der Sprache. Was ist so lustig?« Margit hörte sich an, als würde sie gleich die Geduld verlieren.

»Emerald Gin. Der Name von Julianders Boot. Er ist ein Anagramm von General Mind. Er hat das Boot nach seinem Geldgeber getauft.«

Inzwischen lachte er so sehr, dass er kaum noch sprechen konnte.

»Ein echter Scherzkeks, dieser Juliander. Der Mann hatte Humor.«

Während ihnen langsam ein Licht aufging, war hier und da ein Kichern zu hören, und schließlich stimmte einer nach dem anderen in Thomas' Gelächter ein. Sogar die gestrenge Frau Staatsanwältin ließ sich davon anstecken. Es war das erste Mal, dass Thomas sah, wie Charlotte Öhman mehr als ein beherrschtes Lächeln von sich gab.

Als die Heiterkeit schließlich abebbte, empfanden alle ein Gefühl der Erleichterung. Die gedrückte Stimmung war verschwunden und hatte neuer Energie Platz gemacht.

»Gibt es was Neues über eventuelle Verbindungen zwischen Nyrén und Juliander?«, fragte der Alte in dem Bemühen, die Besprechung wieder ins rechte Fahrwasser zu bringen.

Thomas versuchte, sich zu konzentrieren.

»Immer noch nichts außerhalb des KSSS«, erwiderte er. »Kein Schwarzgeld, jedenfalls haben wir nichts gefunden. Nyrén besaß nicht viel außer der Wohnung und dem Segelboot. Er lebte von seinem Beamtengehalt. Die Omega hat er vom Erbe seiner Eltern bezahlt.«

»Also, wo stehen wir jetzt?«, fragte der Alte. Er faltete die Hände hinter dem Kopf und richtete seinen Blick auf die Staatsanwältin.

Charlotte Öhmans strenge Erscheinung unterschied sich deutlich von der eher lässigen Kleidung der Polizisten. Die graue Kostümjacke und die weiße Bluse wiesen sie als Vertreterin der Bürokratie aus. Aber sie war eine gute Staatsanwältin, nicht allzu formalistisch. Vor allem ließ sie die Polizisten ihre Arbeit tun, ohne sich dauernd einzumischen.

»Ich finde, wir sollten eine Hausdurchsuchung bei von Hahne

machen«, warf Thomas ein. »Wenn wir alles auf den Kopf stellen, fühlt er sich vielleicht so unter Druck gesetzt, dass er gesteht.«

»Und wenn er das nicht tut?«, sagte Charlotte Öhman.

»Wir haben keinen anderen Verdächtigen«, entgegnete Thomas. Er war überzeugt, dass der Adlige ihnen etwas verheimlichte.

»Es gibt ja tatsächlich eine Reihe von Indizien gegen ihn«, sagte Erik. »Nyrén wurde aus seinem Lagerraum erschossen. Wir haben die Telefonlisten. Und er hatte ein Motiv für den Mord an Juliander.«

»Was das Motiv betrifft, bin ich nicht so überzeugt«, sagte Öhman skeptisch.

»Es wäre immerhin denkbar«, beharrte Thomas.

»Er hat ein Alibi, haben Sie das vergessen?«, konterte die Staatsanwältin.

Thomas erhob sich abrupt von seinem Stuhl. Er trat an die Fotowand und studierte zum x-ten Mal die vergrößerte Aufnahme vom Augenblick des Starts. Dann griff er nach der Lupe und beugte sich so dicht wie möglich über die *Emerald Gin*.

Alle im Raum schwiegen.

»Ich frage mich«, sagte er schließlich und richtete sich auf, »ob es nicht ein Fehler war, die Passagiere auf Bjärrings Boot auszuschließen.«

»Sie haben sich gegenseitig Alibis gegeben«, gab Margit zu bedenken.

»Kann es nicht trotzdem sein, dass der Mord von der Storebro aus begangen wurde?«, wandte Thomas ein. »Dass von Hahne es irgendwie geschafft hat, in die Vorpiek zu schleichen und Juliander zu erschießen, ohne dass die anderen an Bord etwas davon mitbekamen?«

Margit folgte seinem Gedankengang.

»Wir sind ganz selbstverständlich davon ausgegangen, dass die Gruppe die ganze Zeit zusammen war. Aber es kommt ja vor, dass Zeugen sich gegenseitig beeinflussen und dann meinen, sie hätten alle dasselbe gesehen. Vielleicht war das hier auch so.«

»In dem Fall könnte von Hahnes Alibi wackeln.«

Thomas setzte sich wieder hin und lehnte sich zurück. Er ließ das vergrößerte Foto nicht aus den Augen.

»Wir sollten ihn festnehmen«, sagte er.

»Dafür ist die Beweislage viel zu dünn«, widersprach Öhman.

»Darf ich daran erinnern, dass ich dem Untersuchungsrichter innerhalb von zweiundsiebzig Stunden eine Haftbegründung vorlegen muss? Wir haben nicht genug gegen ihn vorliegen.«

Widerwillig sah Thomas ein, dass sie recht hatte.

Wenn sie von Hahne festnahmen, aber nach drei Tagen wieder laufen lassen mussten, weil sie keinen Haftbefehl für ihn bekamen, würden sie wie die Idioten dastehen. Außerdem würde es einen Riesenwirbel geben, nicht zuletzt in der Presse, wenn sie den künftigen Vorsitzenden des KSSS ohne hinreichende Beweise einsperrten.

»Können wir dann wenigstens die Hausdurchsuchung machen?«, drängte Thomas. »Ich glaube wirklich, dass wir ihn auf diesem Wege knacken können. Wir sollten uns auch die Familie vorknöpfen.«

Charlotte Öhman schien noch zu zögern, aber dann traf sie eine Entscheidung.

»Warten wir erst mal ab, was Sie auf dem Rechner finden«, sagte sie. »Es tut mir leid, aber Sie müssen mir schon etwas mehr liefern.«

Damit war die Sitzung beendet.

»Svante Severin.«

Der Makler meldete sich schon nach dem ersten Klingeln. Vielleicht hatte er die Telefonnummer wiedererkannt. Alle Nummern auf Sandhamn begannen mit denselben fünf Ziffern.

»Linde«, sagte Nora kurz. Nur keine Zeit mit unnötigem Geschwätz vergeuden. Sie hatte eine Mitteilung zu machen.

»Das ist ja schön«, begann Svante Severin.

Bevor er noch mehr sagen konnte, sprach Nora weiter.

»Ich rufe an, um Ihnen zu sagen, dass die Brand'sche Villa nicht zum Verkauf steht. Wir behalten das Haus.«

»Aber, aber …«, stotterte Severin.

Seine Enttäuschung war so offensichtlich, dass Nora sie beinahe körperlich spürte.

»Warum haben Sie Ihre Meinung geändert?«, fragte er schließlich.

Für einen winzigen Moment bekam Nora ein schlechtes Gewissen. Aber dann öffnete sie resolut den Mund, um das Gespräch zu Ende zu bringen.

»Tut mir leid«, sagte sie kurz angebunden. »Aber wir waren uns innerhalb der Familie nie ganz einig darüber. Jedenfalls ist das Haus nicht zu verkaufen. Auch in Zukunft nicht.«

Sie verabschiedete sich rasch und legte auf.

So einfach war das also. Und sie hatte sich so davor gefürchtet, hatte die halbe Nacht wach gelegen und sich Gedanken gemacht, wie das Gespräch wohl verlaufen würde.

Verwundert stellte sie fest, dass sie sich erleichtert fühlte. Obwohl Henrik am Abend nach Hause kommen würde und sie ihre Entscheidung, das Haus zu behalten, nicht mit ihm besprochen hatte.

Es war auf einmal so selbstverständlich gewesen, was sie tun sollte. Sie war nicht länger bereit, in dieser Frage auf ihn zu hören.

Sie würde die Brand'sche Villa behalten, mit oder ohne Henriks Zustimmung.

Ende der Diskussion.

Kapitel 81

Die Polizeistation war wie ausgestorben. Thomas stand ganz allein im Flur. Die anderen waren bereits nach Hause gegangen und auch er hätte längst Feierabend machen sollen. Aber er hatte so viel Zeit verloren, als er krank im Bett lag. Er hatte einfach das Bedürfnis, sich einen Überblick zu verschaffen, seine Gedanken zu ordnen und in aller Ruhe das gesammelte Material durchzugehen.

Außerdem musste er noch eine Menge Papierkram erledigen. Er hatte seinen Berg Post seit einer Ewigkeit nicht angefasst.

Seufzend ging er zu dem großen Regal mit den Postfächern neben dem Eingang. Er leerte sein Fach und klemmte sich den Stapel unter den Arm.

Im Vorübergehen bediente er sich aus der Pralinenschachtel, die eine freundliche Seele neben den Kaffeeautomaten gestellt hatte. Sicher Carina, sie war immer so fürsorglich.

Sofort meldeten sich Schuldgefühle.

Er hatte sie seit dem Abend, an dem sie gestritten hatten, nicht mehr unter vier Augen gesehen. Das war eine ganze Weile her. Die Zeit war wie im Flug vergangen, nicht zuletzt wegen seiner Erkältung. Außerdem war es allzu leicht gewesen, private Probleme beiseitezuschieben und der Arbeit die Schuld zu geben.

Thomas wusste, dass es so nicht weitergehen konnte. Er war ihr zumindest schuldig, ehrlich über seine Gefühle zu sprechen. Dass er fand, sie sollten sich nicht mehr treffen. Wenigstens für eine Weile.

Aber es war so verdammt schwer, die richtigen Worte zu finden. Und er konnte nicht anders, als sich schuldig zu fühlen. Er hätte es von Anfang an wissen müssen, dass sie eigentlich nicht zusammenpassten. Er wurde nächstes Jahr vierzig. Fast alle seine Freunde hatten inzwischen eine Familie gegründet und Kinder bekommen.

Er sehnte sich danach, wieder ein Neugeborenes im Arm zu halten. Carina sehnte sich danach, Karriere als Polizistin zu machen, und würde bald auf die Polizeischule gehen. Sie befanden sich in völlig unterschiedlichen Lebensphasen.

Am Anfang war es ihm schwergefallen, Carinas Lebensfreude zu widerstehen. Dass sie ihn so offensichtlich haben wollte, hatte ihm geschmeichelt. Außerdem hatten sie guten Sex gehabt, schon vom ersten Mal an. Richtig guten Sex. Nach der Scheidung war er in dem Punkt geradezu ausgehungert. Im Bett lief es so gut zwischen ihnen, dass er sich eingebildet hatte, das würde reichen. Dass nicht mehr viel anderes nötig war.

Aber auf Dauer hatte es nicht gereicht. Als die erste Anziehung abflaute, wurde deutlich, wie verschieden sie waren. Carina war ein süßes, kluges Mädchen, aber insgeheim stellte er ihre Beziehung immer mehr infrage.

Er konnte nicht von ihr verlangen, dass sie seine Trauer über Emily verstand. Die Einzigen, die das verstehen konnten, waren Pernilla und er selbst. Aber manchmal war es schwer, mit der Frau, mit der er zusammen war, nicht über seine Tochter sprechen zu können. Das vergrößerte den Abstand zwischen ihnen noch mehr. Immer öfter war er lieber nach Harö hinausgefahren, wo er seine Ruhe hatte. Wenn sie am Wochenende etwas unternehmen wollte, hatte er nach Ausflüchten gesucht.

Er schämte sich, dass er Carina derart ausgenutzt hatte. Er hatte genossen, was sie ihm anbot, ohne besonders viel über ihre Gefühle nachzudenken.

Um ehrlich zu sein, war es bequem gewesen. Und er hatte sich danach gesehnt, mit einer Frau zusammen zu sein. Es war ihm beinahe egal gewesen, mit welcher. Er hatte keine Lust gehabt, aktiv zu suchen, doch wenn ihm etwas so vorbehaltlos leicht gemacht wurde, konnte er nicht widerstehen.

Aber nun ging es nicht mehr. Er hatte ein schlechtes Gewissen, und sie war traurig.

Noch einmal nahm er sich vor, die Situation in Angriff zu nehmen. Sobald sie den Mörder von Juliander und Nyrén gefasst hatten. Danach würde er es nicht mehr länger aufschieben.

Dann musste er mit ihr reden.

Kapitel 82

»Sag mal, hast du sie noch alle?« Henrik sah Nora mit einem Blick an, in dem fast so etwas wie Hass lag. »Du hast Severin gesagt, dass wir nicht verkaufen, ohne vorher mit mir zu reden?«

Sie saßen unten am Steg und tranken Kaffee.

Henrik war mit der Achtzehn-Uhr-Fähre von Stavsnäs gekommen. Nach einer Woche Bereitschaftsdienst hatte er nun drei Tage frei. Nora hatte das Abendbrot fertig gehabt und sie hatten gleich nach seiner Ankunft gegessen.

Sie hatte sich nicht besonders viel Mühe gegeben. Nur ein paar Schweinesteaks gegrillt und sie mit Backkartoffeln und geraspelten Karotten serviert. Zum Nachtisch hatten die Jungs jeder ein Eis am Stiel bekommen, und für sich und Henrik hatte sie Kaffee gekocht.

Jetzt war Simon bei einem Nachbarjungen, der ein neues Computerspiel bekommen hatte, und Adam war mit ein paar älteren Kameraden Fußball spielen gegangen.

Also die perfekte Gelegenheit für ein Ehepaar, das sich zwei Wochen lang kaum gesehen hatte, endlich reinen Tisch zu machen.

Nora hatte richtig Bauchschmerzen vor dem Gespräch gehabt. Trotzdem hoffte sie, dass er ihre Entscheidung akzeptierte und verstand, warum sie nicht anders handeln konnte.

Denn im Grunde liebte er sie wohl genug, um das zu tun? Es ging schließlich nur um ein Haus, einen materiellen Gegenstand, und nicht um etwas Lebenswichtiges wie eine schwere Krankheit oder ein verletztes Kind.

Tastend hatte sie versucht, Henrik zu erklären, was sie fühlte und warum. Dass Signes Vermächtnis für kommende Generationen verwaltet werden musste. Wie die Verantwortung gegenüber Signes letztem Willen sie belastete, aber auch mit Freude erfüllte.

Schließlich hatte sie ihm von dem Telefonat mit Severin erzählt und was sie dem Makler gesagt hatte. Dann hatte sie gespannt auf Henriks Reaktion gewartet.

Die kam postwendend. Er war vor Wut rot angelaufen.

»Wie konntest du nur? Wir hätten Millionen für das Haus kassieren können. Millionen, begreifst du das?« Er brüllte sie an. »Wir hätten aus diesem albernen Reihenhaus ausziehen können. Uns eine ordentliche Villa kaufen. Wie dumm kann man eigentlich sein, sag mal? Du rufst jetzt sofort diesen Severin an und sagst ihm, dass wir unsere Meinung geändert haben. Vielleicht kann man die Schweizer überreden, ihr Angebot aufrechtzuerhalten, trotz allem.«

Er schlug so hart mit der Faust auf den Tisch, dass die Tassen klirrten.

Nora sah ihn bestürzt an. Es war, als hätte er kein einziges Wort von dem gehört, was sie gesagt hatte. Wann hatte sich der Vater ihrer Kinder in einen Menschen verwandelt, dem es nur um Geld und materielle Werte ging? Was war bloß in ihn gefahren?

Plötzlich merkte sie, zu ihrer eigenen Verwunderung, dass es ihr nicht besonders viel ausmachte. Während sich die Erkenntnis in ihr ausbreitete, überlegte sie, was sie antworten sollte. Um Zeit zu gewinnen, setzte sie die Kaffeetasse an die Lippen und trank ein paar Schlucke.

»Hast du verstanden!«, schrie Henrik noch aufgebrachter. Er hatte sich halb erhoben und beugte sich über den Tisch, bis ihre Gesichter nur wenige Zentimeter voneinander entfernt waren.

Es kam ihr vor, als hätte sie einen Fremden vor sich. Einen Fremden, der zwar sprach und sich bewegte wie der Henrik, in den sie sich einst so heftig verliebt hatte, der aber weit, weit entfernt von dem Mann war, mit dem sie ihr Leben teilen wollte.

»Ich habe verstanden, was du gesagt hast«, entgegnete Nora und blickte ihm direkt in die Augen. »Und ich sage dir, dass ich meine Meinung nicht ändern werde. Mein Entschluss steht fest. Es war Signes letzter Wunsch, dass ich mich um das Haus kümmere, und genau das werde ich tun.«

»Du tickst doch nicht ganz sauber«, schäumte Henrik.

»Ich schon, aber du nicht.«

Nora hatte vorgehabt, während des Gesprächs ruhig zu bleiben, aber jetzt platzte ihr der Kragen. Plötzlich kochte sie innerlich vor Wut.

»Es reicht jetzt!«, schrie sie zurück. »Ich denke nicht daran, mich noch länger zu verbiegen, nur damit du zufrieden bist. Oder deine blöde Mutter, nicht zu vergessen. Ich weiß genau, wer hinter der ganzen Sache steckt. Die feine Monica muss ja ständig überall ihre Finger drin haben. Es ist doch deine Mutter, die dir das alles eingeredet hat, oder irre ich mich?«

Henrik zuckte zusammen, als hätte ihn jemand mit einer Nadel gestochen.

»Lass meine Mutter aus dem Spiel. Sie hat nichts damit zu tun.«

»Warum sollte ich? Sie hat sich doch auch nie aus unserer Familie herausgehalten. Ich habe ihr ständiges Herumgehacke so abgrundtief satt. Nie ist ihr etwas gut genug. Was man auch tut, es ist immer verkehrt. Und dann diese dauernden Ermahnungen der Jungs. Wenn ich sie in meinem ganzen Leben nicht mehr wiedersehen müsste, wäre es immer noch zu früh.«

Nora merkte, dass sie hochrot im Gesicht war.

»Ich weiß überhaupt nicht, wovon du redest. Meine Mutter hat immer versucht, uns zu unterstützen.«

Nora stieß ein kurzes, hysterisches Lachen aus. Unterstützen. Monica Linde.

Henrik war so weit von der Realität entfernt, dass es keinen Sinn hatte, auch nur zu versuchen, ihm die Augen zu öffnen. Ihre Schwiegermutter war ein richtiges Biest, und das wussten alle außer ihrem eigenen Sohn.

Nora atmete tief durch, um sich wieder unter Kontrolle zu bringen. Dann sah sie ihrem Mann fest in die Augen und sagte langsam und deutlich:

»Ich werde Tante Signes Haus nicht verkaufen. Und wenn du dich auf den Kopf stellst. Begreif das endlich.«

Der Schlag überraschte sie beide.

Henriks Hand kam aus dem Nichts und landete mit einem hässlichen Geräusch auf ihrer linken Wange. Nora blieb ganz still sitzen und starrte ihn aus weit aufgerissenen Augen an. Durch den Schock spürte sie den Schmerz zuerst gar nicht. Aber dann, nach einer Weile, die ihr wie eine Ewigkeit vorkam, begann die Wange wie Feuer zu brennen. Sie schmeckte Blut auf der Zunge.

Henrik stand wie versteinert vor ihr.

Trauer wallte in ihr auf. Was machten sie denn nur? Ein Glück, dass die Jungs nicht hier waren.

»Ich hätte nie gedacht, dass Geld dir so wichtig ist, dass du deswegen deine Frau schlägst«, sagte sie schließlich.

Ihre Stimme war unerwartet fest und sie wunderte sich selbst, wie beherrscht sie war.

Henrik antwortete nicht.

Sie nahm die Serviette und tupfte sich das Blut aus dem Mundwinkel. Es war nicht sehr viel, aber es leuchtete anklagend auf dem weißen Papier. Sie faltete die Serviette zusammen, sodass man die roten Flecken nicht mehr sehen konnte, und legte sie zurück auf den Tisch.

Henrik sagte immer noch nichts.

Auf einmal fühlte Nora, wie ihr Körper schwer wie Blei wurde.

»Ich hole Adam und Simon nach Hause, und dann gehe ich zu Bett«, sagte sie. Nur mit großer Mühe gelang es ihr, die Worte auszusprechen.

Die Salzsäule, die ihr Mann war, erwachte zum Leben. Er sah völlig verzweifelt aus, so als wüsste er nicht, was er machen sollte.

»Verzeih, Nora, du musst mir verzeihen. Ich weiß nicht, was über mich gekommen ist.« Henrik fasste sie bittend am Arm.

Nora erinnerte sich an letzten Sommer, als sie sich wegen ihres Jobangebots in Malmö gestritten hatten. Da war er aufgebraust und weggegangen, und sie war diejenige gewesen, die mit Tränen in den Augen darum gebettelt hatte, dass er bleiben und nicht mehr wütend sein solle.

Jetzt war es genau umgekehrt. Aber befriedigt war sie darüber nicht.

Mit einem letzten Blick auf das schimmernde Meer, so unbeschreiblich schön im rosa Licht des Sonnenuntergangs, erhob sie sich vom Tisch.

»Mach, was du willst«, sagte sie mit müder Stimme. »Ich schlafe heute Nacht auf dem Gästebett im Kinderzimmer. Du kannst ja zu deiner Mama flüchten, falls du es hier nicht aushältst.«

Das Letzte hatte sie gar nicht sagen wollen, es klang so kleinlich, aber es war ihr einfach herausgerutscht. Jahrelange Bitterkeit, die sich ihren eigenen Weg bahnte.

»Vielleicht ist es ohnehin besser, wenn du nicht auf Sandhamn bleibst. Ich denke, wir sollten uns eine Weile aus dem Weg gehen.«

Sie nahm das Kaffeetablett und ging zum Haus hinauf.

Kapitel 83

Es war fast zehn Uhr abends. Thomas gähnte ausgiebig und stellte mit einer gewissen Zufriedenheit fest, dass er fast alle Berichte und Formulare geschrieben und ausgefüllt hatte. Diese Last war er also schon mal los. Den Poststapel hatte er auch beinahe abgearbeitet. Nur ein dicker, gepolsterter Umschlag mit handgeschriebener Adresse war noch übrig.

Er drehte ihn um. »B. Rosensjöö« stand in feinsäuberlicher Schrift auf der Rückseite.

Thomas runzelte die Stirn und sah sich den Umschlag noch einmal an. Dann griff er zur Schere und schnitt ihn auf. Er enthielt eine Menge Fotos und einen handschriftlichen Brief von Britta Rosensjöö. Ihr Fotoapparat habe sich in der Hafenmeisterei von Sandhamn angefunden, schrieb sie. Vermutlich hatte sie ihn dort an dem Tag, als Oscar Juliander ermordet wurde, abgelegt und in der ganzen Aufregung vergessen. Aber als sie ein paar Wochen später noch mal vorbeischaute, war er wieder aufgetaucht. Er lag in einem Kasten mit Fundsachen.

Hier nun die Fotoabzüge vom Gotland-Runt-Start.

Thomas versuchte, sich an das Gespräch mit Britta Rosensjöö zu erinnern, das er kurz nach dem Todesschuss auf Sandhamn mit ihr geführt hatte. Sie hatte erzählt, dass sie den ganzen Tag fotografiert hatte, und auch, dass sie ihre Kamera nicht mehr finden konnte. Danach war ihm die ganze Sache entfallen.

Schlechte Arbeit, Herr Kommissar, dachte er ärgerlich. Er hätte natürlich daran denken müssen, sie zu fragen, ob sie ihre Kamera inzwischen wiedergefunden hatte. Zum Glück war Britta Rosensjöö nicht so vergesslich.

Er rieb sich die Augen und zählte die Fotos rasch durch. Sechsunddreißig Stück. Das stimmte mit den alten Rollfilmen überein.

Die Fotos ließen sich in zwei Kategorien einteilen. Zum einen hatte sie das Startfeld aus unterschiedlichen Winkeln aufgenommen, zum anderen die Personen, die sich an Bord befanden.

Eine Flut von Bildern zeigten das Ehepaar von Hahne, Familie Bjärring, Sylvia Juliander und natürlich Hans Rosensjöö. Auf einem Foto stand Britta neben ihrem Mann, ansonsten war sie nicht mit drauf. Kein Wunder, sie hatte ja fotografiert.

Thomas versuchte, ob man einige der Zuschauerboote unterscheiden konnte, aber er konnte nichts sehen, was anders gewesen wäre als auf den Fernsehbildern, die sie schon so oft studiert hatten.

Es waren typische Urlaubsfotos, schöne Umgebung und fröhliche Menschen. Sie zeigten nichts, was er nicht schon kannte.

Er steckte den Stapel Fotos wieder in den Umschlag und legte ihn zur Seite. Er war müde und geschafft. Höchste Zeit, nach Hause zu fahren und zu schlafen.

Freitag, fünfte Woche

Kapitel 84

Thomas wachte um sechs Uhr auf. Die Sonne schien durch den Spalt zwischen Rollo und Fensterrahmen. Einen Vorteil hatte seine Zweizimmerwohnung in Gustavsberg auf jeden Fall: Sie war hell und sonnig.

Er war nicht vor Mitternacht ins Bett gekommen. Auf dem Heimweg hatte er sich eine Pizza im Zentrum von Gustavsberg gekauft. Dann hatte er es sich mit einem kalten Bier vor dem Fernseher gemütlich gemacht und die doppelte Calzone mit extra Tomatensoße gegessen.

TV2 hatte einen alten Schinken mit Clint Eastwood gebracht, bei dem er hängen geblieben war, und als er schließlich im Bett lag, wollten seine Gedanken nicht zur Ruhe kommen. Sein Schlaf war unruhig und voller seltsamer Träume, die alle von der Ermittlung handelten. Britta Rosensjöös Fotos flimmerten vorüber wie Glühwürmchen.

Das schlechte Gewissen wegen Carina setzte ihm auch zu.

Seufzend stellte er fest, dass die Nacht ohnehin vorbei war. Er konnte genauso gut aufstehen und zum Dienst fahren.

Gegen halb acht saß Thomas an seinem Schreibtisch. Es war angenehm kühl im Zimmer. Entschlossen breitete er noch einmal den Inhalt von Britta Rosensjöös Kuvert aus.

Irgendwas nagte in seinem Unterbewusstsein.

Er sah sich die Fotos sehr konzentriert an. Gestern Abend war er so müde gewesen, dass er das kleine Datum oben in jeder Ecke kaum zur Kenntnis genommen hatte. Jetzt sah er, dass sogar die Uhrzeit dabeistand. Man konnte also genau sehen, wann das jeweilige Foto gemacht worden war.

Er sortierte die Bilder um, bis sie in chronologischer Reihe vor ihm lagen.

Das erste war gegen elf aufgenommen, ungefähr eine Stunde vor dem Start. Das letzte exakt um dreizehn Minuten nach zwölf. Das musste unmittelbar vor dem Moment gewesen sein, als Bjärring seine Storebro zum Polizeiboot steuerte, auf dem Thomas gewesen war.

Noch einmal studierte er die Fotos eingehend. Irgendetwas war da, was ihm bisher entgangen war.

Und dann sah er es. In aller Deutlichkeit.

Jetzt wurde ihm auch klar, warum in Britta Rosensjöös Hotelzimmer eingebrochen worden war. Der Eindringling hatte die Kamera gesucht.

Sie war das einzige Indiz, das bezeugen konnte, was passiert war.

Britta Rosensjöö hatte in der halben Stunde vor dem Start der Regatta ununterbrochen fotografiert. Auf den Bildern waren alle Gäste an Bord der Storebro, außer Britta natürlich. Aber zwischen 11:57 und 12:03 Uhr fehlte ein Passagier. Eine Person, der sie nun unzweideutig nachweisen konnten, dass sie sich nicht auf der Flybridge der Storebro befunden hatte, als Oscar Juliander erschossen wurde.

Sechs Minuten.

Lange genug, um in die Vorpiek hinunterzugehen, das Gewehr zusammenzubauen, die Luke zu öffnen und den tödlichen Schuss abzugeben. Aus einer perfekten Position, dank eines tüchtigen Skippers, der seinen Gästen die bestmögliche Sicht auf den Start bieten wollte.

Thomas spürte, wie sein Puls beschleunigte.

Ihnen hatte ein entscheidender Beweis gefehlt, um weitermachen zu können. Den hielt er jetzt in der Hand.

Er griff zu seinem Mobiltelefon, um Margit anzurufen. Hoffentlich war sie schon auf.

Kapitel 85

»Meinst du, sie sind an einem so frühen Augustmorgen zu Hause?«, fragte Margit.

Thomas war vollauf damit beschäftigt, sich durch Östermalms Labyrinth aus Einbahnstraßen zu quälen.

»Wer sich diese Verkehrsführung ausgedacht hat, muss besoffen gewesen sein«, knurrte er, als er zum dritten Mal den Karlaplan umrundete, ohne eine Ausfahrt zu finden.

»Glaubst du, sie sind zu Hause?«, wiederholte Margit. »Vielleicht sind sie in ihrem Landhaus?«

»Was?« Thomas ignorierte das Verbotsschild und bog in die Straße ein, in der Familie von Hahne wohnte.

Er parkte den Wagen und sie liefen die Treppen hinauf. Nach mehrmaligem Klingeln wurde die Tür von einem jungen Mädchen im hellgrünen Morgenmantel geöffnet. Sie wirkte verschlafen und blickte Thomas und Margit verwundert an.

»Meine Eltern sind nicht zu Hause«, sagte sie als Antwort auf Thomas' Frage. »Sie sind verreist.« Sie lächelte freundlich.

Das musste Emma sein, dachte Margit. Mit ihren blonden Haaren und den klaren Gesichtszügen ähnelte sie ihrem Vater. Elegant und selbstbewusst. Aber unschuldig. Vorläufig.

»Weißt du, wo sie sind?«, fragte Margit.

»Auf der Jagd. Bei den Bjärrings. Sie haben ein Landhaus nicht weit von Katrineholm.«

»Jagd?«, echote Margit überrascht. »Um diese Jahreszeit? Ich dachte, die beginnt erst im September.«

Emma lachte. Ein helles Mädchenlachen, sorglos.

»Sie schießen Wildschweine. Das darf man das ganze Jahr über. Sie machen das aus alter Tradition. Tagsüber Jagd und abends Krebsfest.«

»Wann sind sie weggefahren?«, fragte Thomas.

»Gestern. Sie kommen Sonntag zurück.«

»Sind noch andere vom KSSS-Vorstand dabei?«

»Klar. Die Clique hängt doch andauernd zusammen rum.«

Thomas runzelte die Stirn. Margit konnte seine Besorgnis verstehen.

Ein Mörder mit einem Gewehr im Wald, das versprach nichts Gutes. Wer war diesmal an der Reihe?

»Weißt du, wo Bjärrings Landhaus liegt? Hast du vielleicht die Adresse oder die Telefonnummer?«, fragte sie rasch.

Emma schüttelte erst den Kopf, aber dann leuchtete ihr Gesicht auf.

»Ich kann im Arbeitszimmer nachsehen, wenn Sie wollen. In Mamas Adressbuch. Ich war ja selbst schon unheimlich oft da, aber ich weiß leider nicht, wie der Ort heißt.«

»Ja, mach das bitte.«

Sie verschwand, während Thomas und Margit in der großen Diele warteten.

Es war eine typische Östermalm-Wohnung. Hohe Decken, schöne Spiegeltüren. Elegante Lampen und unzählige Gemälde in schweren Goldrahmen an den Wänden erinnerten daran, dass sie sich in der Wohnung eines Kunsthändlers befanden.

Rechts von der Diele ging ein Raum ab, der die Bibliothek zu sein schien. Vor wandhohen Bücherregalen standen schwere, ochsenblutrote Ledersessel. Auf dem Fußboden lag ein orientalischer Teppich in warmen Rottönen.

Margit ließ den Blick durch die Diele schweifen. Gegenüber der Eingangstür befand sich ein offener Kamin. Auf dem Kaminsims stand eine silberne Schale voller Einladungskarten, die meisten aus dickem Papier mit gedruckten Goldbuchstaben.

Nach einigen Minuten kam Emma mit einem handgeschriebenen Zettel zurück, den sie Thomas gab.

»Hier, bitte. Das ist die Adresse.«

»Vielen Dank«, sagte Thomas, drehte sich um und wollte gehen.

»Entschuldigen Sie, wenn ich frage«, sagte Emma, »aber es ist doch nicht schon wieder was passiert?« Sie blickte Thomas und Margit unsicher an. »Weil es so viel war in der letzten Zeit, meine ich …«

Margit versuchte, beruhigend zu lächeln.

»Mach dir keine Sorgen«, sagte sie und hörte selbst, wie geheuchelt das klang. Eigentlich müsste das Mädchen jetzt erst recht Unheil wittern. »Wir brauchen nur ein paar Auskünfte von deinen Eltern. Das ist alles.«

Offenbar hatte ihre Stimme nichts verraten, denn Emma lächelte artig zurück und erklärte, sie habe nur sicherheitshalber gefragt. Dann schloss sie die Tür hinter ihnen mit einem fröhlichen »Tschüs«.

Thomas schaute besorgt auf die Uhr. Bis Katrineholm würden sie gut anderthalb Stunden brauchen, und wenn sie im morgendlichen Berufsverkehr stecken blieben, noch länger.

Genug Zeit, um ein weiteres Vorstandsmitglied des KSSS zur Strecke zu bringen. Genug Zeit, um ihre bisherige erfolglose Arbeit lächerlich zu machen.

»Sollen wir die Kollegen vor Ort alarmieren?«, fragte Margit.

Thomas schüttelte den Kopf. Das ging ihm gegen den Strich.

»Wir fahren hin. Jetzt bringen wir die Sache selbst zu Ende.«

Thomas fuhr so schnell, wie er gerade noch verantworten konnte, sich qualvoll jeder Minute bewusst, die verstrich. Rauf auf den Essingeleden, vorbei an Kungens kurva, Huddinge, Södertälje, Nyköping, die ganze Zeit auf der linken Autobahnspur.

Margit kaute schweigend ein Kaugummi nach dem anderen. Immer wieder warf sie einen Blick auf die Uhr am Armaturenbrett. Einen weiteren Todesfall durfte es nicht geben. Diesmal mussten sie ihm zuvorkommen.

Sie verließen die Schnellstraße und fuhren auf der Landstraße weiter, bis sie das Schild sahen, das die Zufahrt als Privatstraße auswies. Eine von Eichen gesäumte Allee führte sie zu dem großen Haus.

Bjärrings Landsitz war ein alter Bauernhof aus dem neunzehnten Jahrhundert. Das gelbe Haupthaus war aus Holz mit weißen Eckpfosten und weißen Fensterrahmen. Die Quergebäude zu beiden Seiten waren in denselben Farben gestrichen.

Thomas parkte den Wagen auf dem runden Kiesplatz vor dem Haupthaus. Rasch gingen sie zum Eingang und klingelten. Aus dem Inneren des Hauses hörten sie ein altmodisches Läuten.

Nichts geschah.

Thomas drückte wieder auf den Klingelknopf. Nach etlichen Minuten wurde die Tür von einer älteren Frau in weißer Schürze geöffnet.

»Ja bitte?« Sie sah die beiden Besucher fragend an.

»Polizei, guten Tag. Wir sind auf der Suche nach Gästen, die bei Ihnen wohnen. Sie heißen von Hahne«, sagte Thomas und zeigte ihr seinen Dienstausweis.

Die Frau schüttelte den Kopf.

»Ich bin im Moment ganz allein hier. Die ganze Gesellschaft ist draußen im Wald. Sie kommen erst am Nachmittag gegen fünf Uhr zurück.«

Thomas trat ungeduldig von einem Fuß auf den anderen.

»Es ist sehr wichtig, dass wir sie so schnell wie möglich finden«, erklärte er. »Sie wissen nicht zufällig, wo genau sie sich im Moment aufhalten?«

»Die Jagd wird um halb zwölf unterbrochen, um den Lunch einzunehmen«, sagte die Frau. »Am besten, Sie fahren zu der Lichtung, wo die Herrschaften sich zum Essen treffen.«

Sie beschrieb, wie sie fahren mussten, um den Sammelpunkt zu finden.

»Mit dem Auto sind es etwa fünfzehn Minuten von hier, es ist nicht weit, aber leider ist der Weg ziemlich schlecht.«

Dann entschuldigte sie sich, dass sie zurück in die Küche müsse, um das Abendessen vorzubereiten.

»Es gibt viel zu tun«, sagte sie mit einem kleinen Lächeln, »wenn man zwanzig Personen verpflegen muss.«

Die Anweisungen waren nicht schwer zu befolgen.

Sie fuhren durch die Allee zurück und bogen auf die Landstraße.

»Immer mit der Ruhe«, sagte Margit, als Thomas eine Kurve mit hoher Geschwindigkeit nahm. »Wir haben keine Zeit, um im Graben zu landen.«

Thomas nahm das Tempo kaum merkbar zurück.

»Sollten wir nicht doch Verstärkung anfordern?«, fuhr Margit fort.

Thomas schüttelte den Kopf.

»Wir sind gleich da.«

Nach vier Wochen intensiver Arbeit war er nicht bereit, auf lokale Verstärkung zu warten. Sie waren jetzt fast am Ziel. Nur noch ein paar Minuten, dann würden sie die Lichtung erreicht haben.

Mit verkniffener Miene bog er in einen Waldweg ein und folgte ihm mehrere Kilometer. Der Weg endete an einem Wendeplatz, auf dem zahlreiche Autos abgestellt waren. Thomas parkte seinen Volvo neben einem roten BMW und stieg aus. Von fern war Stimmengewirr zu hören.

»Da drüben sind sie«, sagte Margit. »Komm.«

Sie gingen etwa hundert Meter in Richtung der Stimmen, bis sie an eine kleine Lichtung kamen. Einfache Bänke aus Baumstämmen waren zu einem Quadrat aufgestellt. In der Mitte brannte ein Lagerfeuer, über dem ein Hängegrill aufgebaut war. Es duftete lecker nach Fleisch, das auf dem Grillgitter lag.

Ein Dutzend Leute stand in kleinen Gruppen auf der Lichtung. Axel Bjärring unterhielt sich mit jemandem, dessen Gesicht Thomas nicht sehen konnte. Ingmar von Hahne trat gerade mit einer Büchse über der Schulter zwischen den Bäumen hervor. Er sah ebenso geschniegelt aus wie immer. Aber bedrückt. Sein Gesicht wirkte verschlossen, seine Miene angespannt.

Aus der gegenüberliegenden Richtung näherte sich Isabelle von Hahne. Sie war noch etwa fünfzig Meter vom Lagerfeuer entfernt.

Margit und Thomas traten auf die Lichtung. Axel Bjärring blickte auf und runzelte die Stirn, als er die beiden Polizisten erkannte. Er entschuldigte sich bei seinem Gesprächspartner und ging ein paar Schritte auf Thomas zu.

Isabelle, die bisher den Blick auf den Boden gerichtet hatte, hob den Kopf und entdeckte die beiden Neuankömmlinge. Sie zuckte zusammen und blieb stehen, das Gewehr unterm Arm.

Thomas beschleunigte seine Schritte. Margit folgte zwei Meter hinter ihm. Jetzt hatte auch Ingmar von Hahne sie entdeckt, aber im Gegensatz zu seiner Frau ging er auf Thomas und Margit zu.

Zielstrebig ging Thomas weiter.

Plötzlich ließ Isabelle von Hahne das Gewehr fallen, duckte sich unter einem Ast hindurch und lief hastig zurück in den Wald.

»Sie haut ab!«, rief Thomas Margit zu und begann zu laufen.

Kapitel 86

Isabelle rennt, wie sie noch nie gerannt ist.

Zweige und Kiefernnadeln schlagen ihr ins Gesicht. Sie zwängt sich durch ein Hagebuttengebüsch und spürt, wie die Dornen ihre Wangen zerkratzen. Sie stolpert über einen Stein, kann sich aber im letzten Moment fangen.

Mit einem Satz springt sie über einen schmalen Baumstamm und vorbei an einem Dickicht aus Krüppelbirken. Die schwere Jägerjacke wirft sie im Laufen ab, lässt sie achtlos im Heidekraut zurück.

Der Schweiß rinnt ihr über die Stirn und in die Augen. Ärgerlich versucht sie, das Gröbste mit dem Handrücken wegzuwischen.

Nichts ist zu hören, nur ihr eigener Atem. Trotzdem fürchtet sie, dass ihre Schritte und das Geräusch von brechenden Ästen und Zweigen sie verraten wird.

Inzwischen sind die Stimmen hinter ihr schwächer geworden. Sie wagt einen schnellen Blick zurück, kann aber durch das wuchernde Grün nichts sehen.

Das Adrenalin pulsiert durch ihre Adern und in ihren Schläfen hämmert es. Schwere, dumpfe Schläge, die ihr in der Stille wie Pistolenschüsse vorkommen.

Ihre Muskeln schmerzen, aber sie zwingt sich zum Weiterlaufen, ohne langsamer zu werden. Die Beine bewegen sich ganz von selbst und mit nur einem einzigen Ziel: den Verfolgern zu entkommen.

Weiter, weiter, treibt sie sich selbst an.

William Aldecrantz schaut auf die Uhr.

Es ist Zeit, die Jagd für den gemeinsamen Lunch mit den anderen Jagdteilnehmern zu unterbrechen. Das Hornsignal, das zur Rast ruft, ist bereits verklungen. Trotzdem harrt er noch auf dem Hochsitz aus. Eben erst ist ein großer Keiler vorbeigekommen, knapp außer Schussweite. Nur ein paar Minuten noch, vielleicht kommt der Keiler zurück.

Er darf nicht zu lange bleiben, das weiß er. Sein Vater hasst es, wenn er zu spät kommt. Immer wieder hat er ihm eingeschärft, wie wichtig es ist, die Anordnungen des Jagdführers zu befolgen. Aber William wünscht sich so sehr, endlich ein Tier zu erlegen.

Er kann direkt vor sich sehen, wie er nächste Woche, wenn der Unterricht wieder beginnt, aufs Lundsberg-Internat zurückkehrt. Wie die Klassenkameraden bewundernd zu ihm aufblicken, wenn er ihnen berichtet, wie er ganz allein ein Wildschwein zur Strecke gebracht hat.

Eine eigene Jagdtrophäe.

Als er zum achtzehnten Geburtstag sein erstes Gewehr bekam, war es das beste Geschenk, das er jemals erhalten hatte. Wie ein Mann hatte er sich gefühlt. Er konnte sich gar nicht sattsehen an der Waffe.

Wenn er den Keiler tatsächlich schießen könnte …

William blickt wieder nervös auf die Uhr. Nein, jetzt muss er seinen Posten verlassen und zum Lunch gehen. Sonst gibt es ein ordentliches Donnerwetter von Papa. Das steht fest.

»In welche Richtung ist sie gelaufen?«, ruft Margit.

Der Wald steht dicht und durch das Unterholz ist kaum etwas zu sehen. Man hört nur das Knacken und Brechen von Zweigen.

Margit hat Thomas eingeholt. Ihr Brustkorb schmerzt vor Anstrengung.

»Still«, flüstert er. »Sonst hören wir nichts.«

Margit erstarrt mitten in der Bewegung und versucht, leise zu atmen. Es rauscht in den Baumkronen.

»Wo ist sie hin?«, fragt sie.

»Schhh«, zischt Thomas.

Er späht zwischen den Baumstämmen hindurch und versucht, etwas zu erkennen. Sie sind inzwischen ein gutes Stück von der Lichtung entfernt.

Aus den Augenwinkeln bemerkt er eine Bewegung im Gebüsch, ungefähr hundertfünfzig Meter weiter vorn. Etwas, das zwischen den Blättern davonhuscht.

»Da ist sie! Komm!«, ruft er Margit zu und beginnt wieder zu laufen.

Isabelle atmet stoßweise und flach. Sie darf die Orientierung nicht verlieren.

»Großer Gott«, betet sie zwischen zusammengebissenen Zähnen, »lass mich hier heil rauskommen, dann werde ich dich nie wieder um etwas bitten. Es kann nicht auf diese Weise enden. Bitte, lieber Gott.«

Tränen der Frustration laufen ihr über die Wangen. Ihre Kiefermuskeln sind angespannt, die Fäuste geballt. Aber sie läuft weiter.

Sie stolpert über eine Baumwurzel und fällt kopfüber hin, schrammt sich Nase und Kinn auf. Schwankend kommt sie auf die Beine und hält sich an einer Birke fest. Ihr ist schwindlig.

Aus einem Nasenloch tropft Blut.

Sie blickt sich um und versucht, ihre Gedanken zu sammeln.

Wenn sie es schafft, über den Bach zu kommen ... Nicht weit dahinter ist ein größerer Weg, das weiß sie. Sie muss die Schnellstraße erreichen, nur dann hat sie eine Chance. Es wird ihr schon irgendwie gelingen, ein Auto anzuhalten.

Sie versucht sich zu erinnern, in welcher Richtung der Bach liegt.

Unsicher läuft sie noch hundert Meter weiter und sieht hinter den Bäumen Wasser glitzern. Endlich.

Erleichterung durchflutet sie. Der Bach ist ihre Rettung. Außerdem verliert sich dann ihre Spur. Selbst wenn sie mit Hunden nach ihr suchen, werden sie sie nicht finden. Wasser verwirrt die Tiere und sorgt dafür, dass sie die Witterung verlieren. Wenn sie den Bach hinter sich hat, ist sie in Sicherheit.

Sie läuft weiter durch das dichte Grün, das sie umschließt. Reine Willenskraft zwingt die müden Muskeln, sich weiterhin zu bewegen. Schritt für Schritt. Obwohl alle Kraft längst erschöpft ist.

Der Selbsterhaltungstrieb übernimmt die Kontrolle und die Füße weigern sich, stehen zu bleiben. Ihre Muskeln brennen wie Feuer, aber sie kümmert sich nicht darum.

Sie atmet leichter. Jetzt ist sie gleich da.

Die Sonnenreflexe auf dem Wasser zeigen ihr den Weg.

Sie wird es schaffen.

Ein schwaches Geräusch lässt William Aldecrantz zusammenzucken. Er dreht den Kopf nach rechts und sieht, wie Äste und Zweige von einem vorwärtsstürmenden Körper beiseitegebogen werden. Ganz nah am Wasser.

William jubelt innerlich. Der Keiler ist wieder da. Ein Glück, dass er das Gewehr noch nicht entladen hat. Es ist entsichert und schussbereit. Er spannt seine Muskeln und blinzelt, um besser sehen zu können.

Blitzschnell legt er das Gewehr an.

Die Sicht wird durch Zweige verdeckt, aber gleich muss der Keiler in der Lücke zwischen den Bäumen auftauchen, auf die William zielt. Sein Herz hämmert. Der Mund ist trocken. Er wagt kaum zu atmen.

Im selben Moment, als der Schatten aus dem Gebüsch hervorbricht, gibt er seinen Schuss ab.

Kapitel 87

Thomas läuft mit gesenktem Kopf, um den zurückschlagenden Zweigen auszuweichen. Er folgt einem schmalen Bach, der leise vor sich hin plätschert. Trotz der Mittagszeit ist es im Wald erstaunlich dunkel, das Sonnenlicht dringt kaum durch die dichten Baumkronen.

Margit ist direkt hinter ihm, er hört sie keuchen.

»Halt an, Thomas, halt an!«, ruft sie laut. »Da drüben an der Eiche!«

Er bremst ruckartig ab.

Fünfzig Meter vor ihnen steht ein großes, grauschwarzes Wildschwein. Die kräftigen Borsten lassen es aussehen wie ein Urzeittier. An den langen Zitzen kann man sehen, dass es eine Bache ist.

Sie wirkt wütend.

»Scheiße«, flucht Thomas vor sich hin. Er zwingt sich, ganz still zu stehen.

Mit gereizten Wildschweinen ist nicht zu spaßen. Erst recht nicht mit einer Bache, die von ihren Frischlingen getrennt wurde. Warum muss sie jetzt ausgerechnet hier auftauchen? Wo sie es doch so verdammt eilig haben.

»Kennst du dich mit Wildschweinen aus?«, flüstert Margit, die einen Meter hinter ihm steht. »Sind die nicht ziemlich aggressiv? Greifen sie Menschen an?«

»Beweg dich nicht«, flüstert er zurück. »Vielleicht geht sie dann weg.«

Letzteres ist mehr eine Hoffnung als eine Gewissheit. Was weiß er denn schon von Wildschweinen. Können sie einen erwachsenen Menschen töten? Was bringt sie dazu, anzugreifen?

Margit und Thomas verharren mit angespannten Muskeln, ohne ein Wort zu sagen. Wie zwei griechische Statuen in der Wildnis.

Von Weitem hört man Vögel zwitschern.

Thomas steht der Schweiß auf der Stirn. Sie haben keine Zeit für das hier. Jede verlorene Sekunde bedeutet mehr Vorsprung für Isabelle.

Die Bache sieht aus, als ob sie fast hundert Kilo wiegt, und Thomas ist skeptisch, ob seine Dienstwaffe ausreicht, um das Tier zu töten, falls es angreift. Um kein Risiko einzugehen, entsichert er die Waffe. Der schwarze Kolben fühlt sich lächerlich klein an in seiner Hand.

Das Wildschwein steht immer noch da und starrt sie an. Die kleinen, tief liegenden Augen sehen tückisch aus. Es hat die kurzen Ohren gespitzt.

Kostbare Minuten verstreichen, während Margit und Thomas warten. Auf einmal sind Geräusche hinter den Bäumen zu hören.

Drei kleine Frischlinge kommen aus dem Gebüsch. Die Bache gibt ein dumpfes Grunzen von sich und verschwindet mit ihren Ferkeln zwischen den Bäumen.

Thomas atmet auf und wischt sich mit dem Ärmel den Schweiß von der Stirn. Margit ist blass im Gesicht. Sie stößt einen leisen Pfiff aus und stützt sich an einem Baumstamm ab.

»Puh, das war richtig unheimlich.«

»Hörst du was?«, fragt Thomas und lauscht in den Wald.

Ein Specht hämmert gegen einen Stamm. Sonst ist alles still. In welche Richtung ist Isabelle verschwunden?

Da knallt ein Schuss, nicht weit entfernt. Plötzlich fällt die Entscheidung leicht.

»Dahin«, ruft Thomas und läuft in die Richtung, aus der das Geräusch gekommen ist. »Dort drüben!«

Kapitel 88

Der Schuss muss sie erwischt haben. Es tut nicht weh, aber sie hat ein seltsam taubes Gefühl oberhalb der linken Hüfte. Als hätte eine Faust sie mit voller Wucht getroffen.

Sie ist hingefallen und kann nicht mehr aufstehen. Also bleibt sie auf dem Waldboden liegen, verborgen unter den dichten Zweigen einer großen Fichte.

Vorsichtig betastet sie die Stelle, an der sie nichts spürt. Die Fingerspitzen werden nass und etwas Warmes läuft ihre Hand hinunter.

Sie ist verletzt.

Bittere Tränen steigen ihr in die Augen. Wenn sie nur die Nerven behalten hätte. Man hätte ihr nichts nachweisen können. Sie hat alle Spuren so sorgfältig beseitigt. Nichts ist zurückgeblieben.

Aber als sie diesen Polizisten gesehen hat, diesen Andreasson, hat sie die Beherrschung verloren. Ohne nachzudenken ist sie in wilder Panik weggerannt.

Wie idiotisch. Und so verdammt unnötig. Wie konnte sie nur so dumm sein?

Sie versucht, sich bequemer hinzulegen. Die kriegen sie nicht. Sie wird zu ihrer Schwester in die Schweiz fahren. Dort findet sie keiner, dort ist sie sicher. Papas Geld wird von der Stiftung in den Alpen treu verwahrt. Es ist mehr als genug, um sich eine neue Existenz aufzubauen.

Sie lächelt, als sie an ihren Vater denkt, ihren starken, klugen Vater. Er hatte schon vor langer Zeit begriffen, dass man das Familienvermögen außer Reichweite der schwedischen Steuerbehörden schaffen muss. Papa hat für sein Mädchen gesorgt, wie immer.

Sie will sich nur erst einen Moment hier im Wald ausruhen, um neue Kräfte zu sammeln, bevor sie sich auf den Weg macht. Sie legt die Wange ins Moos und schließt die Augen.

Es war so verblüffend leicht, diesen aufgeblasenen Wichtigtuer Oscar zu erschießen. Und notwendig, absolut notwendig.

Als sie es tat, empfand sie eine tiefe Zufriedenheit. Auch er hatte sich einst gegen sie entschieden. Es war lange her, aber jetzt hatte sie sich gerächt. Für viele Kränkungen.

Der Moment war perfekt gewählt, genau in dem Augenblick, als er sich unbesiegbar vorkam. Geschah ihm recht, denkt sie.

Ein leichtes Gefühl von Schwindel und Übelkeit schleicht durch ihren Körper. Sie versucht wieder, ihre Stellung zu verändern, um bequemer zu liegen. Es scheint, als ob das Blut nicht mehr so stark fließt. Gut. Sie will nur noch eine kleine Weile liegen bleiben, dann wird sie aufstehen und dieses gottverdammte Land ein für alle Mal verlassen.

Wie ärgerlich, dass ihre Pläne geplatzt sind, so kurz vor dem Ziel. Sie hat lange darauf gewartet, Gattin des KSSS-Vorsitzenden zu sein. Das Königspaar zu begrüßen, Tischdame Seiner Majestät bei den Festen der Königlichen Klubs zu sein. In den Gesellschaftsspalten der Zeitungen zu erscheinen.

Sie war schon immer bereit für die Rolle.

Eigentlich hätte sie selbst Vorsitzende werden sollen. Weder Oscar noch Ingmar konnten ihr das Wasser reichen, was Energie und Kreativität betrifft. Sie ist eine hervorragende Organisateurin, eine geborene Führernatur.

Aber das hätte man natürlich nie zugelassen. Eine Frau, die dem ehrwürdigen Seglerverein vorsteht – das wäre nicht gegangen. Das hätte das Weltbild der alten Knaben zutiefst erschüttert. Die waren vom selben Schrot und Korn wie ihr Vater. Er hatte ihr eine teure Hauswirtschaftsschule in der Schweiz spendiert, aber eine Berufsausbildung, damit sie selbst Karriere hätte machen können, kam nicht infrage. Sie würde ja doch nur heiraten und Kinder bekommen.

Dann also Ingmar. Der feine adlige Ingmar, der genau die richtigen Verbindungen hatte.

Zielstrebig hat sie ihm in verschiedenen gesellschaftlichen Zusammenhängen den Weg geebnet. Hat ihn ermuntert, Zeit und Kraft in den KSSS zu investieren. Jetzt steht er an der Schwelle zum Vorsitzenden. Das ist Isabelles Verdienst. Sie hat sich engagiert und ihn unterstützt, ihn zu Veranstaltungen und Dinners begleitet und die richtigen Kontakte geknüpft. Und außerdem Oscar aus dem Weg geräumt.

Oscars Tod hatte mehrere Vorteile.

Und was ist der Dank? Ingmar hat sie betrogen. Nicht mit irgendeiner dummen Blondine, das wäre ja noch zu ertragen gewesen. Dann hätte sie noch so was wie Respekt vor ihm haben können, weil er sich endlich mal als echter Kerl erwies und eine Affäre hatte. Sie selbst hatte ja auch schon seit Jahren nichts anbrennen lassen. Es war lange her, dass ihr Mann sie sexuell befriedigt hatte.

Aber das hier? Das hätte ihre ganze Existenz in den Dreck gezogen, hätte alles zerstört, wofür sie so hart gekämpft hatte. Sie hätte sich niemals wieder in der Öffentlichkeit zeigen können.

Und jetzt ist alles vorbei.

Noch eine wütende, bittere Träne tropft ihr über die Wange. Sie war wirklich so dicht davor, all das zu erreichen, wovon sie seit Jahren geträumt hat.

Von Weitem sind Stimmen zu hören, die näher kommen.

Mit aller Kraft versucht Isabelle aufzustehen. Ihr Körper weigert sich, zu gehorchen. Eine Hand presst sie auf die Wunde, mit der anderen umklammert sie einen Zweig. Sie will sich hochziehen, sie muss auf die Beine kommen, muss weg von hier. Aber es ist zwecklos, es geht nicht. Keuchend sinkt sie wieder auf den feuchten Waldboden.

Jetzt sind die Stimmen nicht mehr weit entfernt. Komischerweise spielt das keine große Rolle mehr. Eine innere Ruhe durchströmt sie. Sie hat immer noch keine Schmerzen, fühlt sich aber benommen und schwach. Vor ihren Augen flimmert es leicht. Ihre Glieder werden gefühllos, aber der Kopf liegt schön weich auf dem Moos. Wird sie hier unter dem Baum sterben? Der Gedanke macht ihr keine Angst. Trotz allem ist sie zufrieden. Sie hat die ganze Zeit die Zügel in der Hand behalten. Hat Oscar um seinen Triumph gebracht. Und Martin hat seine Strafe bekommen.

Isabelle lächelt leicht, bevor sie in die Bewusstlosigkeit abgleitet. Das Letzte, was sie hört, ist eine Männerstimme, die ruft:

»Hier ist sie, ich habe sie gefunden!«

Sonntag, fünfte Woche

Kapitel 89

Nora saß zusammengekauert in einem der Korbsessel auf der Veranda. Sie hatte über eine Stunde lang mit ihren Söhnen Monopoly gespielt. Nach und nach hatte Adam alle guten Straßen aufgekauft, und Simon und sie mussten aufgeben.

Als sie fertig waren, hatten die Jungs Geld für Eis bekommen. Mit zufriedenen Gesichtern waren sie zum Kiosk geradelt.

Am Abend zuvor hatte Henrik eine Nachricht auf dem Anrufbeantworter hinterlassen.

»Wir können so nicht weitermachen«, hatte er gesagt. »Ruf mich an, wir müssen reden. Bitte, Nora.«

Sein Ton war versöhnlich gewesen und er hatte unglücklich geklungen. Als würde er jeden Moment anfangen zu weinen.

Er hatte recht, sie sollte ihn anrufen. Sie mussten sich aussprechen. Wenn nicht anders, dann den Kindern zuliebe.

Sie griff zum Telefon und wählte die Nummer seines Handys.

Die Rufsignale eilten davon.

»Henrik Linde.«

»Ich bin's.«

»Warte, ich muss nur kurz rausgehen. Wir haben Visite.«

Dann wollte er wirklich mit ihr sprechen. Sonst nahm er ihre Anrufe nie an, wenn Visite war.

»Nora.« Pause. »Es tut mir unglaublich leid. Ich weiß nicht, was in mich gefahren war. Ich bereue es zutiefst.«

»Ja.«

Was sollte sie auch sagen? Dass sie sich in ihren wildesten Fantasien nicht vorgestellt hätte, er könnte sie schlagen? Dass sein Verhalten etwas in ihrer Ehe zerstört hatte?

Dass eine schmerzende Wange nichts war im Vergleich zu der Wunde in ihrem Herzen.

Dass sie ihn verlassen wollte.

»Kannst du mir verzeihen? Wir müssen das aus der Welt schaffen. Denk an die Jungs. Ich vermisse euch so sehr.«

Sie sah ihre Söhne vor sich. Ihre sonnenverbrannten Gesichter, ihr erwartungsvolles Lächeln. Ihre Fragen, wann Papa zurück nach Sandhamn kam.

»Das wird niemals wieder vorkommen, Nora, ich schwöre es dir. Ich mache alles, was du willst, egal was. Aber denk an die Jungs. Unsere Jungs. Ihr bedeutet mir alles. Das musst du verstehen.«

Die Tränen brannten in ihren Augen. Adam und Simon, die ihren Papa so sehr liebten. Die ihn in der letzten Zeit kaum gesehen hatten.

»Nora.« Seine Stimme bettelte.

Er klang jünger am Telefon, so wie damals vor einer halben Ewigkeit, als sie sich kennenlernten. Als sie Studenten waren und wahnsinnig, atemlos ineinander verliebt.

»Ich war so wütend und verwirrt. Als hätte jemand anderes Gewalt über mich gehabt. Ich bin nicht so, du weißt das.«

Sie strich sich vorsichtig mit den Fingern über die Wange. Sie tat nicht mehr weh, verfärbte sich aber langsam.

Ihren Eltern hatte sie gesagt, sie sei gegen eine Tür gelaufen. So banal, dass es schon grotesk war.

Ein Mann schlägt seine Frau nicht, dachte sie. Als Frau geht man nach dem ersten Schlag, das muss man tun. Man bleibt nicht bei einem Mann, der Gewalt anwendet.

»Liebling, wir müssen das hinter uns lassen. Müssen weitergehen. Ich liebe dich doch.« Er schien mit den Tränen zu kämpfen. »Kannst du mir nicht verzeihen? Bitte, Nora.«

Kapitel 90

Thomas nickte dem uniformierten Polizisten zu, der auf einer Bank vor dem Zimmer saß. Er öffnete die Tür und sie traten ein.

Es war ein typisches Krankenhauszimmer – der einzige Farbtupfer war die orangefarbene, noppige Wolldecke des staatlichen Gesundheitswesens, die gefaltet über dem Fußgeländer lag.

Margit und Thomas betrachteten die Frau im Bett. Sie hatte das Gesicht abgewandt. Ein Tropf war an ihrem linken Arm befestigt, der auf der Bettdecke lag. Langsam drehte sie ihnen das Gesicht zu. Sie sah abgezehrt aus, aber ihr Blick war hart.

Isabelle von Hahne hatte darauf gewartet, dass sie kamen. Ingmar hatte sie nicht besucht.

»Sie wissen, warum wir hier sind?«, fragte Thomas. »Wir möchten mit Ihnen über die Morde an Oscar Juliander und Martin Nyrén sprechen.«

Sie nickte.

»Können Sie uns erzählen, was passiert ist?«

Sie nickte wieder, sagte aber nichts.

Thomas zog einen Stuhl heran, der an der Wand gestanden hatte, und setzte sich. Margit nahm sich ebenfalls einen.

Er kam direkt zur Sache.

»Haben Sie Oscar Juliander und Martin Nyrén erschossen?«

»Ja«, antwortete Isabelle mit leiser Stimme.

»Warum?«

Sie sah die Szene vor sich, als sie Oscar am Mittsommerabend erwischt hatte. Er hatte das Fest verlassen und war nach draußen gegangen, um frische Luft zu schnappen. Ungewollt hatte sie ihn in einer dunklen Ecke des Bootshauses überrascht.

»Ich habe gesehen, wie er heimlich Kokain geschnupft hat, auf einem Fest.«

Ehe sie etwas sagen konnte, war er zum Angriff übergegangen. Während sie noch auf das kleine Häufchen des weißen Pulvers starrte.

»Er hat mir gedroht.«

»Womit?«

»Wenn ich nicht den Mund über seinen Drogenkonsum hielte, würde er über meinen Mann auspacken.«

»Was wollte er denn verraten?«

Isabelle spannte die Kiefermuskeln an. Es fiel ihr immer noch schwer, die Worte auszusprechen.

»Dass Ingmar ein Verhältnis mit Martin Nyrén hatte.«

Margit und Thomas wechselten einen Blick.

Isabelle durchlief ein Frösteln. Sie hätte sich beinahe übergeben, als Oscar ihr das ins Gesicht schleuderte. Sie wusste zwar, dass Ingmar seit einiger Zeit eine Liebschaft hatte. Aber nicht, dass es ein Mann war. Nicht dass es Martin Nyrén war, dieser ältliche, schwammige Kerl aus dem Vorstand des KSSS.

Es hatte sie angeekelt. Wenn sie sich die beiden nackten Körper zusammen im Bett vorstellte, hätte sie kotzen können.

»Sprechen Sie weiter«, sagte Margit.

»Ich habe ihn angefleht, die Sache zu beenden.« Sie schwieg einen Moment. »Wenn seine Affäre bekannt geworden wäre, hätte ich einpacken können. Ich wäre zum Gespött der ganzen Stadt geworden. Alle hätten hinter meinem Rücken über mich gelacht.«

Sie spuckte die Worte geradezu aus.

»Martin Nyrén und Ingmar. Das war widerlich. Pervers.«

Ingmar hatte sie als Frau auf die schlimmste Weise gekränkt, die man sich vorstellen konnte. Außerdem war er so unvorsichtig gewesen, dass Oscar schon vor Wochen begriffen hatte, wie die Dinge lagen.

Er hatte sie doppelt betrogen.

»Und was hat Oscar noch gesagt?«

»Er versprach, Stillschweigen zu bewahren. Wenn ich dasselbe täte.«

»Haben Sie ihm vertraut?«, fragte Margit.

»Ob ich ihm vertraut habe?« Isabelle lächelte bitter.

Sie hatte sich erniedrigt. Hatte ihn händeringend angefleht, niemandem etwas zu verraten. Er hatte es versprochen, aber sie wusste genau, was Oscars Versprechen taugten, besonders gegenüber einer Frau. Wer hätte besser gewusst als sie, was Oscar in der Hitze des Augenblicks alles sagen konnte, um dann unbekümmert weiterzuziehen, wenn er ein neues Objekt der Begierde entdeckt hatte.

Es wäre nur eine Frage der Zeit gewesen, bis Oscar – gewollt oder ungewollt – die Wahrheit an die Öffentlichkeit gebracht hätte.

»Nein«, sagte sie schließlich.

»Was haben Sie dann gemacht?«

»Ich habe versucht, einen Ausweg zu finden.«

Sie hatte nächtelang wach gelegen. Sich den Kopf zerbrochen, was sie tun sollte. Hatte alle Alternativen hin und her gewendet und war jedes Mal zu demselben Ergebnis gekommen: Oscar musste sterben.

»Sie beschlossen, ihn zu töten?«, fragte Thomas.

»Ja.«

Eine andere Möglichkeit gab es nicht. Sie brauchte vier Tage, bis sie sich entschieden hatte. Am darauffolgenden Mittwoch war sie aufgebrochen.

»Wie sind Sie an die Waffe gekommen?«

»Ich bin nach Riga gefahren. Dort kann man ohne Probleme Waffen kaufen.

»Woher wussten Sie das?«, fragte Margit.

»Ich jage viel. Ich kann gut schießen, viel besser als mein Mann. Beim Jägerfrühstück wird manchmal darüber gesprochen, wie man auf ungewöhnliche Weise billig an ein gutes Gewehr kommt.«

»Wie haben Sie es über die Grenze gebracht?«

»Ich hatte es im Auto versteckt. Wenn man mit der Fähre ankommt und ein gut gekleideter schwedischer Staatsbürger ist, wird man nicht kontrolliert.«

»Und wo ist das Gewehr jetzt?«

»Vergraben. Im Wald neben unserem Sommerhaus.«

Sie streckte sich nach einem Glas Wasser, das auf dem Nachttisch stand. Ein Schmerz in der Magengegend durchzuckte sie, als sie es versuchte. Thomas erhob sich halb und schob ihr das Glas hin. Sie trank einige Schlucke und stellte es wieder ab.

»Wie haben Sie es genau gemacht, als Sie Juliander erschossen?«, fragte Margit.

»Unmittelbar vor dem Start sagte ich, dass ich mal kurz auf die Toilette müsste. Die eine liegt in der Vorpiek.«

»Und von dort haben Sie den Schuss abgegeben?«

»Ich habe das Gewehr zusammengebaut und die Luke einen Spalt geöffnet. Dann brauchte ich nur noch den Lauf hindurchzustecken und zu schießen.«

Der Abstand zur Swan hatte nur gut sechzig Meter betragen. Dort stand Oscar am Ruder, genauso selbstherrlich wie immer. Sie hatte die perfekte Position. Axel war ein Meister darin, seine Storebro zu manövrieren. Sie lag direkt oberhalb der Startlinie, mit Blick auf die Regattasegler.

»Das Ziel war nicht schwer zu treffen. Wie gesagt, ich jage schon seit Jahren.«

»Was haben Sie dann gemacht?«

»Ich habe das Gewehr wieder auseinandergenommen und alles in meiner Tasche verstaut. Nur ein paar Minuten später war ich wieder oben auf der Flybridge.«

»Hatten Sie gar keine Angst, dass jemand Ihre Abwesenheit bemerkt?«, fragte Margit.

»Alle hatten sich ganz auf den Start konzentriert. Und hinterher standen sie unter Schock. Außerdem«, sie lachte leise, »dachten sie, ich wäre bei ihnen gewesen, ich brauchte es ihnen hinterher nur immer wieder zu sagen. Haben Sie mal CSI gesehen? Die Leute erinnern sich an das, was man ihnen sagt.«

»Sie hatten alles bis ins Detail geplant«, sagte Margit.

»Ich bin gut in solchen Dingen.«

»Warum haben Sie ihn beim Start von Gotland Runt erschossen? Haben Sie es sich damit nicht unnötig schwer gemacht?«

»Im Augenblick des Triumphs, meinen Sie?«

»So könnte man es vielleicht sehen«, sagte Margit.

»Weil ich es wollte. Er hatte es verdient, genau in dem Moment zu sterben, als das, was er sich am allermeisten wünschte, zum Greifen nah war.«

»Waren Sie es, die in Britta Rosensjöös Hotelzimmer eingedrungen ist und versucht hat, ihren Fotoapparat zu stehlen?«, fragte Thomas.

Isabelle nickte. »Aber ich konnte ihn nicht finden.«

»Sie hatte ihn in der Hafenmeisterei liegen lassen.«

»Ja, das habe ich später gehört.«

»Warum haben Sie Martin Nyrén umgebracht?«, fragte Margit.

»Verstehen Sie das nicht?«

Martins Tod war notwendig gewesen. Sie hatte seine widerliche SMS an Ingmar gelesen und gewusst, dass sie die Sache nicht mehr länger tolerieren konnte. Es lag auf der Hand, dass sie nicht sicher war, solange Martin Nyrén lebte. Eine kleine Unvorsichtigkeit von

Ingmar und alles wäre doch noch herausgekommen. Außerdem hatte ihr der Gedanke keine Ruhe gelassen, dass er sie wegen Martin verlassen könnte. Das hätte sie nicht ertragen. Dann wäre alles, alles umsonst gewesen.

Ein primitiver Hass hatte sie die ganze Zeit aufrecht gehalten. Auf gewisse Weise hatte sie ihn ebenso verletzt, wie er sie verletzt hatte. Am Ende hatte sie ihm das Leben genommen.

»Er hatte es nicht verdient zu leben.«

»Sie meinen, Sie konnten ihn nicht am Leben lassen und riskieren, dass sein Verhältnis mit Ihrem Mann bekannt wurde«, sagte Margit. »Er war eine Gefahr für Sie.«

Isabelle machte sich nicht die Mühe einer Antwort.

»Wie haben Sie diesen Mord bewerkstelligt?«, fragte Thomas.

Isabelle trank noch etwas Wasser.

»Ich habe mir einen Nachschlüssel zu Ingmars Lagerraum anfertigen lassen. Er hat nichts gemerkt. Mit dem Wohnungsschlüssel von Martin habe ich es genauso gemacht.«

Ihr war plötzlich klar geworden, warum Ingmar seinen Lagerraum in Birkastan angemietet hatte. Sie hatte schon immer gefunden, dass er unnötig weit von der Galerie im Strandvägen entfernt war.

Er hatte nur eine Ausrede gebraucht, um nach Birkastan fahren und Martin Nyrén besuchen zu können. Eine alberne Erklärung für ein Rendezvous mit einem albernen Liebhaber.

»Und dann haben Sie ihn erschossen.«

»Ja.«

»Hatten Sie keine Bedenken, dass Sie den Verdacht auf Ingmar lenken könnten, wenn Sie seinen Lagerraum benutzen?«, fragte Thomas.

Isabelle spürte, wie ihr Herz schneller schlug. Wieder flammte der Zorn in ihr auf.

»Ich fand, das geschieht ihm ganz recht! Außerdem hätte ich nie gedacht, dass Sie den Fall lösen. Sie hatten ja keine Beweise. Meinetwegen hätte er den Rest seines Lebens darüber nachgrübeln können, wie das alles passiert ist.«

Sie sank ins Kissen zurück. Die Kräfte ließen nach.

»Es liegt eine göttliche Gerechtigkeit darin, dass sein Geliebter aus seinem Lagerraum erschossen wurde, ohne dass er begriff, wie das angehen konnte.«

Er saß auf dem Friedhof auf der Bank. Im Hintergrund zwitscherten ein paar Buchfinken, aber er hörte es nicht.

Mit gläsernem Blick starrte er auf das frische Grab, auf dem noch kein Stein hatte aufgestellt werden können. Eine Flut halb verwelkter Blumen bedeckte den Erdhügel.

Er sah Martins Gesicht vor sich. Das liebe, vertraute Gesicht, in dem er jede Linie, jede Lachfalte kannte.

Trotzdem wusste er, dass es nicht Martin war, der dort unten lag. Es war nur die Hülle, die man in die Erde gesenkt hatte, die fleischlichen Überreste des Menschen, den man tief geliebt hatte.

Er hatte so viel Zeit vergeudet.

Zuerst eine lange Periode, in der er aus der Ferne verliebt gewesen war. Dann eine Zeit jubelnden Glücks, als sie heimlich ein Verhältnis hatten.

Er hatte mit dem Gedanken gespielt, seine Liebe offen zu zeigen und Isabelle zu verlassen. Aber er hatte sich vor der Reaktion seiner Umgebung gefürchtet. Davor, wie sie ihn verurteilen würden, wenn die Wahrheit ans Licht kam. Er hatte sich hinter falscher Rücksichtnahme auf Isabelle versteckt und jedes Mal die Kinder vorgeschoben, wenn Martin auf eine Entscheidung drängte.

War das seine Strafe dafür, dass er sich nicht getraut hatte, zu ihrer Beziehung zu stehen? Dafür, dass er nicht den Mut gehabt hatte, den letzten Schritt zu tun?

Wer sollte ihn jetzt liebevoll bei seinem alten Spitznamen nennen, ihrem kleinen gemeinsamen Geheimnis? Dieser Name, der von seinem Lieblingsspiel als kleiner Junge herrührte, von dem Indianerkostüm mit Federn, das er dauernd getragen hatte. Erst riefen ihn die Kameraden »Indianer«, später wurde dann »Indi« daraus.

Jetzt gab es nur noch Ingmar. Den feigen, unglücklichen Ingmar, dem der einzige Mensch geraubt worden war, den er jemals geliebt hatte.

Was sollte er jetzt machen?

Er betrachtete den Ehering am linken Ringfinger. Das Symbol einer fast dreißigjährigen Beziehung, die ihn nie glücklich gemacht hatte. Er trug ihn immer noch, ebenso in den Konventionen gefangen wie immer. Obwohl seine Ehefrau mit kalter Berechnung seinen Liebsten getötet hatte.

Mit einer hastigen Bewegung zog er den Ring vom Finger und warf ihn weit hinein ins Gebüsch.

»Du bist die große Liebe meines Lebens«, flüsterte er still und blickte auf den Erdhügel vor sich. »Ich werde dich immer lieben, Martin. Immer.«

Kapitel 91

Eva Timell ließ den Sicherheitsgurt einrasten und lächelte der hübschen Stewardess zu, die ihr ein Tablett mit gefüllten Gläsern hinhielt.

Sie nahm ein Glas Champagner und nippte vorsichtig. Das frische, trockene Getränk kribbelte dezent auf der Zunge, genau wie es sollte.

Wer hatte noch behauptet, Champagner müsse kalt, trocken und gratis sein? Churchill oder vielleicht de Gaulle? Wie auch immer, es war jedenfalls gut gesagt.

Sie hob das Glas und prostete Blofeld zu, der ängstlich miauend in seinem Käfig auf dem Sitz nebenan hockte. Im Stillen dankte sie den neuen EU-Regeln, die es erlaubten, dass geimpfte Tiere innerhalb der Gemeinschaft reisen durften. Sie hätte es nicht ertragen, ihn sechs Monate lang in Quarantäne zu geben, ebenso wenig wie sie ihn in Schweden hätte zurücklassen können.

Die Stewardess kam vorbei und fragte, ob sie nachschenken dürfe. Eva schüttelte den Kopf, für den Moment hatte sie genug.

Business Class. Sie liebte die Business Class. Es war extravagant, absolut, aber in Liechtenstein hatte sie Millionen von guten Gründen, sich diesen kleinen Luxus zu erlauben.

Der Bankangestellte, mit dem sie telefoniert hatte, war äußerst zuvorkommend gewesen. Es war kein Problem, einen Termin zwecks Umdisponierung des Guthabens zu vereinbaren. Jederzeit gern, Frau Timell. Wann immer es Frau Timell recht ist.

Gegen Ende des Telefonats hatte er sich erlaubt, sie an den zehnstelligen Code zu erinnern, den sie dabeihaben musste, um Zugang zum Konto zu bekommen.

Natürlich würde sie den Code mitbringen. Das verstand sich doch von selbst.

Oscar mochte ja ein brillanter Insolvenzverwalter gewesen sein, aber vor ihr hatte er nichts geheim halten können. Sie, die ihn besser kannte als seine Mutter und die sein Leben seit Jahren organisiert hatte.

Vor ein paar Wochen war sie seine ganzen Fälle durchgegangen und hatte alle Dokumente und Vorgänge archiviert. Zum Schluss hatte sie seinen großen Schreibtisch aufgeräumt, dessen Verzierungen und vergoldeten Beschläge sie an Oscars Vorliebe für das Pompöse erinnerten. Sorgfältig hatte sie alle Schubladen geleert und ausgewischt. Schließlich kam sie zum Geheimfach, das so typisch für alte Schreibtische war. Oscar hatte es ihr stolz gezeigt, als der Schreibtisch von der Auktionsfirma geliefert worden war.

Das Fach hatte ein wenig geklemmt. Sie musste mit einem Brieföffner die verborgene Feder herunterdrücken, um es öffnen zu können. Darin lag ein Umschlag. Er enthielt Bankbelege, Unterlagen zu einem Konto im Ausland. Auf dem Umschlag stand der Name der Bank.

Es war keine Kunst gewesen, im Internet herauszufinden, dass es sich um eine der größten Banken Liechtensteins handelte. Dieselbe Bank, auf die der amerikanische Konzern die Zahlung für Oscar Martinssons Patent geleistet hatte, über dessen Existenz sie von den beiden Polizisten freundlicherweise aufgeklärt worden war.

Oscar, Oscar, dachte sie, du hast der Versuchung nicht widerstehen können. Nicht einmal du, nach all den Jahren als Rechtsanwalt.

Kein Wunder, dass du in der letzten Zeit so nervös warst. Hast du es bereut? Hattest du Angst, jemand könnte dir auf die Schliche kommen? Hattest du Gewissensbisse und brauchtest weißes Pulver, um die Nerven zu beruhigen?

Der Umschlag hatte genügend Informationen enthalten, damit sie begriff, wie alles zusammenhing. Den Rest hatte der zuvorkommende Bankangestellte beigesteuert.

Da lagen also zehn Millionen Dollar, abzüglich der Kosten für ein Swan-Boot von einundsechzig Fuß, auf einem ausländischen Konto. Die Bezahlung für ein auf dem Papier wertloses Patent, das unter der Hand für einen geradezu lächerlichen Betrag den Besitzer gewechselt hatte.

Mehrere Millionen Dollar waren eine Menge Geld, aber nichts im Vergleich zu den Unsummen, die sich damit verdienen ließen. Und ein Tropfen auf den heißen Stein verglichen mit dem Erlös, den eine öffentliche Versteigerung des Patents eingebracht hätte.

Und der Einzige, der hätte protestieren können, der wusste, was das Patent wirklich wert war, war tot.

Eva trank noch einen Schluck Champagner und ließ die letzten

Tropfen über die Zunge fließen, während sie aus dem Flugzeugfenster blickte. Nur noch wenige Minuten, dann würden sie an die Startposition rollen und sie würde dieses Land für immer verlassen.

Sie bereute nicht, dass sie Diana Söder anonyme Mails geschickt hatte. Sie hätte schwören können, dass Oscar von der Söder umgebracht worden war. Eine abgelegte Geliebte, die die Ausflüchte und Lügen ihres verheirateten Liebhabers leid war und sich gerächt hatte. Wer sonst?

Wie hätte sie denn ahnen können, dass diese verrückte Isabelle von Hahne ihn ermordet hatte. Auf die warteten jetzt viele Jahre Knast. Im Moment lag sie wohl noch im Krankenhaus und wartete auf ihren Prozess.

Nein, Eva hatte kein schlechtes Gewissen. Sie hatte Diana Söder vom ersten Augenblick an gehasst. Nicht zuletzt, weil Oscar zum ersten Mal seit vielen Jahren wirklich interessiert schien.

Auf die Idee mit den Mails hatte sie der Buchprüfer gebracht, der den Hotmail-Account seiner Tochter benutzt hatte. Die Befriedigung, als sie die Worte formulierte, hatte den bohrenden Schmerz in ihrer Brust ein wenig gelindert. Jedes Mal, wenn sie »senden« anklickte, hatte sie sich etwas besser gefühlt. Der Tipp an die Boulevardpresse hatte auch geholfen.

Die Stewardess kam wieder vorbei und fragte, ob sie noch Champagner wolle. Jetzt lächelte Eva freundlich und hielt ihr das Glas hin. Die helle Flüssigkeit glitzerte hübsch im Sonnenlicht.

Fast acht Millionen Dollar.

Das würde mehr als locker ausreichen, um sich eine geräumige Wohnung in Südfrankreich zu kaufen. Sie wollte eine große Terrasse, das wusste sie schon. Von den restlichen Millionen konnte sie bis an ihr Lebensende sorgenfrei leben.

Später würde sie die Wohnung in Stockholm verkaufen. Wenn sich alles ein bisschen beruhigt hatte. Wenn die sechsmonatige Krankschreibung ausgelaufen war.

Es war nicht schwer gewesen, den Arzt dazu zu bringen, sie arbeitsunfähig zu schreiben. Er war sehr sympathisch und verständnisvoll gewesen. Sicher könnte sie die Zeit auch noch mal verlängern, wenn sie darum bat. Die Kanzlei hatte ihr Blumen geschickt. Niemand hatte ihren Zustand angezweifelt.

Der Verkauf der Stockholmer Wohnung würde auch noch mal ein

nettes Sümmchen einbringen. Vielleicht konnte sie eine kleine Firma an der Riviera aufmachen. Für eine geschäftstüchtige Frau gab es viele Möglichkeiten.

Aber jetzt würde sie erst mal das Leben genießen. Sich etwas gönnen. Vielleicht einen Liebhaber nehmen. Einen leidenschaftlichen Franzosen, der wusste, wie man eine Frau verwöhnte.

Danke, Oscar, dachte sie und hob das Glas zu einem stummen Toast. Ich wusste, dass du letztlich doch für mich sorgen würdest. Ich habe keine Sekunde daran gezweifelt.

Danksagung der Autorin

Die ganze Geschichte ist frei erfunden, es gibt keinerlei Ähnlichkeiten mit lebenden oder toten Personen.

Als die Intrige Form annahm, dachte ich darüber nach, wie Macht und Ehrgeiz sich in einem engeren Kreis entwickeln könnten. Der KSSS mit seiner Anbindung an Sandhamn wurde ein natürlicher Ausgangspunkt dafür. Ich war allerdings selbst viele Jahre lang aktives Mitglied in diesem Verein und kann bezeugen, wie sehr er sich um den Segelsport verdient macht. Ich möchte auch hervorheben, dass die reguläre Jahresversammlung des KSSS im Februar stattfindet, nicht im September, und dass es selbstverständlich noch viele andere Bootstypen als nur die Swan-Boote gibt, mit denen man die Gotland-Runt-Regatta gewinnen kann.

Während der Arbeit an dem Buch hat eine Vielzahl von Personen großzügig ihr Wissen und ihre Expertise beigesteuert.

Ich möchte Jan Fellenius danken, Rechtsanwalt in der Kanzlei Fylgia, der mir berichtet hat, wie ein Insolvenzverwalter arbeitet. Kriminalkommissarin Sonny Björk hat mir die Kriminaltechnik und die Ballistik beschrieben, und Zahnarzt Hans-Olof Örnerfeldt hat mir die Brånemark-Methode erklärt. Große Hilfe habe ich auch von der Radiologin Katarina Bodén bekommen, und die Leitende Richterin i. V. Cecilia Klerbro hat mir zu einem Besuch bei Marie Frykberg am Insolvenzgericht verholfen.

Ein herzliches Dankeschön an meine Familie, Freunde und Kollegen, die sich die Zeit genommen haben, das Manuskript zu lesen und den Werdegang mit klugen Anmerkungen zu begleiten: Lisbeth Bergstedt, Tord Bergstedt, Anette Brifalk, Helen Duphorn, Carin Hildebrand, Gunilla Pettersson sowie Göran Sällqvist.

Großen Dank schulde ich meiner tüchtigen Verlegerin Karin Linge Nordh und meiner unermüdlichen Lektorin Matilda Lund sowie allen anderen Mitarbeitern des Forum Verlags, die sich solche Mühe mit meinen Büchern geben.

Wie immer war meine Tochter Camilla mein größter Fan, sie hat alles als Erste gelesen und kommentiert. Mein wunderbarer Mann Lennart hat mich auch die ganze Zeit unterstützt. Er hat mir eine Menge Fragen über Jagd und Munition beantwortet und sich in der Schlussphase des Schreibprozesses, als ich mental und physisch am Ende war, um alles gekümmert. Meine fantastischen Söhne Alexander und Leo haben mit aufmunternden Zurufen und Umarmungen geholfen.

Viveca Sten — Sandhamn, im November 2008

Viveca Sten. Tödlicher Mittsommer. Ein Fall für Thomas Andreasson. Deutsch von Dagmar Lendt. KiWi 1202

Am Strand von Sandhamn wird an einem heißen Julitag die Leiche eines Mannes angespült. Thomas Andreasson übernimmt den Fall und trifft auf der beliebten Urlaubsinsel seine Jugendfreundin Nora wieder. Als eine Woche später ein weiterer Mord begangen wird, gerät die Inselidylle vollends in Gefahr ...

»Viveca Sten ist Anwärterin auf den Thron der schwedischen Krimikönigin.« *Grazia*

Auch als eBook

www.kiwi-verlag.de KiWi PAPERBACK